écho

1

A1
A2

méthode
de français

J. GIRARDET
J. PÉCHEUR
avec la collaboration de
C. GIBBE

CLE
INTERNATIONAL

www.cle-inter.com

Direction éditoriale : Michèle Grandmangin
Édition : Christine Grall
Conception graphique : Marc Henry
Mise en pages : Adeline Calame
Illustrations : Jeanne Puchol (pages « Simulations ») – Jean-Pierre Foissy (pages « Ressources ») – Chantal Aubin (p. 108)
Cartographie : Françoise Monestier

Introduction

Pour grands adolescents et adultes

ÉCHO est une méthode de français langue étrangère qui s'adresse à de grands adolescents et à des adultes débutants ou faux débutants.

Elle est conçue à partir de supports variés qui reflètent les intérêts et les préoccupations de ce public. Elle s'appuie le plus possible sur des activités naturelles plus proches de la conversation entre adultes que de l'exercice scolaire. Elle cherche aussi à concilier le dosage obligé des difficultés avec le besoin de posséder très vite les clés de la communication et de s'habituer à des environnements linguistiques riches.

Une approche orientée vers l'action

Dès la première heure de cours, l'étudiant est acteur. La classe devient alors un espace social où s'échangent des informations, des expériences, des opinions et où vont se construire des projets.

De ces interactions vont naître le désir de maîtriser le vocabulaire, la grammaire et la prononciation, le besoin d'acquérir des stratégies de compréhension et de production, et l'envie de mieux connaître les cultures francophones.

Parallèlement, des activités de simulation permettront aux apprenants d'anticiper les situations qu'ils auront à vivre dans des environnements francophones.

Une progression par unités d'adaptation

ÉCHO se présente comme une succession d'unités représentant chacune entre 30 à 40 heures d'apprentissage. Une unité comporte 4 leçons.

Chaque unité vise l'adaptation à un contexte et aux situations liées à ce contexte. Par exemple, à la fin de l'unité 1 « Apprendre ensemble », l'adaptation consiste à mettre les apprenants à l'aise dans une classe où on ne parle que français et où les relations sont solidaires, détendues, dynamiques.

Dans l'unité 2 « Survivre en français », les étudiants apprendront à se débrouiller lors d'un bref séjour en France.

ÉCHO compte 4 unités par niveau.

La possibilité de travailler seul

Il est rare que l'étudiant adulte d'aujourd'hui ait la disponibilité nécessaire pour apprendre une langue étrangère uniquement en suivant des cours. *ÉCHO* lui donne la possibilité de travailler seul.

Le cahier personnel d'apprentissage, accompagné d'un CD, permet de retrouver le vocabulaire nouveau, d'en noter le sens, de vérifier la compréhension d'un texte ou d'un document sonore étudié en classe et d'automatiser les formes linguistiques. Ce cahier s'utilise en relation avec les autres outils de référence nombreux dans les leçons et dans les pages finales du livre (tableaux de grammaire, de vocabulaire, de conjugaison).

La référence au Cadre européen commun

Par ses objectifs et sa méthodologie, *ÉCHO* s'inscrit pleinement dans le Cadre européen commun de référence (CECR) pour les langues.

Il prépare également le DELF (Diplôme d'études en langue française).

Chaque niveau de *ÉCHO* prépare un niveau du CECR et du DELF :

Écho 1 → A1 (à la fin de l'unité 3)
Écho 2 → A2 (à la fin de l'unité 2)
Écho 3 → B1 (à la fin de l'unité 4)

Auto-évaluation et évaluation institutionnelle

- À la fin de chaque unité, l'étudiant procède avec l'enseignant à **un bilan** de ses savoirs et de ses savoir-faire.
- **Un fichier d'évaluation** permet le contrôle des acquisitions à la fin de chaque leçon.
- Dans **le portfolio**, l'étudiant notera les différents moments de son apprentissage ainsi que ses progrès en matière de savoirs et de savoir-faire.

L'organisation de ÉCHO 1

▶ Pour la classe

Le livre de l'élève
- 4 unités
- Dans chaque unité, 4 leçons de 4 doubles pages
- À la fin de chaque unité :
  - 4 pages de bilan
  - 3 pages « Évasion »
- À la fin du livre :
  - les nombres
  - un aide-mémoire grammatical
  - des tableaux de conjugaison
  - des cartes
  - les transcriptions des documents sonores non transcrits dans les leçons
  - le tableau des contenus
- Un portfolio

Les CD audio collectifs
- dialogues des histoires
- activités d'écoute
- exercices de prononciation

Le fichier d'évaluation (avec CD audio)
fiches photocopiables : une fiche par leçon

Le livre du professeur
- conseils pour la conduite de la classe
- corrigés des exercices
- informations sur des points de langue et de civilisation

Le DVD

▶ Pour le travail personnel

Le cahier personnel d'apprentissage
(avec CD audio et livret de corrigés)
- activités de révision
- apprentissage du vocabulaire
- exercices oraux d'automatisation (conjugaison et structures grammaticales)
- conseils pour l'apprentissage

Le CD audio individuel
comportant les dialogues des histoires

L'organisation d'une leçon

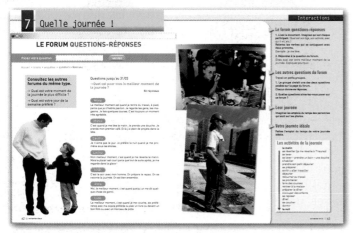

Deux pages « Interactions »

Un ou plusieurs documents permettent aux étudiants d'échanger des informations ou de s'exprimer dans le cadre d'une réalisation commune.
Ces prises de parole permettent d'introduire les éléments lexicaux et grammaticaux.

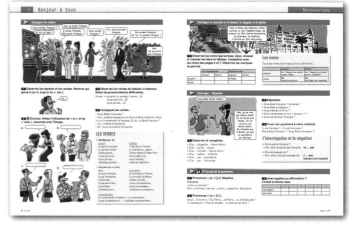

Deux pages « Ressources »

Pour chaque point de langue important ces pages proposent un parcours qui va de l'observation à la systématisation.
Les particularités orales des faits grammaticaux sont travaillées dans la partie « À l'écoute de la grammaire ».

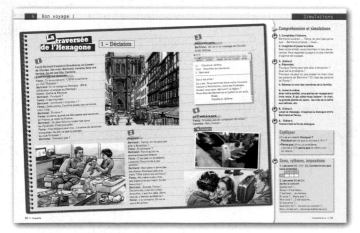

Deux pages « Simulations »

L'étudiant retrouvera les éléments linguistiques étudiés précédemment dans des scènes dialoguées qui s'enchaînent pour raconter une histoire.
À chaque unité correspond une histoire qui est représentative de l'objectif général de l'unité. Par exemple, l'unité 1 « Apprendre ensemble » met en scène un groupe de jeunes gens qui font connaissance, travaillent et se détendent ensemble dans le cadre d'un stage international de comédie musicale.
Chaque scène illustre une situation concrète de communication.
Elle donne lieu à des activités d'écoute et de simulation.
Cette double page comporte aussi des exercices de prononciation.

Une page « Écrits »

Différents types de textes sont proposés aux étudiants afin qu'ils acquièrent des stratégies de compréhension et d'expression écrite.

Une page « Civilisation »

Des documents permettent de faire le point sur un sujet de civilisation.

Apprendre ensemble

▶ *POUR ÊTRE*
ACTEUR *DANS VOTRE CLASSE*
EN FRANÇAIS

▶ *VOUS ALLEZ*
ÉCHANGER *AVEC LES AUTRES*
LES MOTS DE TOUS LES JOURS

▶ *VOUS ALLEZ*
PARTICIPER
À VOTRE APPRENTISSAGE

▶ *VOUS ALLEZ*
PARLER DE VOUS,
DE CE QUE VOUS FAITES
ET DE CE QUE VOUS AVEZ FAIT

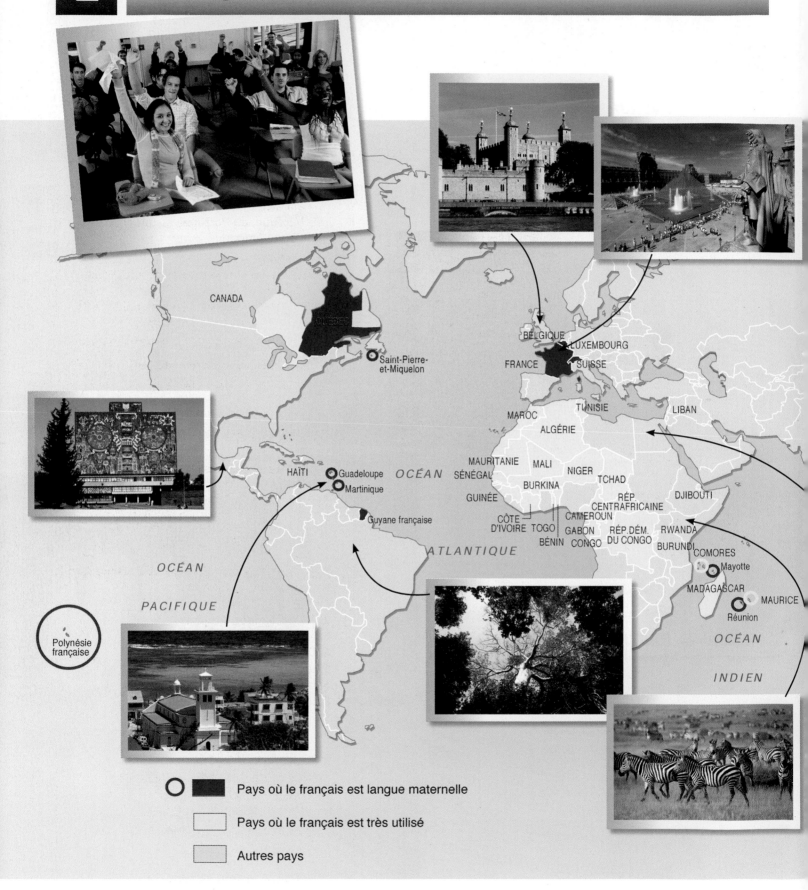

CANADA

QUÉBEC

Saint-Pierre-
et-Miquelon

BELGIQUE

LUXEMBOURG

FRANCE   SUISSE

MAROC

TUNISIE

LIBAN

ALGÉRIE

MAURITANIE   MALI

HAÏTI   Guadeloupe   *OCÉAN*   SÉNÉGAL   NIGER   TCHAD

Martinique   BURKINA   RÉP.   DJIBOUTI

GUINÉE   CENTRAFRICAINE

CÔTE   CAMEROUN

Guyane française   D'IVOIRE   TOGO   GABON   RÉP.DÉM.   RWANDA

BÉNIN   CONGO   DU CONGO   BURUNDI

ATLANTIQUE   COMORES

OCÉAN   Mayotte

MADAGASCAR

PACIFIQUE   MAURICE

Réunion

Polynésie
française   *OCÉAN*

INDIEN

○ ■ Pays où le français est langue maternelle

☐ Pays où le français est très utilisé

☐ Autres pays

Faisons connaissance

1. **Écoutez. Le professeur se présente.**

2. **Présentez-vous à la classe.**

Pour se présenter

Bonjour...
Je m'appelle Barbara Dumont.
Je suis étudiant. – Je suis étudiante.
Je suis français. – Je suis française.
J'habite à Paris. – J'habite à Mexico.
J'habite en France, en Espagne, en Chine,
au Mexique, au Portugal, au Japon,
aux États-Unis.

• **Questions**
Comment vous vous appelez ? (Comment
tu t'appelles ?)
Vous êtes étudiante ? (Tu es étudiante ?)
Où vous habitez ? (Où tu habites ?)

3. **Dialoguez avec votre voisin(e).**
« Comment tu t'appelles ? »...

Comment on prononce ?

1. Écoutez. Voici des pays où le français est très utilisé.
Trouvez ces pays sur la carte. Classez-les.

le	la *semaine*	l'	les
le Sénégal	la Suisse	l'Algérie	les Comores

Masculine

2. Écoutez. Vous comprenez ? Vous connaissez ?
Associez avec la photo.
1. la Tour de Londres
2. les pyramides d'Égypte
3. le parc du Serengeti
4. l'université de Mexico
5. le musée du Louvre
6. la forêt d'Amazonie
7. les tours de Shanghai
8. l'île de Marie-Galante

Utile en classe

• Vous comprenez ? (Tu comprends ?)
– Oui, je comprends.
– Non, je ne comprends pas.

• Vous connaissez la France ? (Tu connais la France ?)
– Oui, je connais.
– Non, je ne connais pas.

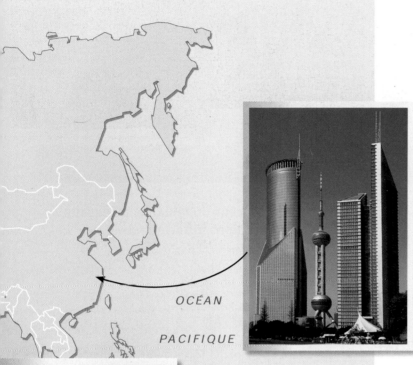

OCÉAN

PACIFIQUE

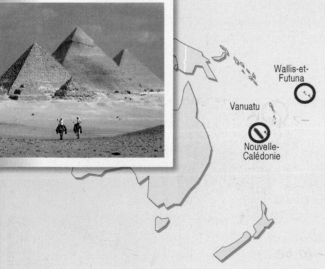

Wallis-et-Futuna

Vanuatu

Nouvelle-Calédonie

► **Conjuguer les verbes**

1 Observez les dessins et les verbes. Montrez qui parle (« je »), à qui (« tu », etc.).

Je…

2 🌐 Écoutez. Notez l'utilisation de « tu » et de « vous ». Associez avec l'image.

a.

b.

c.

d.

3 Observez les verbes du tableau ci-dessous. Notez les prononciations différentes.

Parler → je parle, tu parles, il parle... [ə]
    nous parlons... [ɔ̃]
    vous parlez... [e]

4 Conjuguez les verbes.

– Vous (être) française ?
– Non, je (être) espagnole et Monica (être) italienne. Mais nous (comprendre) le français. Et toi, tu (être) français ?
– Oui, j'habite à Marseille.
– Ah, nous (connaître) Marseille.

LES VERBES

• **Verbes en -er**

parler → Speak
je parle français
tu parles italien
il/elle parle...
nous parlons...
vous parlez...
ils/elles parlent...

habiter → to live
j'habite en France
tu habites au Japon
il/elle habite à New York
nous habitons...
vous habitez...
ils/elles habitent...

• **Les autres verbes**

être – to be
je suis français
tu es française
il/elle est...
nous sommes...
vous êtes...
ils/elles sont...

connaître → to know
je connais la France
tu connais le Maroc
il/elle connaît...
nous connaissons...
vous connaissez...
ils/elles connaissent...

comprendre – understand
je comprends l'anglais – tu comprends...
nous comprenons... – ils/elles comprennent...

Distinguer le masculin et le féminin, le singulier et le pluriel

Voici le Palais des Festivals, l'hôtel Carlton, la mer Méditerranée, les acteurs du film *Marie-Antoinette*, le directeur du Festival, l'actrice du film *King Kong*.

1 Observez les noms (personnes, lieux, choses) et classez-les dans le tableau. Complétez avec les noms des pages 6 et 7. Observez les marques du pluriel.

	noms de personnes		noms de choses	
	masculin	féminin	masculin	féminin
singulier			le Palais	
pluriel				

Les noms

Tous les noms sont masculins ou féminins.

	masculin	féminin
singulier	**le - l'** (devant une voyelle) le parc, l'hôtel	**la - l'** (devant une voyelle) la tour, l'étudiante
pluriel	**les** les parcs, les tours	**les** les hôtels, les universités

Interroger – Répondre

Vous êtes Maria Monti ?

Non, je ne suis pas Maria Monti. Je ne parle pas italien. Je ne connais pas Maria Monti. Je n'habite pas à Rome. Je suis la secrétaire du Festival.

1 Observez et complétez.

• Elle ... s'appelle ... Maria Monti.
• Elle ... parle ... italien.
• Elle ... connaît ... Maria Monti.
• Elle ... habite ... à Rome.
• Elle ... est ... secrétaire.
• Elle ... est ... française.

2 Répondez.

• Vous êtes français / française ?
• Vous êtes professeur ?
• Vous habitez à Paris ?
• Vous comprenez le mot « bonjour » ?
• Vous parlez bien français ?

3 Posez les questions à votre voisin(e).

Tu es français ? – Tu es française ?
(Vous êtes français ? – Vous êtes française ?)

L'interrogation et la négation

• Marie parle français ?
– Non, elle ne parle pas français.   **ne ... pas**

• Elle est espagnole ?
– Non, elle n'est pas espagnole.   **n' ... pas**
   (devant une voyelle)

À l'écoute de la grammaire

1 Prononcez « je » [ʒə]. Répétez.

Prénoms
Julie, tu connais ?
Non, je connais Jeanne, Justine, Joséphine, Géraldine.

2 Prononcez « tu » [ty].

Salut... D'où es-tu ? Du Pérou..., de Paris... ou d'Andalousie ?
Tu habites où ? Rue du Musée... ou avenue de Nice ?

3 Interrogation ou affirmation ? Cochez la bonne case.

	1	2	3	4	5	6
interrogation						
affirmation						

Vous connaissez la chanson ?

1- Ouverture

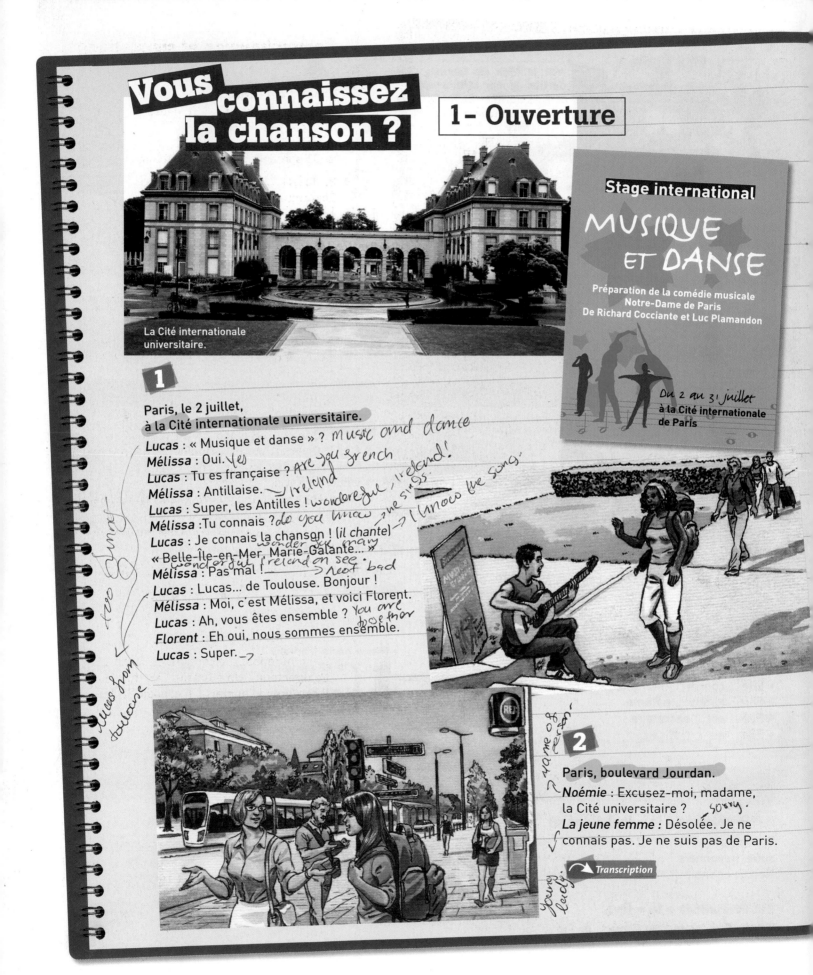

La Cité internationale universitaire.

Stage international

MUSIQUE ET DANSE

Préparation de la comédie musicale
Notre-Dame de Paris
De Richard Cocciante et Luc Plamandon

Du 2 au 31 juillet
à la Cité internationale de Paris

1

Paris, le 2 juillet,
à la Cité internationale universitaire.

Lucas : « Musique et danse » ? *music and dance*
Mélissa : Oui. *yes*
Lucas : Tu es française ? *Are you french*
Mélissa : Antillaise. *Ireland*
Lucas : Super, les Antilles ! *wonderful, Ireland!*
Mélissa : Tu connais ? *do you know the song*
Lucas : Je connais la chanson ! (il chante) *I know the song*
« Belle-Île-en-Mer, Marie-Galante... »
Mélissa : Pas mal ! *not bad*
Lucas : Lucas... de Toulouse. Bonjour !
Mélissa : Moi, c'est Mélissa, et voici Florent.
Lucas : Ah, vous êtes ensemble ? *You are together*
Florent : Eh oui, nous sommes ensemble.
Lucas : Super.

2

Paris, boulevard Jourdan.

Noémie : Excusez-moi, madame, la Cité universitaire ? *sorry*
La jeune femme : Désolée. Je ne connais pas. Je ne suis pas de Paris. *young lady*

▲ **Transcription**

3

À l'accueil du stage international « Musique et danse ».

Le secrétaire : Bonjour. Vous vous appelez ?

...

[handwritten: What is your name ? (official)]

FICHE D' INSCRIPTION

Nom : RIVIÈRE
Prénom : Florent
Adresse : 7 rue Victor-Hugo
FORT-DE-FRANCE
Martinique
Nationalité : française
Profession : professeur

FICHE D'INSCRIPTION

Nom : LAFORÊT
Prénom : Noémie
Adresse : 24 boulevard Champlain
LAVAL – Canada
Nationalité : canadienne
Profession : étudiante

4

Le 3 juillet. À la cafétéria.

Sarah : Bonjour ! Je suis Sarah, la prof de chant.
Tous : Bonjour ! *[handwritten: all goes well]*
Sarah : Tout va bien ? Le café est bon ? *[handwritten: Is the coffee good]*
Lucas : Très bon. *[handwritten: very good]* *[handwritten: and the croissants]*
Sarah : Et les croissants ?
Lucas : Excellents !
Sarah : Alors, à bientôt.
Tous : Au revoir. *[handwritten: so so long]*
...
Noémie : Je peux ?
Lucas : Bien sûr ! *[handwritten: of course]*

Compréhension et simulations

1. *Scène 1.*
Écoutez et répondez.
a. Lucas est français ? Et Mélissa ?
b. Lucas habite Paris ?
c. Mélissa connaît Florent ?
d. Où sont Mélissa, Florent et Lucas ?

2. *Scène 2.*
Écoutez et transcrivez le dialogue.

3. *Scène 3.*
Observez. Imaginez le dialogue.

4. *Scène 4.*
Écoutez.
Présentez les personnages de l'histoire.

5. Jouez une scène.
• Un nouvel étudiant arrive dans la classe.
• Une Française demande son chemin dans votre ville.

Petits mots de politesse

• Bonjour – Bonsoir
  Bonjour, Lucas. – Bonjour, madame.
  – Bonjour, monsieur.
• Au revoir – À bientôt
• Pardon – Excusez-moi – Je suis désolé(e)
• S'il vous plaît – Merci

Sons, rythmes, intonations

1. Le rythme et l'accentuation
Au téléphone
Oui... Non... Bien.
Ça va... Et vous ?... Aussi...
Je comprends... Je connais... À Paris...
Le directeur... Un étudiant... Un Italien...
Il comprend l'anglais... Il connaît Paris...
Il parle français.

2. L'enchaînement
Je m'appelle Anna.

J'habite à Paris.

Je suis italienne.

Je parle espagnol.

Voici Roberto.

Il est espagnol.

Il habite en France.

Il est étudiant.

Les sons et les lettres

• Les voyelles

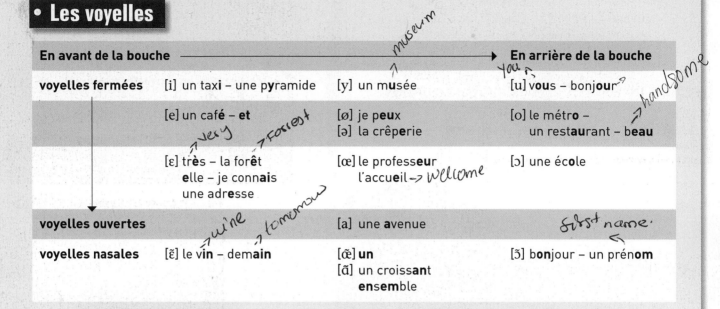

En avant de la bouche			En arrière de la bouche
voyelles fermées	[i] un tax**i** – une p**y**ramide	[y] un m**u**sée	[u] **vou**s – bonj**ou**r
	[e] un caf**é** – **et**	[ø] je p**eu**x [ə] la cr**e**perie	[o] le métr**o** – un rest**au**rant – b**eau**
	[ɛ] tr**è**s – la for**ê**t **e**lle – je conn**ai**s une adr**e**sse	[œ] le profess**eu**r l'accu**ei**l	[ɔ] une éc**o**le
voyelles ouvertes		[a] une **a**venue	
voyelles nasales	[ɛ̃] le v**in** – dem**ain**	[œ̃] **un** [ɑ̃] un croiss**ant** **en**sem**ble**	[ɔ̃] b**on**jour – un prén**om**

Handwritten annotations: museum; you; handsome; very; forest; wine; tomorrow; welcome; first name.

• Les consonnes

Consonnes sourdes	Consonnes sonores
[k] le **c**afé	[g] le **g**âteau
[t] un **t**axi	[d] la **d**anse
[p] **p**ardon	[b] **b**on
[ʃ] le **ch**ocolat	[ʒ] **b**onjour – un gara**g**e
[s] le **s**ecrétaire le **c**entre une adre**ss**e	[z] dé**s**olé
[f] la coi**ff**ure	[v] l'a**v**enue

Autres consonnes	
[l]	une **l**angue elle s'appe**ll**e
[R]	une **r**ue
[m]	**m**adame – co**mm**ent
[n]	l'u**n**iversité – je co**nn**ais
[ɲ]	la monta**gn**e

Handwritten annotations: Cake; language, langue; the street; how; mountain; la hair style.

▶ Les sons et les lettres

🔊 **Écoutez. Le professeur prononce les sons
et les mots du tableau ci-dessus.
Répétez.
Observez comment on écrit chaque son.**

▶ Épeler

1. 🔊 **Écoutez la prononciation des lettres de l'alphabet.**

Aa Bb Cc Dd Ee Ff Gg Hh Ii Jj
Kk Ll Mm Nn Oo Pp Qq Rr Ss
Tt Uu Vv Ww Xx Yy Zz

2. Épelez à votre voisin(e) :
– votre nom, votre prénom
– un mot français

LE MONDE EN FRANÇAIS

Écrit et prononciation

1. 🌐 **Écoutez et retrouvez les mots sur les photos. Notez les sons difficiles. Observez les correspondances.**

Son	Écriture
[ɛ] ◄──►	cr**ê**perie - **r**estaurant

2. 🌐 **Notez ce qu'ils demandent.**
Cherchez les sons difficiles dans le tableau de la page 12.
– le parc
...

▶ Les mots internationaux

1. 🌐 **Écoutez la prononciation française des mots suivants :**

Dans le menu du restaurant international
– sushi   – chorizo   – chocolat
– spaghetti   – steak   – marmelade
– merguez   – gâteau

2. **Cherchez l'origine de ces mots.**

mot allemand – anglais – arabe – espagnol – italien – japonais – mexicain – portugais

3. **Cherchez en groupes les mots français utilisés dans votre pays.**

Test EST-CE QUE VOUS CONNAISSEZ...
LA FRANCE ET LES PAYS FRANCOPHONES ?

LES PAYS

1 Quelle est la capitale...
a) de la France ?
b) de la Belgique ?
❑ Bruxelles ❑ Lille
❑ Marseille ❑ Paris

... / 2

2 Quels pays ont une frontière avec la France ?
❑ la Pologne ❑ l'Espagne
❑ l'Allemagne ❑ l'Autriche
❑ la Grèce ❑ la Suisse

... / 3

3 Complétez avec 3, 4 ou 10.
a) À Paris, il y a ... millions d'habitants.
b) À Montréal, il y a ... millions d'habitants.
c) À Abidjan, il y a ... millions d'habitants.

... / 3

4 Où est...
a) le drapeau français ? ...
b) le drapeau suisse ? ...

... / 2

5 Quel est le nom du chant national français ?
❑ la Bordelaise ❑ la Parisienne
❑ la Marseillaise

... / 1

LES GENS

6 Les Amélie célèbres
Qui est-ce ?
a) Amélie Poulain
b) Amélie Mauresmo
c) Amélie Nothomb
❑ une artiste ❑ une actrice
❑ une chanteuse ❑ une femme écrivain
❑ une sportive ❑ un film

... / 3

7 Les Charles célèbres
Qui est-ce ?
a) Charles de Gaulle
b) Charles Aznavour
c) Charles Baudelaire
❑ un artiste ❑ un acteur
❑ un chanteur ❑ un écrivain
❑ un sportif ❑ un homme politique

... / 3

LES CHOSES

8 Qu'est-ce que c'est ?
❑ une université
❑ un musée

... / 1

9 Qu'est-ce que c'est ?
a) la Bourgogne
❑ un bon vin   ❑ une belle région

b) *Le Monde*
❑ un grand journal   ❑ un café célèbre

c) la Stella
❑ une grande chanteuse   ❑ une bonne bière

... / 3

10 Reliez
Renault   •   • des avions
Jean-Paul Gaultier •   • des montres
Airbus   •   • des voitures
Rollex   •   • des parfums

... / 4

Total :

Faites le test

1. Faites le test avec l'aide du professeur.
2. Comptez vos points : ... / 25
3. Notez les mots utilisés pour poser des questions.

Imaginez un test

En petits groupes, écrivez dix questions.
Posez ces questions aux autres groupes.

Poser des questions

• **Est-ce que...**
Lima est la capitale du Pérou ?
Est-ce que Lima est la capitale du Pérou ?

• **Il y a**
Est-ce qu'il y a un musée à Cannes ?

• **Quel – quelle – quels – quelles**
Quel est le nom du professeur ?
Quelle est la capitale de l'Australie ?
Quels sont les bons restaurants de Cannes ?
Vous parlez quelles langues ?

• **Qui**
Qui est-ce ? – C'est Lucas Marti.

• **Que**
Qu'est-ce que c'est ? – C'est un musée.

• **Où**
Où est le Kilimandjaro ?

Parlez de vos goûts

Interrogez votre voisin(e) sur ses goûts.
• les pays (les pays étrangers, les villes, les régions)
• les gens (les acteurs et les actrices, les sportifs, les chanteurs et les chanteuses, etc.)
• les choses (les voitures, les journaux, les cafés, les restaurants, etc.)

Parler de ses goûts

• Vous aimez Venise ? (Est-ce que vous aimez Venise ?)
  – Oui, j'aime Venise.
  – Non, je n'aime pas Venise.
• Quelles villes tu aimes ?
  Quels restaurants ?
  Quels acteurs ?

▶ **Nommer – Préciser**

1 Observez l'emploi des petits mots en gras.

• On identifie une chose ou une personne :
une voiture...
• On parle d'une chose ou d'une personne précise :
la voiture...

2 Complétez avec *de – du – de la – de l' – des*.

la pyramide ... Louvre
le cinéma ... rue Champollion
un professeur ... université de Mexico
le nom ... étudiant
un tableau ... Monet
la maison ... étudiants

3 Complétez avec *un – une – des – le – la – l' – les*.

– Aix-en-Provence est ... belle ville avec ... beau musée
et ... grande université.
C'est ... ville de Paul Cézanne, ... célèbre peintre.
– J'ai ... amis à Aix-en-Provence. Je connais ... professeurs
de français de ... université et ... directeur de l'hôtel Ibis.

Les articles

• **Pour identifier → l'article indéfini**
Qu'est-ce que c'est ? – C'est **un** tableau de Picasso.

masculin singulier	féminin singulier	masculin ou féminin pluriel
un un livre	**une** une voiture	**des** des livres des voitures

• **Pour préciser → l'article défini**
C'est **le** célèbre tableau *Les Demoiselles d'Avignon*.

masculin singulier	féminin singulier	masculin ou féminin pluriel
le – l' le livre l'hôtel	**la – l'** la voiture l'université	**les** les livres les hôtels

• **Pour donner un complément d'information**

de [+ nom propre]	une rue de Paris
du [de + le = du]	les tableaux du musée
de la	le nom de la chanteuse
de l' [devant voyelle ou h]	l'adresse de l'hôtel
des [de + les = des]	le nom des étudiants

▶ **Accorder les noms et les adjectifs**

1 ◉ Dans les exemples du tableau, observez et écoutez les différences entre :

– le masculin et le féminin ⎫ à l'écrit
– le singulier et le pluriel ⎬ et à l'oral
Exemple : un ami – une amie

Les noms et les adjectifs

• **Masculin et féminin des noms de personnes**

un ami	une amie
un secrétaire	une secrétaire
un professeur	un professeur (une professeure)
un Anglais	une Anglaise
un Italien	une Italienne
un chanteur	une chanteuse
un directeur	une directrice

2 Complétez avec le masculin et le féminin.

une Brésilienne – un …
un étudiant – une …
un acteur – une …
une artiste – un …

3 Accordez le groupe du nom.

Il aime les (bon) (restaurant)
        (grand) (voiture)
        (femmes) (beau et célèbre)
        (hôtel) (international)

- **Masculin et féminin des adjectifs**
  un grand parc – une grande ville
  un stage international – la cité internationale
  un chanteur célèbre – une chanteuse célèbre
  un beau tableau – une belle actrice

- **Pluriel des noms et des adjectifs**
  un homme célèbre – des hommes célèbres
  un artiste international – des artistes internationaux
  → *Quand l'adjectif pluriel est devant le nom :*
  un beau tableau – **de** beaux tableaux
  un bon journal – **de** bons journaux

▶ Conjuguer les verbes

1 Pour apprendre les conjugaisons, imaginez des petits dialogues avec votre voisin(e) ou dans votre tête.

- Tu aimes le cinéma ?
- Oui, j'aime le cinéma.
- Et elle ?
- Elle aime les films français.
- Vous aimez les films français ?
- Nous aimons les films américains.
- Ils aiment les films américains !

2 Voici des débuts de dialogues. Imaginez la suite et jouez-la.

- Tu connais des pays étrangers ?
- Tu apprends une langue étrangère ?
- Tu as un livre de français ?
- Tu aimes les chansons françaises ?

Les verbes

- **Les verbes en -er**
  <u>regarder</u> : je regarde, tu regardes … nous regardons *to look at*
  <u>écouter</u> : j'écoute, tu écoutes … nous écoutons *to listen to*
  <u>aimer</u> : j'aime, tu aimes … nous aimons *to like*

- **Les autres verbes**
  <u>avoir</u>

j'ai une grande voiture	nous avons…
tu as…	vous avez…
il/elle/on a…	ils/elles ont…

  <u>lire</u> *to read*
  je lis, tu lis, il/elle/on lit, nous lisons, vous lisez, ils/elles lisent

  <u>écrire</u> *to write*
  j'écris, tu écris, il/elle/on écrit, nous écrivons, vous écrivez, ils/elles écrivent

  → **On** = nous = ils/elles
  En classe, on parle français.
  En Espagne, on aime chanter.

▶ 🎧 À l'écoute de la grammaire

1 Différenciez « un » [œ̃] et « une » [yn].

Qu'est-ce qu'un pays ?
Un drapeau, un chant national,
Une capitale, un musée,
Une chanteuse célèbre, une équipe de football,
Un artiste international, un grand homme politique,
Et puis aussi des gens, ensemble, avec une histoire.

2 Féminin ou masculin ? Écoutez et cochez la bonne case.

	mot masculin	mot féminin
1	…	…
2	…	…

3 Singulier ou pluriel ? Écoutez et cochez la bonne case.

	On parle d'une personne ou d'une chose	On parle de plusieurs personnes ou choses
1	…	…

Vous connaissez la chanson ?

2- Répétitions

1

Le 4 juillet. Les stagiaires travaillent avec le professeur de danse.

Le professeur : On arrête ! Ça ne va pas !
Tous : Qui ?
Le professeur : Les garçons. Vous n'avez pas le rythme.

 Transcription

Le quartier Montparnasse.

2

Au café, après le travail.

Lucas : (il chante)
« À Paris comme à Bombay
Je ne suis pas un étranger
J'habite où on m'aime
En Chine, en Bohème... »
(à Mélissa) Tu aimes ?
Mélissa : J'aime beaucoup.
Qu'est-ce que c'est ?
Lucas : Une chanson de Lucas Marti.
Mélissa : Mais, Lucas Marti, c'est toi ! Tu écris des chansons ?
Lucas : Juste la musique.
Mélissa : Tu es musicien professionnel ?
Lucas : Non, je travaille dans une pizzeria... Et toi ?
Mélissa : Oh, moi, je suis professeur dans une école de danse... mais j'écris des textes de chansons.
Lucas : Je voudrais bien lire tes textes.
Mélissa : Et moi, je voudrais bien écouter tes musiques.

3

Le 6 juillet, à la pause.

Lucas : Des nouvelles du Québec ?
Noémie : Oui.
Lucas : Tu habites quelle ville au Québec ?
Noémie : Laval. Tiens, regarde ! J'ai des photos !
L'université, le parc des Deux-Iles.
Lucas : Et lui, qui est-ce ?
Noémie : Maxime, un copain.
Lucas : Juste un copain ?
Noémie : Tu es bien curieux, toi !

Paris-Plage,
au bord de la Seine.

4

Le 8 juillet à Paris-Plage.

Florent : Je voudrais un coca, s'il vous plaît.

....

Noémie : Bonjour, Florent !
Florent : Oh ! Noémie ! Bonjour.
Noémie : Tu es seul ? Mélissa n'est pas avec toi ?

▶ Compréhension et simulations

🎧 **1. *Scène 1.***
Transcrivez la fin du dialogue.
Notez les ordres du professeur.
On arrête !...

🎧 **2. *Scène 2.***
Écoutez et complétez.
Lucas travaille ... Après le travail, il aime ...
Mélissa travaille ... Après le travail, elle aime ...

3. Imaginez la suite du dialogue 2.

🎧 **4. *Scène 3.***
Écoutez et répondez.
• Où habite Noémie ?
• Que regardent Noémie et Lucas ?
• Qui est Maxime ?

5. Jouez une scène.
• Vous êtes dans la rue avec votre ami(e).
Il/elle dit bonjour à un garçon ou à une fille que
vous ne connaissez pas.

• Votre ami(e) lit un message et regarde des
photos sur son téléphone portable.
Vous êtes curieux (curieuse).

🎧 **6. *Scène 4.***
Écoutez et imaginez la suite.

Pour demander

• Je voudrais un livre sur Monet.
  Je voudrais habiter au Canada.
• Est-ce que vous avez des livres d'art ?
• Est-ce qu'il y a une cafétéria dans le musée ?

🎧 Sons, rythmes, intonations

1. Prononcez avec le rythme.
Départ
• _ Lucas ... Florent ... Noémie ... Et vous ...
• • _ Écoutez ... Qu'est-ce que c'est ? ...
  Une voiture ? ... Un taxi ?
• • • _ C'est un taxi ... un taxi bleu ...
    pour mon ami
• • • • _ S'il vous plaît, monsieur ... place
    de l'Opéra ... À bientôt, Lucas !

2. Distinguez « je », « j'ai », « j'aime ».
Cochez la bonne case.
Exemple : 1. J'aime le cinéma. → j'aime

	je	j'ai	j'aime
1	...	...	✕
2	...	...	...

Audrey Pulvar est une des journalistes de télévision préférées des Français, avec **Claire Chazal**.

Le charme d'Audrey Pulvar

L e journal télévisé de FR3 a une nouvelle présentatrice. Elle s'appelle Audrey Pulvar. Née en 1974 à Fort-de-France (Martinique), la jeune femme est diplômée de l'École supérieure de journalisme de Paris et ancienne animatrice à Antilles Télévision, à LCI et à TV5.

Grande professionnelle, elle anime aussi les Victoires de la musique.

La nouvelle présentatrice du JT est charmante, dynamique, et les Français adorent.

Elle est curieuse de tout, aime le jazz, les musées, le théâtre, le cinéma... Mais elle a aussi deux grandes passions. Elle lit beaucoup, adore Faulkner et García Márquez et elle écrit des romans. ■

▶ Lecture de l'article

1. Lisez l'article. Complétez les informations suivantes.

Nom : ... Prénom : ...
Date de naissance : ...
Lieu de naissance ...
Profession : ...
Études : ...
Expériences professionnelles : ...
Lieu de travail : ...
Activités non professionnelles : ...

2. Qu'est-ce que c'est ?
– LCI
– les Victoires de la musique
– le JT

3. ⊕ Écoutez. On parle d'Audrey Pulvar.
Dites « oui » ou « non ». Corrigez.
a. Non, elle est née à Fort-de-France.
b. ...

▶ Écriture

Vous cherchez des amis français. Vous écrivez un message pour le site « Contact France ».
« Bonjour. Je m'appelle... »

Français, qui êtes-vous ?

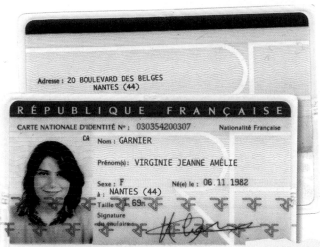

ÉCOLE DE JOURNALISME

BON Jean-François
BOUCHER Marie-José
COUTURIER Tristan
DUPARC-RIGAUD Camille
GONZALVES Pierre
KADDOURI Habiba
KOZLOWSKI Bruno
LA PLACE Sheila
MARINI Luigi
PETIT Marie
N'GUYEN Kim

ÉTRANGERS ET IMMIGRÉS

Il y a en France 5 millions d'étrangers ou d'immigrés : Algériens (0,5 million), Marocains et Tunisiens, immigrés d'autres pays de l'Afrique francophone (voir p. 6), Européens (Portugais, Italiens, Espagnols, Polonais, etc.), Asiatiques (Vietnamiens, Cambodgiens, etc.).
Il y a en France 60 millions d'habitants. 48 millions de Français habitent dans une ville et 12 millions dans un village.

LES PRÉNOMS PRÉFÉRÉS DES FRANÇAIS

Enfants nés en 2005

Filles	Garçons
Léa	Thomas
Manon	Lucas
Camille	Théo
Emma	Hugo
Marie	Antoine

Il y a en France 36 500 communes (grande ou petite ville, grand ou petit village).

L'ÂGE DES FRANÇAIS

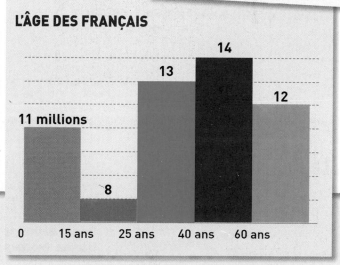

11 millions — 0 à 15 ans
8 — 15 à 25 ans
13 — 25 à 40 ans
14 — 40 à 60 ans
12 — 60 ans

Connaître les Français

À faire en petits groupes.

1. Lisez la liste des étudiants de l'école de journalisme. Quels noms ont pour origine :

a. un nom de lieu   **b.** un métier
c. un caractère   **d.** un nom étranger

2. Observez les prénoms préférés des Français.

Est-ce qu'on peut les traduire dans d'autres langues ?
Julie → Julia…

3. Lisez les autres informations. Notez-les différences avec votre pays.

Dans mon pays, il y a des immigrés …
il n'y a pas d'immigrés …

VILLE DE CHÂTEAUNEUF
Forum des Associations

11 et 12 septembre
- Au Parc des expositions
- De 10 h à 19 h
- Entrée libre

NOUVEAUX RÉSIDENTS
Venez rencontrer de nouveaux amis

L'association
J'AIME MA VILLE

Propose des soirées fêtes
des journées sportives
des journées visite de la région

Ne restez pas seuls !
Accueil des nouveaux résidents
le 3 octobre à 18 heures

> Vous voulez rester en forme...

> Vous devez être en forme !

En forme : Le Club
Faites du sport toute l'année !

- Gymnastique
- Stretching
- Yoga
- Danse africaine
- Danses modernes

Dans le parc
- Tennis
- Volley-ball
- Piscine

Les week-end
- Randonnée
- VTT
- Ski

VENEZ AU CLUB « EN FORME »
24 rue de l'Université

LE CYBER CAFÉ
25 rue Molière

L'Internet pour tous

➔ T'CHAT – FORUMS

➔ TOUS LES JEUX EN RÉSEAU
action – aventure – simulation – sport

Atelier
HIP HOP et RAP

À l'Espace Danse

Danse • Écriture de textes • Chant

JUNGLE AVENTURE
Partez à l'aventure
dans la forêt de Bolchet

Au forum des associations

1. En groupes, observez la publicité des associations. Choisissez une association et présentez-la.

« Au club En forme, on fait de la gymnastique... »

2. Dites ce que vous faites...
– après le travail
– le week-end
– en vacances

Parler des loisirs → leisure

• **Les sports**
le football – le volley-ball – le basket-ball – le tennis – le ski – la randonnée – le vélo (le VTT) → It can go anyone Hicking, → cycling

• **Les spectacles**
le cinéma – le théâtre – les concerts de musique rock, électronique, classique... – la danse

• **À la maison**
la télévision – la radio – les jeux vidéo → videogame – Internet – l'ordinateur → computer

• **Les activités**
Je fais du sport (du tennis – de la randonnée) Je fais de la peinture → Painting. Je joue au football – Je joue à des jeux vidéo Je vais au cinéma – Je vais à la piscine → swimming pool Je vais voir des expositions Je lis – Je regarde la télévision

Les loisirs de deux étudiants

🎧 **Écoutez. Ils parlent de leurs loisirs. Notez leurs activités.** Track 27/28

Emma (20 ans)	Thomas (23 ans)

Créez votre club de loisirs

Travaillez en petits groupes.

1. Imaginez un club de loisirs pour votre classe ou pour votre ville. Proposez des activités.

2. Réalisez une affiche pour votre club.

3. Présentez le club à la classe.

▶ **Parler de ses activités**

1 Observez les constructions des verbes.

- aimer (adorer) : j'adore le tennis...
- faire : je fais du tennis...
- aller : ...

2 Complétez avec les verbes « aller » et « venir ».

- Dimanche, je *vais* faire du ski. Tu *viens* avec moi ?
- Tu vas dans les Alpes ?
- Non, je *vais* dans les Vosges.
- D'accord, je *viens*. Et Marie, elle peut *vient* ? swimming.
  okay

3 Complétez avec le - la - du - de la - à...

- Après les cours, je vais faire *de la* natation. Tu viens ?
- Et les copains, qu'est-ce qu'ils font ?
- Céline et Hugo vont *chez* des amis. Robin va *au* théâtre
avec Antonia.
- Antonia ?
- C'est une amie étrangère. Elle habite ... *à* Recife, *au*
Brésil. Elle adore *le* théâtre. Elle est *en* France pour
les vacances. Alors, tu viens *à la* piscine avec moi ?
- Non, je vais faire *du* tennis.

Pour parler des activités

- **Faire** to do/to make

je fais du vélo	nous faisons...
tu fais de la natation	vous faites...
il/elle fait...	ils/elles font...

Attention ! Négation avec « du » et « de la » :
Je ne fais pas de vélo. Je ne fais pas de natation.

- **Venir** to come

je viens	nous venons
tu viens	vous venez
il/elle vient	ils/elles viennent

- **Aller** Togo.

je vais	**à** Paris (à + ville)
tu vas	**au** cinéma (au = à + le)
il/elle va	**à la** piscine
nous allons	**aux** toilettes (aux = à + les)
vous allez	**chez** Pierre (chez = nom de personne)
ils/elles vont	**au** Maroc (au + pays masculin)
	en France (en + pays féminin)
	aux États-Unis (aux + pays pluriel)

▶ **Les pronoms « moi », « toi », « lui », « elle »...**

Avec qui tu vas ?
Avec moi, avec lui, avec elle ou avec eux ?

Viens avec nous !

1 Observez l'utilisation des pronoms et complétez.

- Flore fait du sport avec Pierre et Antoine ?
- Oui, elle fait du tennis avec ...
- Flore habite chez Marie ?
- Oui, elle habite chez ...
- Elle travaille pour M. Dumont ?
- Oui, elle travaille pour ...
- Elle vient en vacances avec nous ?
- Oui, elle vient avec ...

Les pronoms après une préposition

Marie vient chez moi, avec toi, sans eux.

je → moi	il → lui	nous → nous	ils → eux
tu → toi	elle → elle	vous → vous	elles → elles

▶ Faire un projet

Demain, nous allons faire une randonnée. Et toi, qu'est-ce que tu vas faire ?

Je suis fatiguée. Je vais rester ici. Je vais lire un roman.

1 Observez les constructions ci-dessus. Complétez.

• Aujourd'hui, je fais du tennis.
Demain, je ... une randonnée.
• Aujourd'hui, nous regardons un film à la télévision.
Demain, nous ...

2 Mélissa, Noémie, Florent et Lucas font des projets de week-end. Imaginez ce qu'ils disent. Utilisez :

aller - venir - faire - écouter - regarder - lire - écrire - travailler - rester - apprendre - jouer

Pour parler du futur

aller + verbe à l'infinitif
Demain, je vais faire une randonnée.
Demain, je ne vais pas travailler.

▶ Pour exprimer la possibilité, l'obligation

Tu veux jouer avec nous ?

Tu dois apprendre.

Je ne peux pas. Je ne sais pas jouer.

1 En petits groupes, continuez ces débuts de phrases. Cherchez des phrases utiles en classe.
Exemple : Je ne sais pas écrire « randonnée ».

• *Le professeur →* Vous devez... Vous savez...
• *L'étudiant →* Je ne sais pas... Je ne peux pas...
Est-ce que je peux... ?
Est-ce que je dois... ?

2 Complétez avec les verbes du tableau.

• **Propositions de week-end**
Léa : Tu ... faire du ski ?
Marco : Je voudrais bien mais je ne ... pas skier.
Léa : Et toi, Flore, tu viens ?
Flore : Désolée. Je ne ... pas. Je ... travailler tout le week-end.
• **Un enfant à sa mère**
L'enfant : Maman, est-ce que je ... regarder la télévision ?
La mère : Non, tu ... faire le travail de l'école.

vouloir	pouvoir	savoir	devoir
je veux un café	je peux	je sais	je dois
tu veux partir	tu peux	tu sais	tu dois
il/elle veut	il/elle peut	il/elle sait	il/elle doit
nous voulons	nous pouvons	nous savons	nous devons
vous voulez	vous pouvez	vous savez	vous devez
il/elles veulent	ils/elles peuvent	ils/elles savent	ils/elles doivent

▶ 🎧 À l'écoute de la grammaire

1 Distinguez « je vais » [v] et « je fais » [f]. Écoutez et répétez.

Je vais en Finlande   Et je fais du ski
Je vais en Hollande   Et je fais du vélo
Moi, je reste en France   Je vais faire de la danse.

2 Rythme des groupes « verbe + verbe ».

Pas d'accord
Il veut aller au cinéma... Je veux aller à l'opéra.
Il va partir en Italie... Je vais partir à Tahiti.
Il doit travailler le jour... Je dois travailler la nuit.
Il ne sait pas du tout danser... Je peux danser toute la nuit.

Vous connaissez la chanson ?

3- Fausses notes

Le 12 juillet à la Cité universitaire.

Noémie (avec Mélissa) : Lucas, c'est nous !
Lucas : Entrez.
Mélissa : On va faire un jogging. Tu viens avec nous ?
Lucas : Je ne peux pas. Je travaille.
Mélissa : Qu'est-ce que tu fais ?
Lucas : J'apprends le rôle de Quasimodo.
Mélissa : Toi aussi !
Noémie : Ils veulent tous le rôle de Quasimodo !

La coulée verte
dans le quartier Bastille.

2

Le 13 juillet.

Mélissa : Demain, il n'y a pas de cours. Qu'est-ce qu'on fait ?

 Transcription

3

Le 14 juillet. Dans la discothèque « La Locomotive ».

Noémie : Eh bien, Florent, tu ne danses pas ?
Florent : Je n'ai pas envie.
Noémie : Toi, Florent, tu as « de la misère » !
Florent : Qu'est-ce que tu dis ?
Noémie : C'est une expression du Québec.
Ça veut dire : « Tu as un problème ».
Florent : Je n'ai pas de problème, Noémie.
Mais je suis fatigué et j'ai envie de partir.
Noémie : Je peux venir avec toi ?
Florent : Bien sûr !

4

Le 16 juillet. Au théâtre du Châtelet.

Lucas : Alors, Sarah. Qui va avoir le rôle de Quasimodo ?
Sarah : Je suis désolée, Lucas...
Lucas : Vous préférez Florent ?
Sarah : Oui.
Lucas : Dommage ... (*il chante*) « Je me voyais déjà en haut de l'affiche... »

châtelet
THÉÂTRE MUSICAL DE PARIS

Notre-Dame de Paris
Spectacle musical **le 25 juillet à 21 h**
par les chanteurs, les danseurs et les musiciens
de l'ensemble Musique et Danse

Au XIVe siècle, dans le quartier de la cathédrale Notre-Dame de Paris, trois hommes aiment la belle Esméralda : le jaloux Frollo, le beau capitaine Phœbus et Quasimodo, un jeune homme pauvre et laid.

► Compréhension et simulations

 1. *Scène 1.*
Écoutez. Complétez ces phrases.
Mélissa et Noémie vont ... Elles invitent ...
Lucas reste ... Il doit ... Il veut ...

 2. *Scène 2.*
Écoutez et transcrivez le dialogue.

3. Jouez la scène (à trois ou quatre).
C'est vendredi soir. Vous êtes seul(e). Vous n'avez pas envie de rester chez vous. Vous avez envie de sortir... Vous téléphonez à vos amis.

Proposer - accepter - refuser

• **Vous voulez aller au cinéma ?**
Tu veux... Tu as envie de...
J'ai envie de regarder un film. Et toi ?
• **D'accord**
Oui, je peux venir... J'ai envie d'aller au cinéma...
• **Excusez-moi. Je ne peux pas venir.**
Je dois travailler.

 4. *Scène 3.*
Écoutez et racontez la scène.
Imaginez la suite de la scène.

 5. *Scène 4.*
Imaginez d'autres versions de la scène...
– avec un Lucas jaloux de Florent
– avec un Lucas triste, etc.

Demander une explication

• Vous pouvez répéter ? Je ne comprends pas. Qu'est-ce que vous dites ?
• Qu'est-ce que ça veut dire ?
« Ami », ça veut dire *friend* en anglais.
Vous pouvez traduire ?

Sons, rythmes, intonations

1. Le rythme – Comptez les groupes.
Elle s'appelle Amélie.   6
Il s'appelle Jérémy.   3 + 3
Elle travaille à Paris.
Et lui à Chantilly.
...

2. Le rythme de la phrase négative.
Répondez. Répétez la réponse.
• Lucas va au cinéma ?
– Non, il ne va pas au cinéma.
...

INVITATIONS

Supprimer | Indésirable | Répondre | Rép. à tous | Réexpédier | Imprimer

De : Jérémy Bonal
À : Sylvain Pesquet
date : 10 juillet
objet : Re-Proposition

Bonjour Sylvain
Merci beaucoup pour ton invitation au festival des Vieilles Charrues. Le programme est excellent et j'adore Mickey 3D.
Je voudrais bien venir mais je ne peux pas. C'est dommage. Le week-end du 28 juillet, je dois être à Biarritz. Une copine fait une grande fête. Il y a tous les copains de l'université et la copine est charmante !
Alors tu comprends...
Bons concerts.

Jérémy

Oléron, le 17 juillet

Chers amis
Il fait beau. La mer est bonne et l'île d'Oléron est magnifique.
Laurent fait du golf. Moi, du vélo.
On rencontre des gens sympas.
Voulez-vous venir le week-end du 24 ?
On a envie de découvrir deux ou trois restos avec vous.

Amitiés
Maurane et Laurent

Anne et Pierre Duchamp
17 rue de la République
69000 Lyon

▶ Lecture des textes

1. Pour chaque texte précisez :
a. Est-ce une lettre, une carte postale ou un courriel ?
b. Qui écrit ?
c. À qui ?
d. Quel est le message ?
e. De quel lieu parle-t-on ? Qu'est-ce qu'on apprend sur ce lieu ?

2. Imaginez :
  – le message d'invitation de Sylvain
  – la réponse de Anne et Pierre Duchamp

▶ Écriture. L'invité surprise

• Chaque étudiant tire au sort le nom d'un autre étudiant.
• Il lui écrit une invitation (pour une soirée, un week-end, etc.).
• Chaque étudiant reçoit une invitation et répond.

Juillet en France

La France est un pays très varié.

Vous aimez la montagne ? Allez randonner dans les Alpes ou le Massif central.

Vous préférez la mer ? Détendez-vous sur les plages de la Côte d'Azur ou de l'océan Atlantique.

Curieux d'histoire ? Visitez la ville d'Arles ou les châteaux de la Loire.

Envie d'un spectacle ? Juillet est la saison des festivals : théâtre à Avignon, rock à Carhaix, opéra à Orange.

Et n'oubliez pas : il y a en France 22 régions, 90 départements et 35 600 communes. Chaque région, chaque département, chaque commune ont une histoire, des traditions, des paysages.
Il y en a pour tous les goûts !

La place des Héros à Arras.

Pour tous les goûts

▶ Regard sur la carte de France

1. Lisez « Juillet en France ». Situez les lieux sur la carte.

2. Sur la carte de la page 184, observez les régions, les départements, les communes.

3. Mettez en commun vos connaissances sur la France. Quelles régions, quelles villes connaissez-vous ? Que peut-on voir ? Quelles activités peut-on faire ?

▶ Écriture. Présentation de votre pays

Seul ou en petits groupes, rédigez une présentation de votre pays.

Inspirez-vous du texte « Juillet en France ».

MUSÉE GRÉVIN

Venez découvrir le Paris d'hier et d'aujourd'hui, les grandes heures du XXᵉ siècle, l'histoire de France et l'actualité.
Au musée Grévin, 3 000 personnages de cire ont rendez-vous avec vous pour des rencontres, des photos, des souvenirs.

Ouvert tous les jours :
- du lundi au vendredi de 10h00 à 18h30
- les samedi, dimanche, jours fériés et vacances scolaires de 10h00 à 19h00

JEU → game

Qui est Qui ?
→ who
→ who
→ is

1 Je suis née en Italie. En 2002, j'ai joué le rôle de Cléopâtre dans un film.

2 J'ai été président de la France de 1958 à 1969.

3 Je suis née au Québec. J'ai chanté dans le monde entier.

4 Je suis né à Marseille. J'ai joué au Real Madrid. J'ai gagné la Coupe du monde de football en 1998.

5 J'ai écrit des pièces de théâtre, des romans et des livres de philosophie.

6 Je suis française. J'ai été championne olympique de natation. → books

7 Je suis allé sur la Lune avec un chien en 1954. → Austria

8 Je suis née en Autriche. J'ai habité le château de Versailles.

ILS SONT ENTRÉS AU MUSÉE GRÉVIN
VOUS LES CONNAISSEZ ?

8

Marie-Antoinette

4

Zinedine Zidane

3

Céline Dion

1

Monica Bellucci

6

Laure Manaudou

5

Jean-Paul Sartre

7

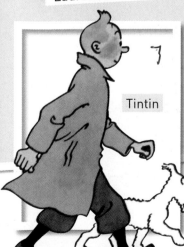

Tintin

2

Charles de Gaulle

Lecture du document « Musée Grévin »

1. Que peut-on voir, que peut-on faire au musée Grévin ?

2. Relevez et classez les mots en relation avec le temps.

Complétez les séries.
Hier → aujourd'hui → …
Une heure → …
Lundi → …

Jeu « Qui est qui ? »

1. Associez les huit phrases et les huit photos.

2. Parle-t-on du présent ? du passé ? du futur ?

3. Observez la construction du temps des verbes.

4. Présentez chaque personnage.
Exemple : 1. Elle est née en Italie. En 2002, elle a joué…

Imaginez votre musée Grévin

Travail en petits groupes.

1. Choisissez dix hommes et femmes importants pour vous. Dites ce qu'ils ont fait.
Exemple : John F. Kennedy. Il a été président des États-Unis.

2. Chaque groupe présente sa liste.

Entrez au musée Grévin

Imaginez pour vous une biographie originale.
« Je suis né(e) au XVIIIe siècle. J'ai bien connu la reine Marie-Antoinette. Je suis allé(e) à Versailles… »

▶ **Présentez des événements passés**

1 Observez les exemples ci-dessus et ceux des pages 30 et 31.

a. Parle-t-on...
– du présent ? – du passé ? – du futur ?

b. Observez la forme des verbes. Retrouvez la conjugaison.

Cas n° 1
Présent de ...... + participe passé

Cas n° 2
Présent de ...... + participe passé

c. Faites la liste des verbes et de leur participe passé. Classez-les.

• verbes en -er : arriver → arrivé ...
• verbes en -oir : voir → vu ...

2 Observez l'accord du participe passé.

Clara est *venue* chez moi.
Elle a *écouté* de la musique.
Anna et Eva sont *allées* au cinéma.
Pierre et Dylan sont *allés* au théâtre.
Luc est *resté* chez lui.

3 Mettez les verbes au passé composé.

• Qu'est-ce que tu (*faire*) dimanche ?
–Je (*aller*) au cinéma avec Pierre. Nous (*voir*) un film très amusant. Puis nous (*faire*) une promenade au jardin des Tuileries. Après, je (*rentrer*) chez moi et j'(*travailler*).

4 Dans le tableau ci-dessous, observez la construction négative du passé composé. Préparez des questions et des réponses très utiles en classe.

Le professeur : Vous avez compris ?
L'étudiant : Non, je n'ai pas compris.
Le professeur : Vous avez lu le texte ?
L'étudiant : Non, je n'ai pas lu le texte.
Le professeur : Vous avez appris la conjugaison ?
L'étudiant : Non, ...
Le professeur : ... ?
L'étudiant : Non, je n'ai pas travaillé.

Le passé composé

Le passé composé est utilisé pour parler d'un événement passé.

• **Formation**
Cas général
avoir + participe passé
j'ai parlé
tu as parlé
il/elle a parlé
nous avons parlé
vous avez parlé
ils/elles ont parlé

Cas des verbes :
aller – venir – arriver –
partir – rester – etc.
être + participe passé
je suis parti(e)
tu es parti(e)
il/elle est parti(e)
nous sommes parti(e)s
vous êtes parti(e)(s)
ils/elles sont parti(e)s

• **Interrogation**
Elle est partie ?
Est-ce qu'elle est partie ?

• **Négation**
Elle n'est pas partie.
Je ne suis pas resté(e).

• **Accord du participe passé**
– Avec le verbe « être », le participe passé s'accorde comme un adjectif.
Elles sont parties
– Accord avec le verbe « avoir », voir p. 174.

▶ **Préciser la date et l'heure**

1 Observez dans le tableau comment on dit la date. Formulez les informations suivantes comme dans l'exemple.

Exemple : a. Célia est née le 3 février 1970.
a. 03-02-1970. Naissance de Célia
b. 1990. Entrée à l'université
c. 1992-1994. Stage à Cambridge
d. juin 1995. Diplôme de professeur d'anglais
e. 25-08-1994. Rencontre avec William
f. septembre 1998. Départ pour l'Australie

2 Écoutez et notez leurs dates de naissance et de mort. À quel âge sont-ils morts ?

a. Napoléon : 1769-1821 (mort à 52 ans)
b. Victor Hugo : ...   **c.** Marilyn Monroe : ...
d. Alexandre le Grand : ...   **e.** Indira Gandhi : ...

3 Observez comment on dit l'heure.

a. Écrivez en chiffres :

trois heures dix   cinq heures et quart
huit heures moins vingt-cinq   neuf heures et demie

b. Quelle heure est-il ?

09.20		16.45		12.05	
	15.30		00.15		03.50

c. Écoutez. Complétez ces informations.

Cinéma Forum

Film	heures
Le Jour d'après	...

Docteur Paul Reeves

Vous avez rendez-vous
le ...
à ...

BIBLIOTHÈQUE
André Malraux

ouverte de ... à ...
du ... au ...

La date et l'heure

• **La date**
Elle est née quand ? Quand est-ce qu'elle est née ?
Elle est née le 3 mai 1960 (en 1960, en mai, le 3).
les jours de la semaine
lundi, mardi, mercredi, jeudi, vendredi, samedi, dimanche
les mois de l'année
janvier, février, mars, avril, mai, juin, juillet, août,
septembre, octobre, novembre, décembre

• **Hier, aujourd'hui, demain**

la semaine dernière
↑
15 mai	avant-hier
16 mai	hier
17 mai	aujourd'hui
18 mai	demain
19 mai	après-demain
↓
la semaine prochaine

• **de ... à**
Il est resté aux États-Unis de 2004 à 2006.

• **L'heure**
Quelle heure est-il ? Il est quelle heure ?
08.00 huit heures (du matin)
08.10 huit heures dix (minutes)
08.15 huit heures et quart [huit heures quinze]*
08.30 huit heures et demie [huit heures trente]
12.00 midi
12.45 une heure moins le quart [douze heures
        quarante-cinq]
13.00 une heure (de l'après-midi) [treize heures]
18.50 sept heures moins dix (du soir) [dix-huit heures
        cinquante]
00.0   minuit
* [...] : heure officielle.

→ Être (arriver, etc.) en avance / à l'heure / en retard

▶ 🎧 **À l'écoute de la grammaire**

1 Distinguez le présent et le passé.

Présent	Passé
1. J'aime les films historiques.	2. Je suis allé(e) au cinéma.
...	...

2 Prononciation du passé composé. Répétez. Imaginez une suite à l'histoire.

Rupture

Elle est entrée ... J'ai regardé
Elle a parlé ... J'ai écouté
Nous avons déjeuné ... Nous avons adoré
Elle a expliqué ... Je n'ai pas compris
Elle est partie ... Je suis resté

Vous connaissez la chanson ?

4- Fugues

châtelet
THÉÂTRE MUSICAL DE PARIS

Musique et Danse
présente
Notre-Dame de Paris
Comédie musicale **le 25 juillet à 21 h**

1

Le soir du 25 juillet, au théâtre du Châtelet.

Sarah : Mélissa, tu as vu Florent ?
Mélissa : Non.
Lucas : Moi non plus. Quelle heure est-il ?
Sarah : Huit heures.
Mélissa : Ah oui, c'est bizarre... Et Florent n'a pas de portable ! Noémie est arrivée ?
Noémie : Oui, je suis là !
Mélissa : Tu as vu Florent après la répétition de 10 heures ?
Noémie : Oui, à midi, on a déjeuné ensemble. Puis on est allé au jardin des Tuileries. Et, à quatre heures, je suis rentrée à la Cité.
Sarah : Et Florent, qu'est-ce qu'il a fait ?
Noémie : Je ne sais pas. Il n'est pas venu avec moi.
Lucas : Moi, Sarah, je suis là. Je peux jouer le rôle de Florent.

2

Un quart d'heure après.
Noémie : Ah, le voilà ! ...

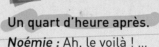 Transcription

Lucas
J'ai une
semaine de
vacances.
Je pars faire
du surf sur la
côte basque.
Tu viens ?
Eliz

3

Après le spectacle, au Café des philosophes.
Sarah : Félicitations à tous !

 Transcription

Lucas : Excusez-moi. J'ai un SMS.

Mon non plus → negative way as saying moi aussi

Comprehension et simulations

À cinq heures du matin sur les Champs-Élysées.

Lucas : (*il chante*) « Il est cinq heures, Paris s'éveille... »

Sarah : Mélissa, Florent ! Mardi, il y a le casting d'une nouvelle comédie musicale. Vous êtes intéressés ?

Mélissa : Ah, oui !

Sarah : Et vous, Florent, vous allez continuer le chant !

Florent : Je ne sais pas. J'aime chanter, j'aime jouer, mais j'aime aussi mon école de Fort-de-France, mes copains.

...

Un jeune homme : Noémie ! Noémie !

Noémie : Maxime ! Qu'est-ce que tu fais là ? Tu es arrivé quand en France ?

Les Champs-Élysées et l'Arc de triomphe.

1. *Scène 1.* Écoutez.

a. Quel est le problème ?
b. Racontez la journée de Noémie.
c. Imaginez la journée complète de Florent.

2. *Scènes 2 et 3.* Transcrivez la fin des scènes.

Trouvez des situations où on peut utiliser des expressions de félicitation.

3. Jouez une des scènes suivantes.

a. Vous arrivez en retard au cours de français.
b. Vous avez rendez-vous au café avec un(e) ami(e) à 19 h. Vous arrivez à 19h30. Votre ami(e) est arrivé(e) à 18h30.
c. Vous faites un projet de soirée avec un(e) ami(e). Vous fixez l'heure du rendez-vous et le programme.

4. *Scène 4.* Écoutez la scène.

Travail en petits groupes : chaque groupe choisit un personnage de l'histoire et imagine l'avenir de ce personnage.

Moi aussi / moi non plus

- J'aime la musique.
- Moi aussi.
- Et Marie ? Et Pierre ?
- Elle aussi et lui aussi.

- Je n'aime pas le rap.
- Moi non plus.
- Et Marie ? Et Pierre ?
- Elle non plus et lui non plus.

Sons, rythmes, intonations

1. Le rythme et l'enchaînement
Horaires

- _ / _ huit heures - midi / deux heures - six heures
- _ _ / _ _ huit heures trente / six heures trente
- _ _ _ / _ _ _ une heure et demie / quatre heures et demie
- _ _ / _ _ de sept heures à quinze heures / de huit heures à seize heures

2. L'enchaînement avec [t] et [n]
Voyage

Un grand aéroport... un grand avion
Un petit hôtel... une petite île
En Indonésie... avec un ami... avec une amie
Un bon accueil... une excellente année

RÉCITS DE VIE

Philippe Labro
L'étudiant étranger

Nancy Huston
Leïla Sebbar
Lettres parisiennes
Histoires d'exil

La Canadienne **Nancy Huston** et l'écrivain français **Philippe Labro** parlent des problèmes rencontrés quand on arrive dans un pays étranger.

LE JOURNAL DE MÉLINA

Dimanche 7 septembre, 19 h

Je suis en France, à Grenoble. Je vais faire un stage de six mois chez ST Electronics et j'ai décidé d'écrire mon journal en français. J'habite au 38 boulevard Gambetta, dans l'appartement d'un copain grec parti en vacances aux États-Unis. C'est dans le centre de la ville. On voit les montagnes. C'est super !

Lundi 8 septembre, 20 h

Première journée chez ST Electronics. Ils sont sympas. J'ai vu le directeur et Delphine, une fille dynamique. Je vais travailler avec elle. J'ai des problèmes en français. Je ne comprends pas tout et j'ai peur de parler.

Mardi 9 septembre, 19 h

Aujourd'hui, j'ai parlé à une voisine. Elle est du nord de la France et adore la Grèce. Elle s'appelle Élodie.
Dans l'ascenseur, j'ai rencontré un type pas mal mais bizarre. Il n'a pas dit un mot. Je vais demander qui c'est à Élodie.

Jeudi 11 septembre, 1 h du matin

Je me suis inscrite à une école de langue pour travailler mon français. J'ai eu mon premier cours.
Je suis rentrée à 10 heures, fatiguée. Je suis allée sur Internet et j'ai chatté jusqu'à minuit. J'adore parler avec Tom. Il connaît le monde entier.

▶ Compréhension du journal de Mélina

1. Lisez le journal de Mélina.

2. Mélina rencontre un voisin. Il pose des questions. Répondez pour Mélina.

a. Vous habitez ici ?
b. Vous êtes française ?
c. D'où vous venez ?
d. Qu'est-ce que vous faites à Grenoble ?
e. Vous parlez bien français !

3. Quels sont les problèmes rencontrés par Mélina ?

▶ Commencez votre journal en français

Notez dans ce journal :

• ce que vous avez fait à l'école de français

« Aujourd'hui, nous avons étudié le rythme de vie des Français... »

• les moments importants de votre vie professionnelle ou de vos loisirs

« Aujourd'hui, je suis allé(e) au cinéma. J'ai vu... »
Quand vous avez écrit quelques pages vous pouvez montrer ce journal à votre professeur ou à votre voisin(e).

RYTHMES DE VIE

AVRIL	MAI	JUIN	JUIL	AOÛT	SEPT	OCT	NOV

Les employés travaillent 35 heures par semaine et ont cinq semaines de vacances par an.

LA POSTE

Horaires d'ouverture
Du lundi au vendredi de 8 h à 19 h
Samedi de 8 h à 12 h

Boutique Jennifer

OUVERTE
de 10 h à 19 h
du lundi au samedi

SUPERMARCHÉ Géant

Ouvert
du lundi au jeudi
de 9 h à 20 h
le vendredi et le samedi
de 9 h à 21 h

Vendredi 12	Samedi 13	Dimanche 14	Lundi 15
8	8	8	8
9	9	9	9 } projet
10 } réunion	10	10	10 nouveau
11 } production	11	11	11 spectacle
12	12	12	12
13 — déjeuner avec	13	13	13
14 Élise	14	14	14 } réunion
15	15	15	15
16	16	16	16
17	17	17	17
18	18	18	18 — dentiste
19	19	19	19
20 — dîner avec Clara	20	20	20 — cinéma
21 chez Odile et Olivier	21	21	21

L'agenda de Paul.

Dans beaucoup d'écoles, on travaille quatre jours par semaine. Le lundi, le mardi, le jeudi et le vendredi, de 8h30 à 12h30 et de 13h30 à 16h30. Les enfants déjeunent à l'école ou chez eux.

ANNÉE SCOLAIRE 2007 / 2008

ZONE A

- **Rentrée :** 4 septembre
- **Vacances de Toussaint :** du 27 octobre après la classe au 8 novembre au matin
- **Vacances de Noël :** du 22 décembre après la classe au 7 janvier au matin
- **Vacances d'hiver :** du 16 février après la classe au 3 mars au matin
- **Vacances de Pâques :** du 12 avril après la classe au 28 avril au matin
- **Vacances d'été :** le 2 juillet après la classe

Les rythmes de vie en France

Travaillez en petits groupes.
Observez et lisez les documents de cette page.
Notez les différences avec les rythmes de votre pays :
– la journée de travail ;
– la journée scolaire ;
– les vacances ;
– les heures d'ouverture des magasins et des bureaux.

🎧 Complétez l'agenda de Paul

Élise interroge Paul sur l'emploi du temps de son week-end. **Complétez l'agenda de Paul pour les journées des 13 et 14 mai.**

Évaluez-vous

1 Vous êtes actif(ve) dans votre apprentissage. .../10

Répondez « oui » ou « non ». Comptez les « oui » et notez-vous.
a. Vous dites au professeur « Je comprends » ou « Je ne comprends pas ». ......
b. Vous posez des questions au professeur : « Qu'est-ce que ça veut dire ?... Vous pouvez répéter ?... » ......
c. Vous dites « Bonjour » et « Au revoir » à la classe. ......
d. Vous dialoguez avec les autres étudiants : « Où est-ce que tu habites ?... Qu'est-ce que tu fais?... » ......
e. À la cafétéria, à la bibliothèque, vous faites vos demandes en français. ......
f. Vous aimez travailler avec les pages « Interactions » du livre. ......
g. Vous aimez les activités « Jouez la scène » des pages « Simulations ». ......
h. Vous travaillez avec les pages de la fin du livre. ......
i. Vous travaillez avec le cahier personnel d'apprentissage. ......
j. Vous avez essayé de lire un journal français, un magazine ou un livre, ou vous avez regardé un film en français. ......

2 🎧 Vous comprenez des informations au sujet d'une personne. .../10

1. Nom
2. Prénom
3. Nationalité
4. Profession
5. Date de naissance (ou âge)
6. Lieu de naissance
7. Adresse
8. Téléphone
9. Courriel
10. Langues parlées

a. 🌐 Écoutez. Faites correspondre chaque question avec un mot de la fiche.

question	exemple	a	b	c	d	e
fiche	4					

b. 🌐 Écoutez. Faites correspondre l'information avec un mot de la fiche.

question	exemple	a	b	c	d	e
fiche	1					

Comptez vos points et notez-vous.

3 Vous utilisez les mots du savoir-vivre. .../10

Complétez ce qu'ils disent. Dites-le à votre voisin(e) ou à la classe.
Notez-vous après la correction du professeur.

a.

« ... Où est ... ? »

b.

« Bonjour ... »

c.

« ... À neuf heures au club ! »

d.

« Bravo, ... »

e.

« Oh ! je suis ... »

4 **Vous pouvez donner des informations sur vous.** …/10

Vous allez habiter en France chez madame et monsieur Duval. Ils ne vous connaissent pas.
Écrivez-leur pour vous présenter.
Indiquez votre nom, votre âge, votre profession, votre nationalité, votre niveau en français, vos loisirs.
Lisez votre lettre à votre voisin(e) ou à la classe.
Décidez ensemble d'une note.

5 **Vous comprenez un document d'information sur les loisirs.** …/10

Lisez les trois documents et complétez le tableau.
Corrigez avec le professeur.
Notez-vous. Comptez un point par réponse juste (maximum 10).

	1	2	3
Le document parle de quel événement ?			
Où se passe l'événement ?			
Quel jour ? À quelle heure ?			
Quelle activité va-t-on faire ?			

❶ Le 21 juin
FÊTE DE LA MUSIQUE
Toute la ville fait de la musique !
place de la Liberté – rue Pasteur
– boulevard Victor-Hugo

❷ Le club Nature de Versailles
organise
UNE **RANDONNÉE** DANS LA
FORÊT DE RAMBOUILLET
Dimanche 26 octobre
Rendez-vous sur le parking
du supermarché Carrefour
à 8 h. Retour à 19 h

❸ AU SATURNE
SOIRÉE R'N'B
Spéciale 31 décembre
Avec dîner
Et le DJ Doc Brian

6 **Vous pouvez faire une proposition. Vous pouvez répondre à une proposition.** …/10

Rédigez un message de deux phrases
pour les situations suivantes.
Corrigez ensemble. Notez-vous.

a. Vous invitez une amie à la Fête de la musique.
b. Vous recevez l'invitation d'un ami pour la randonnée
dans la forêt de Rambouillet.
Vous acceptez.
c. Vous recevez l'invitation d'une amie pour la soirée au Saturne.
Vous refusez.

7 **Vous comprenez des informations sur la situation et les activités de quelqu'un.** …/10

Lisez la carte postale ci-contre.
Répondez « vrai » ou « faux » aux phrases suivantes.

a. Paul écrit la lettre.
b. Paul et Sophie travaillent.
c. Paul et Sophie travaillent ensemble.
d. Paul et Sophie ne connaissent pas Carole et François.
e. Carole et François savent où habitent Paul et Sophie.
f. Clermont-Ferrand est un village.
g. Clermont-Ferrand est dans une région de montagnes.
h. Paul et Sophie aiment Clermont-Ferrand.
i. Ils font beaucoup d'activités.
j. Mais ils n'aiment pas les activités sportives.

Clermont-Ferrand, le 10 janvier

Chère Carole et cher François
Nous habitons maintenant Clermont-Ferrand
et je suis très contente. Paul est professeur
à l'université. Moi je travaille à la bibliothèque
de la ville.
Clermont est une ville agréable. Nous allons
beaucoup au cinéma et au théâtre. Nous faisons
du ski et de la randonnée. La région est très belle.
À bientôt.
Amitiés
Sophie

8 Vous pouvez rédiger un message pour dire ce que vous avez fait. .../10

Observez les documents ci-contre.
Vous avez visité la ville de Cannes. Vous écrivez une carte postale à un(e) ami(e). Faites cinq phrases.
Lisez votre carte à la classe et décidez ensemble d'une note.

VILLE DE CANNES
Fête du 14 juillet

Bateau
Compagnie de la croisette
Iles de Lérins

Restaurant « La Méditerranée »

Hôtel Bellevue
3 nuits :
80 x 3 = 240 €

Musée de la Castre
Entrée : 6 €

9 Vous comprenez une indication de date et d'heure. .../10

Écoutez. Marie a visité Cannes. Elle répond à des questions.
Complétez les informations suivantes :
a. Arrivée à Cannes : jour ...... heure ......
b. Départ de Cannes : jour ...... heure ......
c. Visite des îles de Lérins : jour ......,
   de ...... à ......
d. Soirée du 14 juillet : jusqu'à ......
e. Ouverture du musée de la Castre :
   jours : ......
   heures : ......

Comptez un point par réponse juste. Notez-vous.

10 Vous connaissez un peu la France et les pays francophones. .../10

Répondez par « vrai » ou par « faux ».
a. Le français est très utilisé en Suisse et au Maroc. ...
b. Le Québec est une région de France. ...
c. Il y a 120 millions d'habitants en France. ...
d. Il y a beaucoup d'immigrés d'Afrique en France. ...
e. Une commune est un petit village. ...
f. Il y a des plages sur la Côte d'Azur. ...
g. Il n'y a pas de montagnes en France. ...
h. Dans une région, il y a de 2 à 5 départements. ...
i. Les Français déjeunent entre 14 h et 15h30. ...
j. Les enfants français vont à l'école le matin et l'après-midi. ...

Corrigez avec le professeur. Comptez un point par réponse juste.

11 Vous comprenez des informations sur la France et les pays francophones. .../10

Écoutez ces 10 phrases. Répondez par « vrai » ou par « faux ».
1. ...   2. ...   3. ...   4. ...   5. ...   6. ...   7. ...   8. ...   9. ...   10. ...

12 **Vous utilisez correctement le français.** .../40

Faites les tests. Corrigez. Comptez 1 point par réponse juste.

a. La forme des verbes au présent. Mettez les verbes entre parenthèses à la forme qui convient.

– Allô, Mathieu ?
– Ah, bonjour, Katia. Où tu (*être*) ? Qu'est-ce que tu (*faire*) ?
– Je (*être*) à Paris. Je (*faire*) un stage de théâtre. Nous (*travailler*) des pièces de Molière. C'est très intéressant et les stagiaires (*être*) sympathiques. Il y a beaucoup d'étrangers. J'(*avoir*) une amie italienne. Elle (*s'appeler*) Carla. Le week-end, nous (*visiter*) Paris et le soir, bien sûr, nous (*aller*) au théâtre.

Notez sur .../10

b. Les réponses affirmatives ou négatives. Complétez la réponse.

• Est-ce que Tina est française ? – Non, elle ...
• Est-ce qu'elle parle bien français ? – Non, elle ...
• Est-ce qu'elle apprend le français ? – Oui, elle ...
• Est-ce qu'elle a des amis à Paris ? – Oui, elle ...
• Est-ce que les amis de Tina sont français ?
  – Non, ils ...

Notez sur .../5

c. L'emploi des articles. Choisissez le bon article.

• Le Louvre est (*un – le*) musée de Paris. Au Louvre, on peut voir (*les – des*) tableaux célèbres comme (*la – une*) Joconde.
• Pierre Durand est professeur à (*une – l'*) école de musique. C'est (*un – le*) bon professeur.
• Le week-end, Marie fait (*le – du*) sport. Elle aime (*le – du*) tennis. Elle fait aussi (*un – du*) vélo avec des amis.
• Je connais (*le – un*) bon restaurant sur (*une – l'*) avenue des Champs-Élysées.

Notez sur .../5

d. Les accords dans le groupe du nom. Accordez les mots entre parenthèses.

(*Cher*) Eva
Je suis à Paris pour quinze (*jour*) avec des (*copain*). C'est une très (*beau*) ville.
Nous avons visité tous les (*monument célèbre*).
Au musée du Louvre, nous avons vu de (*beau tableau*).
J'ai rencontré deux (*ami allemand*) de l'université de Fribourg.

Notez sur .../5

e. Les prépositions. Complétez.

Antonio est né ... Espagne.
Il est venu ... Paris pour passer une semaine de vacances.
Il est arrivé hier ... 10 heures.
Il habite ... un ami.
Aujourd'hui, il va aller ... musée d'Art moderne.

Notez sur .../5

f. Le passé. Mettez les verbes à la forme qui convient.

• Le week-end dernier, qu'est-ce que tu (*faire*) ?
– Je (*aller*) à la montagne avec Paul et les enfants.
  Le samedi, Paul et les enfants (*partir*) faire du VTT. Moi, je (*rester*) au chalet. J'(*dormir*) et j'(*lire*).
  Le soir, nous (*dîner*) au restaurant.
• Vous (*n'.... pas - faire*) une randonnée ?
– Si, le dimanche, nous (*aller*) au lac Bleu. Nous (*voir*) des chamois.
  Nous (*rentrer*) fatigués.

Notez sur .../10

Évaluez vos compétences

	Test	Total
• Votre compréhension de l'oral	2 + 9 + 11	.../30
• Votre expression orale	1 + 3	.../20
• Votre compréhension de l'écrit	5 + 7 + 10	.../30
• Votre expression écrite	4 + 6 + 8	.../30
• La correction de votre français	12 (a + b + c + d + e + f)	.../40
	Total	**.../150**

... en français

Projet : sortie virtuelle

Dans les pages suivantes, vous allez apprendre comment pratiquer le français après la classe.

Lisez ces pages. Puis avant le prochain cours, faites une recherche sur Internet ou regardez une chaîne francophone de télévision.

Au prochain cours, présentez votre recherche ou vos observations.

Voyager avec Internet

Programmez votre moteur de recherche (par exemple « Google ») pour une recherche de sites francophones.

Visitez le **pont du Gard** en tapant www.pontdugard.fr

Vous pouvez chercher à partir...

- **d'un pays ou d'une région** : la Belgique, le Québec, la Provence
- **d'une ville** : Paris, Nice, Montréal, Genève
- **d'un musée** : le Louvre, le musée d'Orsay, le Centre Georges-Pompidou
- **d'un monument** : l'abbaye du Mont-Saint-Michel, la tour Eiffel, le pont du Gard
- **d'un écrivain** : Victor Hugo, Balzac, Molière
- **d'un musicien ou d'un artiste** : Berlioz, Jacques Brel, Ravel
- **d'une personnalité historique** : Pasteur, Charles de Gaulle, Napoléon
- **d'un artiste d'aujourd'hui** : Céline Dion, Gérard Depardieu, Cécile de France
- **d'un personnage** : Tintin, Astérix
- **d'une marque** : Peugeot, Dior, Chanel

Observez le site ci-contre.

1. Que représente ce site ?

2. Soulignez les mots que vous comprenez.

3. Sur quel mot cliquez-vous pour connaître...

- les heures d'ouverture et de fermeture
- comment aller à la Cité des sciences
- le prix du billet
- les activités pour les enfants
- les activités pour les passionnés de nouvelles technologies
- les activités nouvelles

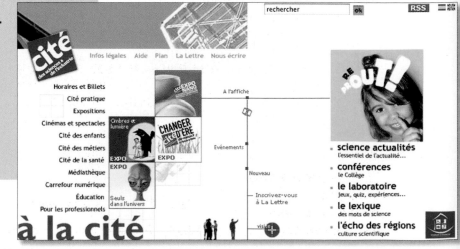

Sites Internet

▶ **Voici la France**
http://www.diplomatie.gouv.fr/
Des informations sur l'histoire et la géographie de la France.

▶ **Voyage : régions françaises**
www.france-voyage.com
Des informations ou des photos sur les régions de France.

▶ **Paris**
www.paris.org / paris F.html
Visite guidée des monuments et des musées de Paris.

▶ **Marseille**
www.marseille-tourisme.com
Pour connaître la grande ville du Sud.

▶ **Montréal**
http://ville.montreal.qc.ca/
Cliquer sur « la vie à Montréal ». L'histoire,

les spectacles, les sports, les projets dans la grande ville francophone du Canada. Toutes les villes de France, toutes les régions ont un site Internet.

▶ **Les musées**
Sur votre écran tous les tableaux, toutes les sculptures des grands musées de France.
Le Louvre :
www.louvre.fr/
Le musée d'Orsay :
www.musee-Orsay.fr/
Le Centre Pompidou :
www.centrepompidou.fr/

▶ **La chanson**
www.paroles.net/
Les paroles des chansons françaises et francophones.

▶ **Le cinéma**
www.allocine.fr/
Les films anciens et nouveaux : résumé, acteurs et actrices, photos.

▶ **Les spectacles**
www.internaute.com/
Les spectacles et les événements en France.

Regarder la télévision... Écouter la radio

Avec TV5, vous pouvez regarder la télévision en français partout dans le monde.

Au programme : des émissions des chaînes **France 2**, **France 3**, **France 5**.
Vous êtes intéressé(e) par des informations en français ? Regardez **France 24**.
Vous pouvez aussi écouter **RFI (Radio France Internationale)**. Cette radio propose un journal d'informations en français facile.

Lisez le programme ci-contre. Imaginez le sujet des émissions.

Au programme sur TV 5 monde

7.25	Un livre, un jour	20.30	Le journal de France 2
7.48	Télématin	21.03	Fête de famille (téléfilm)
8.28	Un gars, une fille	23.14	Le journal de l'éco
...		23.22	Line Renaud, une histoire de France
9.54	Saveurs sans frontières	00.53	Fil à fil : prêt-à-porter masculin automne /hiver
16.32	Questions pour un champion	01.17	Renoir

Lire la presse

Quand on connaît l'anglais, l'espagnol, le portugais, l'italien ou le roumain, lire en français n'est pas très difficile. Beaucoup de mots se ressemblent.

Faites l'expérience. Lisez des journaux et des magazines.
Vous pouvez trouver la presse française sur Internet.
Alors, pas d'excuses !
Le Monde : www.le monde.fr
Le Figaro : www.lefigaro.fr
L'Express : www.lexpress.fr
Paris Match : www.parismatch.com
Ouest-France : www.ouest-france.com

Découvrir la France dans votre pays

Dans beaucoup de grandes villes du monde, on trouve une Alliance française, un Centre culturel ou un Institut français.

Là, on peut voir des films français, des expositions, des spectacles ou rencontrer des francophones.

À Rome, la Villa Médicis accueille des artistes et des chercheurs francophones.

Survivre en français

▶ POUR VOUS **PRÉPARER À UN VOYAGE**
EN FRANCE
OU DANS UN PAYS FRANCOPHONE

▶ VOUS ALLEZ **APPRENDRE
À VOUS DÉBROUILLER...**
... DANS LE TRAIN, L'AVION,
LE MÉTRO
... DANS LA RUE, SUR LA ROUTE

▶ ... À L'HÔTEL,
AU RESTAURANT

La place du Tertre,
à Montmartre.

▶ ... AVEC LES PETITS
PROBLÈMES QUOTIDIENS

5 Bon voyage !

Alpha Voyages
Plus loin Moins cher

Accueil • Séjours • Circuits • Week-ends • Avion • Train

Nos meilleurs prix

- Égypte (7 j)   400 €
- Mexique (15 j)   600 €
- Thaïlande (10 j) 499 €
- Maroc (7 j)   400 €
- Corse (7 j)   350 €

Tout compris voyage hôtels visites

La falaise d'Étretat.

Spécial forme

Pour être mieux dans sa tête et mieux dans son corps.

CLUB THALASSO D'ARCACHON
La santé par l'eau de mer
La semaine : 250 €

Circuits organisés
Partez plus détendu.

GRAND TOUR DE NORMANDIE
Ses côtes, sa campagne pittoresque et sa célèbre abbaye du Mont-Saint-Michel

Circuit Découverte
Pour être plus près du pays et de ses habitants.

RANDONNÉE DANS LES PYRÉNÉES
Découverte de la nature
Rencontres avec les habitants
Hébergement sous la tente ou chez l'habitant

Formule Liberté

Nous vous proposons une voiture et nous organisons votre hébergement.

SOLOGNE ET VAL DE LOIRE
À votre rythme, visitez les plus beaux châteaux de la Loire et les forêts mystérieuses de Sologne.

Séjour aventure

DÉCOUVERTE DE LA GUYANE
À pied ou en pirogue, découvrez la forêt amazonienne et les villages Wayanas.

Séjour en club

Demandez la liste de nos clubs en France et dans le monde.

Choisissez votre voyage

Travail en petits groupes.

1. Lisez et discutez les propositions d'Alpha Voyages :
– le type de voyage : séjour, circuit, etc.
– les destinations : la Normandie...
– les activités : visiter, regarder...

2. Choisissez un voyage et présentez-le à la classe.
« Nous préférons... C'est plus... »
Dites pourquoi vous n'avez pas choisi les autres propositions.

Les voyages

- **Les types de voyage**
  voyager en groupe – avec des amis – seul(e)
  un voyage organisé – un circuit – un séjour
  (dans un hôtel, dans un club)

- **Les transports**
  la voiture – le train – l'avion – le bateau
  partir, voyager... en voiture, en train, en
  avion, en bateau... à pied, à vélo

- **Opinions**
  L'Australie, c'est loin de la France. C'est
  près de la Nouvelle-Zélande.
  un voyage fatigant / tranquille – intéressant
  / pas intéressant – cher / pas cher
  En Grèce, on peut voir des monuments. On
  peut faire...
  Les voyages organisés sont plus tranquilles.
  Ils sont moins fatigants.
  Ils sont aussi intéressants.
  La randonnée, c'est trop fatigant.

Réalisez la page accueil Internet d'une agence de voyages

À faire par petits groupes de 4 ou 5 étudiants.

- Chaque groupe va réaliser une page accueil.
- Dans chaque groupe, chaque étudiant choisit un ou deux types de voyage.
- Il réalise une petite présentation pour chaque voyage.
- Le groupe compose sa page accueil.
- Il présente sa page accueil à la classe.
  « Nous proposons un circuit aventure dans le parc du Serengeti en Tanzanie. On va voir... On va faire... »

Comparer les choses

Égypte	400 €
Mexique	600 €
Corse	350 €
Maroc	400 €
Italie	250 €
Thaïlande	499 €
Russie	600 €

Le prix du voyage en Égypte est 400 €.
Le voyage au Mexique est **plus** cher.
Le voyage en Corse est **moins** cher.
Le voyage au Maroc est **aussi** cher.

Ces voyages sont **trop** chers pour moi !

DÉCOUVREZ L'ÉGYPTE POUR 400 €

1 **Observez la construction. Continuez les comparaisons.**

Le prix du voyage au Maroc est 400 €.
Le voyage en Italie est ...
Le voyage en Russie est ...
Le voyage en Égypte est ...
Le voyage en Italie est ... de tous les voyages.
Le voyage en Russie et le voyage au Mexique sont ...

2 **Faites des comparaisons :**

• entre les pays
L'Australie est un grand pays. La France est plus petite ...
• entre les villes
Paris est une belle ville mais ...

Comparer

• Marseille (1 million d'habitants) est une grande ville.
  Paris est **plus** grande.
  Lyon (1 million d'habitants) est **aussi** grande.
  Montpellier (300 000 habitants) est **moins** grande.

• Paris est **la plus** grande ville de France.

• L'Hôtel du Parc est un bon hôtel.
  Mais l'Hôtel du Palais est **meilleur**.
  L'Hôtel du Centre est **moins** bon.
  L'Hôtel du Palais est **le meilleur** hôtel de la ville.

NB – Pour en savoir plus sur la comparaison, voir p. 129 et 173.

Montrer

Voici le lac Vert et le mont Canigou.
Regarde **ces** montagnes, **ce** lac, **cette** forêt !
Écoute **ce** silence ! On va dormir ici !

C'est quoi, cet animal ?

1 **Observez les mots utilisés pour montrer. Complétez.**

Entendu au musée Grévin
« Qui sont ... personnages ?
Je connais ... acteur, c'est Depardieu.
Et ... chanteuse, c'est Laurie.
Regarde ... visiteur. C'est un personnage de cire ! »

Les démonstratifs

Ils sont utilisés quand on montre...
→ Regardez **cette** belle fille.
... ou quand on situe dans le temps.
→ **Ce** matin, il fait beau.

	masculin	féminin
singulier	**ce** livre **cet** hôtel (devant une voyelle et h)	**cette** photo
pluriel	**ces** livres – **ces** hôtels – **ces** photos	

▶ **Indiquer une appartenance**

- Qui a vu les lunettes de Pierre ?
- Pierre cherche **sa** montre. Où est la montre de Pierre ? Où est **son** portable ? Et **ses** lunettes ?
- **Leurs** vacances sont finies.
- Où sont **ma** montre, **mon** portable, **mes** lunettes ?
- Voici **tes** lunettes. Cherche **ta** montre et **ton** portable.
- Où est **votre** tente ? Où sont **vos** enfants ?
- Nous avons **notre** Game Boy et **nos** jeux !

1 **Observez comment on indique une appartenance :**

- quand la chose appartient à :
- – une personne
- – des personnes
- quand la chose est un mot masculin, féminin ou pluriel.

2 **Complétez.**

Noémie (voir p. 19) montre des photos à Lucas.
- Regarde ! Voici ... appartement à Laval, ... rue, ... université.
Ici, c'est la maison de ... parents avec ... jardin et ... voiture.
Voici ... amie Charlotte et ... chien.
– Et lui, qui est-ce ? ... petit ami ?
- Tu es bien curieux, toi !
– Oui, je veux savoir ... nom, ... profession, ... goûts, tout !

Les possessifs

personnes	devant nom masculin singulier (et féminin commençant par une voyelle)	devant un nom féminin singulier	devant un nom pluriel
je	**mon** livre **mon** amie	**ma** photo	**mes** livres **mes** photos
tu	**ton** livre **ton** amie	**ta** photo	**tes** livres
il-elle	**son** livre **son** amie	**sa** photo	**ses** photos
nous	**notre** livre **notre** amie	**notre** photo	**nos** amies
vous	**votre** livre **votre** amie	**votre** photo	**vos** photos
ils-elles	**leur** livre **leur** amie	**leur** photo	**leurs** livres

▶ **Apprendre les nouveaux verbes**

1 **Cherchez deux verbes conjugués comme « prendre ».**

2 **Observez la conjugaison de « prendre » et de « mettre ».**

Notez les formes régulières.

NB – À partir de la leçon 6, les nouveaux verbes ne sont pas conjugués dans la leçon. Voir toutes les conjugaisons p. 174.

prendre	mettre
je prends	je mets
tu prends	tu mets
il/elle prend	il/elle met
nous prenons	nous mettons
vous prenez	vous mettez
ils/elles prennent	ils/elles mettent

▶ 🎧 **À l'écoute de la grammaire**

1 **Prononciation des possessifs. Sons [ɔ] et [ɔ̃].**

Photos souvenirs
Mon école... Mon prof de sport...
Mon copain Léon... Son amie Flore...
Ton amie Manon...
Notre sortie à la montagne...

2 **Distinguez [y] et [u].**

Déclaration
Tu es le plus sympa de tous...
le plus curieux... le plus mystérieux...
le plus fou... le plus jaloux...
Tu es mon plus beau souvenir !

La traversée de l'Hexagone

1 - Décision

 1

Fanny Rochard travaille à Strasbourg, au Conseil de l'Europe. Son mari, Bertrand, travaille dans une banque. Ils ont une fille, Caroline.
C'est bientôt les vacances.

Fanny : Tu as vu ces prix ? 250 € la semaine au club Thalasso !
Bertrand : Et ce voyage au Mexique : 600 €, 600 € pour un voyage au Mexique !
Fanny : Oublie le Mexique.
Bertrand : Pourquoi ?
Fanny : C'est trop loin.
Bertrand : Comment « trop loin » ?
Fanny : Cette année, Caroline passe ses vacances chez Julie.
Bertrand : Et alors ?
Fanny : Et alors, quand ma fille passe ses vacances en France, je reste en France.
Bertrand : On peut faire la randonnée dans les Pyrénées. C'est plus près.
Fanny : Trop fatigant pour moi. J'ai envie de vacances tranquilles. Qu'est-ce que tu penses du club Thalasso ?
Bertrand : Pourquoi pas ?

2

Plus tard.

Bertrand : Fanny, on ne peut pas aller à Arcachon !
Fanny : Et pourquoi ?
Bertrand : Parce qu'ils ne prennent pas les chiens.
Fanny : C'est pas un problème. Laissons Choucroute à tes parents !
Bertrand : Mon père n'aime pas les chiens. Pourquoi pas à ta mère ? Elle adore les animaux !
Fanny : Ma mère a son chat, ses oiseaux et son mari. Ça fait beaucoup !
Bertrand : Écoute, Fanny ! Choucroute, c'est ton chien. Arcachon, c'est ton idée. Alors tout ça, c'est ton problème !
Fanny : J'ai compris. On ne va pas à Arcachon.

3

Deux jours après.

Bertrand : Ah, on a un message de Claudia et de Jérôme.

De : Claudia et Jérôme
Objet : Vous êtes les bienvenus
À : Bertrand

Salut les amis !
Ça y est. Nous sommes dans notre nouvelle maison à Montcaillou, dans les Pyrénées.
Voulez-vous venir découvrir la région ?
Vous êtes les bienvenus en juillet ou en août.
　　　　　Bises
　　　　　Claudia et Jérôme

4

Le 1er août à la gare.

Fanny : N'oublie pas de composter ton billet !
Caroline : Non, maman.

 Transcription

 ### Compréhension et simulations

 1. Complétez l'histoire.
Bertrand voudrait …. Fanny ne veut pas parce que … Bertrand propose … mais …

2. Imaginez et jouez la scène.
Avec votre ami(e), vous cherchez un lieu de vacances. Vous regardez la page d'un site Internet d'agence de voyages.

 3. *Scène 2.*
a. Répondez.
Pourquoi Fanny veut-elle aller à Arcachon ?
Quel est le problème ?
Pourquoi ne peut-on pas laisser le chien chez les parents de Bertrand ? Et chez les parents de Fanny ?

b. Relevez le nom des membres de la famille.

4. Jouez la scène.
Avec votre ami(e), vous partez en voyage pour trois mois. À qui allez-vous laisser : le chat, la grande plante du salon, les clés de la boîte aux lettres, etc.

 5. *Scène 3.*
Lisez le message. Imaginez le dialogue entre Bertrand et Fanny.

 6. *Scène 4.*
Transcrivez la fin du dialogue.

Expliquer

- Tu es en retard. **Pourquoi ?**
  Pourquoi est-ce que tu arrives à 10 h ?
- **Parce que** j'ai eu un problème.
  J'arrive à 10 h **parce que** le métro a eu du retard.

Sons, rythmes, intonations

1. Les sons [b] - [v] - [f]. Cochez le son que vous entendez.

	b	v	f
1			

2. Les sons [b] et [v].
Après le concert
Quelle voix !…
Bravo ! C'est beau…
C'est bien… Je reviens…
Et vous ?… Votre avis ?…
Mon avis ?… C'est bizarre…
Et vos amis ?…
Que font-ils ?… Ils vont au concert ?…
Non, on les voit… dans les boîtes de nuit.

LE WEEK-END ROUGE
du 30 juillet au 1ᵉʳ août

7 millions de voitures sur les routes et les autoroutes 4 millions de voyageurs dans les trains et 800 000 pour les seuls aéroports de Paris

Enquête sur le week-end des grands départs et des premiers retours

Samedi 8 h, rue Lecourbe à Paris. Bénédicte et Karim mettent leurs valises dans la petite Renault Clio. Destination : la Bretagne. Mais

Avec le viaduc de Millau (2004), on gagne 1 heure pour aller de Paris à Montpellier.

l'heure. Dans 3 heures, je suis à Marseille. Dans le petit village où je passe mes vacances, j'utilise un vélo. »

Les bouchons des grands départs.

pas par l'autoroute. « On préfère partir à l'aventure, sans réservation d'hôtel. Il y a beaucoup de jolies petites routes. On passe par là. C'est plus tranquille. »

9 h, gare de Lyon à Paris. Yasmina composte son billet pour Cassis près de Marseille. « L'an dernier, j'ai mis 15 heures pour faire Paris-Marseille en voiture, par l'autoroute. Cette année, je prends le TGV. Regardez, il est à

13 h, autoroute A10. Aire de service de Tours-Val de Loire. Jérémy et sa petite famille se détendent. Il y a beaucoup de monde sur l'autoroute. Ils ont mis 7 heures pour venir d'Amiens. Encore 7 heures de route pour arriver à Mimizan Plage, au sud de Bordeaux. Mais pour Jérémy, ce n'est pas un problème. « C'est les vacances. Ce soir, on a les pieds dans l'eau. On est content. » Et pour les enfants ? « Ils adorent les voyages. Ce sont les seuls jours de l'année où ils peuvent jouer à la Game Boy du matin au soir. »

▶ Lecture de l'article

1. Quand et pourquoi cet article a-t-il été écrit ? Où est allé le journaliste ? Qui a-t-il interrogé ?

2. Cherchez en petits groupes les informations particulières à la France. Comparez avec votre pays.

3. Avec quel voyageur de l'article préféreriez-vous voyager ? Pourquoi ?

▶ Écriture

Interview imaginaire. À faire en petits groupes.

Vous êtes un groupe de journalistes et vous décidez de faire un article sur les départs en vacances en France ou dans votre pays.

1. Chaque journaliste choisit un lieu (une gare, une station d'essence, etc.) et des touristes (une personne seule, un groupe de copains). Il imagine l'interview et rédige cinq ou six lignes.

2. Regroupez les petites enquêtes dans un article.

VOYAGER EN FRANCE

Les Français utilisent beaucoup leur voiture. Le réseau des routes et des autoroutes est très important.

La SNCF (Société nationale des chemins de fer français) organise les voyages en train. On prend le TER (train express régional), le RER (réseau express de la région parisienne) ou le TGV (train à grande vitesse).

Pour aller d'une ville à un village, on prend le car.

Dans chaque grande ville, il y a un aéroport. Air France, des compagnies européennes ou des compagnies à bas prix proposent des vols pour Paris, les autres villes de France ou l'étranger.

Dans Paris, on peut prendre le métro, le bus (RATP) ou le tramway dans certains quartiers. Dans toutes les autres villes, on utilise le bus ou le tramway (à Montpellier, à Strasbourg, à Lille, etc.).

Et, bien sûr, on peut aussi prendre un taxi.

Utile en voyage

Les lieux
une gare (la gare SNCF), un aéroport (national - international), une gare routière, un arrêt de bus, une station de taxi

Les billets
un billet de train, d'avion – un ticket de métro, de bus – acheter un billet, un ticket (voir p. 69)

Réserver, confirmer, annuler
Je voudrais réserver, confirmer, annuler...
– une place dans le TGV...
– sur le vol Air France...

Voyage à l'étranger
demander un visa – aller à l'ambassade de France... au consulat d'Espagne
– présenter son passeport

▷ Situations en voyage

🌐 **Écoutez. Faites correspondre chaque scène à une photo ci-dessus et à une des situations suivantes.**

a. oubli → ...

b. réservation → ...

c. annulation → ...

e. problème de place → ...

d. demande de renseignements → ...

▷ Comparaisons

Donnez votre opinion sur les transports dans votre pays et dans les pays que vous connaissez.

Le Plaisir du Marché
TRAITEUR

organise vos réceptions : buffets, cocktails, dîners, mariages.

Les entrées

- **L'assiette des quatre saisons** avec des tomates, des olives, de la salade verte, des carottes et des œufs.
- **L'assiette d'Auvergne** avec du saucisson, du jambon de pays, du pâté de campagne.
- **L'assiette espagnole** avec du jambon serrano, du melon, du chorizo.
- **L'assiette grecque** avec de la tomate, de la féta, des champignons, des olives et des concombres au yaourt.
- **L'assiette nordique** avec du saumon de Norvège et des poissons de la mer Baltique.

Spécialités « Parfums du monde »

Le couscous géant
La paella valenciana
Le curry de Madras

Les plats

Poulet rôti de Bresse
Rôti de bœuf du Charolais
Saucisse de Toulouse
Côtelette d'agneau de Provence
Poisson à la bordelaise

Le plateau de fromages

Nos desserts

Salade de fruits des Antilles
Tartes campagnardes (poires, pommes, abricots)
Gâteau maison au chocolat
Glace napolitaine
Tiramisu
Crème catalane

Les boissons

Eaux minérales
Vins des Pays de Loire (rouge, rosé, blanc)
Bière
Café ou thé

Nos prix

(par personne, boissons comprises)

Formule buffet
buffet des 5 entrées + fromage + dessert   30 €

Formule repas
1 entrée + 1 plat chaud + fromage + dessert   40 €

Nous organisons aussi l'animation de votre soirée

Animation musicale avec DJ   400 €
Animateur chanteur   250 €
Animateur magicien   300 €
Feu d'artifice (à partir de 550 €)

Organisez une fête

Ensemble ou en petits groupes, vous allez organiser une fête.

1. Choisissez le lieu de la fête.
Votre école de langue, chez vous, etc.

2. Choisissez les invités.
Discutez et faites la liste des invités.

3. Organisez le programme de la fête.

4. Commandez le repas au traiteur.
a. Avec le professeur, lisez les propositions du traiteur « Le plaisir du marché ». Dites :
– ce que vous aimez,
– ce que vous mangez dans votre pays.

b. Lisez le tableau de vocabulaire ci-dessous.

c. Composez votre menu ou votre buffet pour la fête.

5. Organisez l'animation de votre fête.
Vous pouvez choisir une animation proposée par le traiteur ou un autre type d'animation.

6. Calculez votre budget.

7. Rédigez le programme de votre invitation.

Pour comprendre un menu – Pour parler d'un repas

la viande
le poulet – le bœuf – l'agneau – le porc
(le jambon, des saucisses grillées) –
un rôti de bœuf – une côtelette d'agneau

les poissons
le saumon – le thon
manger de la viande, du poisson, etc.
être végétarien

avec la viande ou le poisson
les pommes de terre (frites, en purée) – le riz – les haricots verts (m) – les carottes (f) – une tomate – un concombre – de la salade verte – des olives (f) – des champignons (m)

le lait – le fromage – un yaourt – les œufs (un œuf) – les pâtes

les fruits
une pomme – une banane – une fraise – un melon – une orange

les pâtisseries
un gâteau – une tarte – une glace

les boissons
l'eau (l'eau minérale) – la bière – le vin (rouge, blanc, rosé) – le jus (d'orange) – le café – le thé
boire de l'eau, un café...

► **Nommer les choses**

Qu'est-ce que c'est ? **De la** viande ?

Non, ce n'est pas **de la** viande, c'est **du** poisson !

Je connais votre frère.

Heu, je n'ai pas **de** frère.

Il y a **du** vin rosé ?

Non, il y a **du** vin rouge, **du** vin blanc, mais il **n'**y a **pas de** vin rosé.

Moi, je n'aime pas **le** saucisson.

Je voudrais **un** jus d'orange, s'il vous plaît.

C'est formidable. Il y a **du** monde !

Le dimanche, je fais **du** vélo. J'ai un magnifique vélo.

---

1 **Observez l'emploi des articles. Classez-les. Complétez les cases du tableau.**

	masculin	féminin	pluriel
On parle de personnes ou de choses différenciées ou comptables			
On parle de choses indifférenciées ou non comptables			
On parle de personnes ou de choses en général			

Observez les formes négatives.

2 **Complétez.**

Avant le repas

- ... apéritif ?
- – Qu'est-ce que tu as ?
- ... whisky, ... Martini.
- – Non merci, pas ... alcool !
- ... jus d'orange ?
- – Non merci, pas ... sucre !
- J'ai ... eau minérale.
- – D'accord, ... verre d'eau minérale.
- Tu veux ... olives, ... chips ?
- – Je prends ... olive, merci.

Après le repas

- Tu veux ... thé ?
- – Non merci, je n'aime pas ... thé. Je préfère ... café.
- Alors ... café ?
- – D'accord.
- Avec ... lait ?
- – Non merci, sans lait.
- Avec ... sucre ?
- – Oui, s'il te plaît, ... morceau de sucre.
- Tu as aimé ... repas de Claudia ?
- – J'ai adoré ... côtelettes d'agneau. Claudia est ... très bonne cuisinière.

Emploi des articles

1. *un - une - des*. **Quand on perçoit les personnes et les choses comme différenciées ou comptables**

Je voudrais **un** verre d'eau.
Je mange **une** glace
J'ai **un** frère.

2. *du - de la - de l'*. **Quand on perçoit les personnes et les choses comme indifférenciées ou non comptables**

Je bois **de** l'eau.
Au dessert, il y a **de la** glace.
Il y a **du** monde dans le restaurant.

3. *le - la - l' - les*. **Quand on parle de personnes ou de choses en général**
J'aime le café de Colombie.

NB – Après les verbes comme *aimer, adorer, préférer*, on utilise l'article défini à valeur générale.
Vous avez du café ? J'adore le café.

Attention à la forme négative :

- **avec les articles indéfinis et partitifs**
  Vous avez **du** thé ? – Je **n'**ai **pas de** thé.
  Tu connais **un** bon restaurant ? – Je **ne** connais **pas de** bon restaurant.

- **sauf dans les cas suivants**
  Ce n'est pas **du** wisky, c'est **du** bourbon.
  Je n'ai pas **un** frère, j'ai **une** sœur.

▶ Interroger – Répondre

> Tu viens dîner à la maison ?
> Est-ce que tu aimes le poisson ?

> Venez-vous dîner à la maison ?
> Quand êtes-vous libres ?

1 **Observez les phrases et lisez le tableau.**
Trouvez :

– les trois façons de poser une question
– les mots interrogatifs
– dans quel cas on répond « si »

2 **Complétez ce dialogue avec les questions.**

- … ? → – Oui, je pars en vacances.
- … ? → – Dans les Alpes.
- … ? → – En août.
- … ? → – Avec Marie, Vanessa et Luc.
- … ? → – De la randonnée.
- … ? → – Si, je vais faire du vélo.

Les questions

- **Question générale**
  Vous aimez le curry ?
  Est-ce que vous aimez le curry ?
  Aimez-vous le curry ?
  Marie aime-t-elle le curry ?

- **Les mots interrogatifs (avec chacune des trois formes)**
  Qui invitez-vous ? (**Avec qui** vient-il ? **À qui** parle-t-il ?)
  Qu'est-ce que vous préparez ?
  Où vous faites le repas ?
  Quand faites-vous votre réception ?

Les réponses

- **Vous prenez du vin ?** – **Oui**, je prends du vin
  – **Non**, je ne prends pas de vin.

- **Vous ne prenez pas de vin ?**
  – **Si**, je prends du vin.
  – **Non**, je ne prends pas de vin.

▶ Exprimer la possession

1 **Complétez les réponses avec une forme**
« à + pronom ».

Rangements dans la maison
- C'est ton portable ?
– Oui, il est à moi.
- C'est le dictionnaire de Pierre ?
– Oui, ……
- Les enfants, ce sont vos jeux vidéo ?
– Oui, ……
- Ce sac est à Marie ?
– Non, il …… . Il est à Julie.
- Ce stylo n'est pas à toi, Pierre ?
– Si, ……

> À qui est ce sac ?
> Il est à toi ?

> Non, il n'est pas à moi.
> Il est à Matilde.

La forme possessive « à + pronom »

On utilise cette forme pour indiquer la personne qui possède une chose.

– La voiture Renault est à Mathilde ?
– Oui, elle est **à elle**.

▶ 🎧 À l'écoute de la grammaire

1 **Rythme et intonation de la question**

Philosophie
Qui sommes-nous ? Que faisons-nous ?
Que savons-nous ?
Où vont-ils ? Que voient-elles ?
Que peuvent-ils ?
Que dis-tu ? Que connais-tu ?
Que comprends-tu ?

2 **Notez l'article que vous entendez.**

Liste pour le supermarché
un poulet… **du** pain… **des** tomates…

3 **Rythme de la phrase négative**

Régime
Elle ne boit pas de vin
Elle ne mange pas de pain
Elle ne prend pas de riz
Pas de pommes de terre, pas de rôti
Juste un verre d'eau et un gâteau

La traversée de l'Hexagone

2 - En route

1

Fanny et Bertrand Rochard ont décidé de faire leur voyage en trois jours. Le premier soir, ils s'arrêtent en Bourgogne.

Bertrand : Bonjour. On a une réservation au nom de Rochard.
La réceptionniste : Rochard... Vous avez dit Rochard. R-O-C-H-A-R-D ?
Bertrand : C'est ça. Bertrand Rochard.
La réceptionniste : Je n'ai pas de réservation à ce nom.
Bertrand : Attendez. J'ai réservé la semaine dernière. J'ai votre confirmation.
La réceptionniste : Je peux voir ?
Bertrand : Tenez.
La réceptionniste : Et voilà ! Vous avez réservé à l'Hôtel Panoramique. Ici, c'est la Résidence Panorama.
Fanny : Excusez-nous. Panorama, Panoramique, c'est presque pareil !
La réceptionniste : Vous n'êtes pas les premiers à faire l'erreur... Le Panoramique est un peu plus loin dans la même rue.
Bertrand : Merci et au revoir.
La réceptionniste : Bonnes vacances !

2

Le deuxième jour à midi, dans une crêperie de Valence.

La serveuse : Qu'est-ce que vous prenez ?
Fanny : Une Parisienne.
Bertrand : La Spéciale, c'est quoi ?
La serveuse : Du jambon, des œufs et du fromage.
Bertrand : Mais alors, il n'y a pas de différence avec la Paysanne : jambon, œuf, fromage !
La serveuse : Ah si ! Dans la Paysanne, il y a du jambon de pays, dans la Spéciale du jambon blanc.
Bertrand : Je comprends ! Alors je prends la Paysanne. Je ne suis pas au régime.
La serveuse : Et comme boisson ? Du cidre, du vin, de la bière ?
Fanny : On boit de l'eau. Après on prend la route.

CRÊPERIE
Au sucré salé

– MENU –

Pour commencer
L'Alsacienne : bacon, oignon, fromage
La Savoyarde : jambon cru, pomme de terre, fromage
La Parisienne : jambon, champignon, gruyère
La Bretonne : fruits de mer, champignons
La Paysanne : jambon, œuf, fromage
Demandez La Spéciale

Pour finir

3

À la fin du repas. Transcription

4

À Carcassonne. Bertrand et Fanny cherchent un cadeau pour leurs amis.

Fanny : Bertrand, on doit trouver un cadeau pour Claudia.
Bertrand : Et un pour Jérôme.
Fanny : Qu'est-ce qu'il aime Jérôme ? Tu sais, toi ?

 Transcription

Compréhension et simulations

 1. *Scène 1.* **Écoutez et dites si les phrases suivantes sont vraies ou fausses.**

a. La réceptionniste n'a pas M. et Mme Rochard sur sa liste.
b. Bertrand a réservé à la Résidence Panorama.
c. La Résidence Panorama est loin de l'Hôtel Panoramique.
d. Bertrand et Fanny vont dormir à l'Hôtel Panoramique.

2. *Scène 2.* **Observez le menu. Écoutez et notez la commande de Fanny et de Bertrand.**

3. Préparez et jouez les dialogues suivants (à deux).

• De votre chambre d'hôtel, vous commandez votre petit déjeuner.
• De chez vous, vous commandez une pizza à Pizza Service.
• Vous êtes serveur ou serveuse dans un restaurant de votre pays. Un client français vous demande des explications sur le menu.

 4. *Scène 3.* **Transcrivez le dialogue.**

5. *Scène 4.* **Imaginez la suite du dialogue. Écoutez le dialogue et transcrivez-le.**

6. Préparez et jouez la scène (à deux).

Avec un(e) ami(e), vous choisissez un cadeau pour quelqu'un de votre classe.

Pareil ou différent

• Le camembert et le fromage des Pyrénées, ce n'est pas **pareil**.
• Le camembert est **différent** du fromage des Pyrénées.
• Marie et moi, nous aimons **les mêmes** choses.

Sons, rythmes, intonations

1. Le [ə] final. Écoutez. Observez. Répétez et continuez.
Préférences
Moi, j'aime la glace, la glace à la vanille.
Pierre adore les tartes, les tartes aux pommes.
...

2. Le [ə] dans un mot. Écoutez le rythme du mot et répétez.
Sortie
Samedi, j'ai appelé Emmeline.
Nous sommes allées nous promener
au boulevard Langevin.
Nous avons mangé des côtelettes et des pommes de terre.

Des restaurants pas comme les autres

Un peu de poésie. Le Club des poètes, 30 rue de Bourgogne, Paris, 75007, métro Varennes.
Tous les soirs, ce restaurant accueille les passionnés de poésie. Il y a des livres un peu partout sur les tables. À 22 h, le patron commence à dire des poèmes. Les clients peuvent participer.

Un endroit tranquille. Passage du Retz, 9 rue Charlot, Paris, 75003, métro Filles-du-Calvaire.
Après la visite du célèbre quartier du Marais, allez prendre un jus de fruit ou une glace dans la petite cour d'un bel hôtel particulier.

Comme à l'opéra. Bel Canto, 72 quai de l'Hôtel-de-Ville, Paris, 75004, métro Hôtel-de-Ville.
Une bonne cuisine italienne avec un plus : les serveuses et les serveurs chantent des airs d'opéra. Au menu, un excellent Tiramisu mais aussi Verdi et Rossini.

Ici, c'est gratuit. Tribal café, 3 cours des Petites-Écuries, Paris, 75010, métro Château-d'Eau.
N'attendez pas un menu « entrée, plat, dessert » mais, pour le prix d'une boisson à 2,50 €, vous pouvez manger un couscous. Beaucoup de jeunes. Ambiance sympa.
Les vendredi et samedi soir.

Dans l'Orient-Express. Wagon bleu, 7 rue Boursault, 75017, métro Rome. (*photo*)
Imaginez : vous partez pour Istanbul avec Hercule Poirot, le célèbre personnage des romans d'Agatha Christie... Vous dînez avec lui dans le wagon-restaurant de l'Orient-Express. Vue sur les trains de la gare Saint-Lazare.

Source : *Paris : Bars et restaurants insolites et secrets* de Jacques Garance, Éd Jonglez, 2005.

Compréhension des mots nouveaux sans dictionnaire

Lisez le texte ci-dessus. Cherchez à comprendre les mots nouveaux sans utiliser le dictionnaire.
- **« accueille (accueillir) »** : vous connaissez « accueil » (p. 6).
- **« passionné »** : vous connaissez « passion » (p. 16).
- **« patron » et « clients »** : réfléchissez : dans un restaurant, il y a le patron et les clients.
- **« un air »** : regardez les mots autour de ce mot : « chanter un air d'opéra ».

Continuez avec les autres mots nouveaux.

Choisissez votre restaurant

Travail en petits groupes.

1. Donnez une note de 1 à 10 à chaque restaurant.

2. Présentez à la classe le restaurant le mieux noté par votre groupe

Créez votre restaurant

Travail en petits groupes.

1. Votre groupe décide d'ouvrir un restaurant original. Imaginez :
a. le lieu   **b.** le décor
c. les spécialités   **d.** l'animation

2. Rédigez une présentation de ce restaurant pour le guide des restaurants pas comme les autres.

🌐 COMMENT MANGEZ-VOUS ?
Questionnaire sur les habitudes des Français

Le « p'tit déj » au café. On prend un crème (café au lait) et des croissants.

Le petit déjeuner

- **À quelle heure ?** ...
- **Où ?** ❑ à la maison ❑ au café
- **Que prenez-vous ?**
  - ❑ du café
  - ❑ du café au lait
  - ❑ du thé
  - ❑ du chocolat
  - ❑ du jus d'orange
  - ❑ des tartines ou des toasts
  - ❑ de la confiture
  - ❑ du beurre
  - ❑ des céréales
  - ❑ des croissants
  - ❑ autres ...

Le déjeuner

- **À quelle heure ?** ...
- **Où ?** ❑ à la maison ❑ au restaurant
  ❑ sur le lieu de travail (cantine, restaurant d'entreprise, restaurant universitaire)
- **Que prenez-vous ?**
  - ❑ une entrée
  - ❑ un plat de viande ou de poisson
  - ❑ un autre type de plat
  - ❑ un dessert

Le dîner

- **À quelle heure ?** ...
- **Où ?** ❑ à la maison ❑ au restaurant
- **Que prenez-vous ?**
  - ❑ une soupe
  - ❑ une autre entrée
  - ❑ un plat de viande ou de poisson
  - ❑ un autre type de plat
  - ❑ un dessert de pâtisserie
  - ❑ un dessert de fruit

Journal *Les Nouvelles du Centre*

RESTAURANT DU PERSONNEL
Menu du 22-04-2007

Entrées	Carottes râpées
	Œufs mayonnaise
	Assiette de charcuterie
	Salade de tomates
Plat principal	Poulet rôti
	Thon à la provençale
	Raviolis
servi avec	Pommes de terre frites
	Riz
	Haricots verts
Desserts	Yaourt
	Camembert
	Banane
	Mousse au chocolat

Un dîner en famille. Il y a toujours du pain sur la table mais les Français mangent moins de pain que dans le passé.
Peu de Français boivent du vin régulièrement.
On déjeune entre midi et 13h30. On dîne entre 19 h et 20h30

Repas : les habitudes des Français

1. 🌐 **Écoutez.** Une journaliste interroge trois personnes. Pour chaque personne, complétez le questionnaire ci-dessus.
Complétez le questionnaire pour vous.

2. **Faites des remarques sur les habitudes des Français. Comparez avec les habitudes de votre pays et des pays que vous connaissez.**

LE FORUM QUESTIONS-RÉPONSES

Posez votre question [_____] **validez**

Accueil › loisirs › enquêtes › questions-réponses

Consultez les autres forums du même type.

→ Quel est votre moment de la journée le plus difficile ?

→ Quel est votre jour de la semaine préféré ?

Questions jusqu'au 31/03

→**Quel est pour vous le meilleur moment de la journée ?**

50 réponses

Mona

Le meilleur moment est quand je rentre du travail, à pied, parce que je n'habite pas loin. Je regarde les gens, les magasins. Je fais quelques courses. C'est toujours un moment très agréable.

Marco

C'est quand je me lève le matin. Je prends une douche. Je prends mon premier café. Et là j'ai plein de projets dans la tête.

Sandra

Je n'aime pas le jour. Je préfère la nuit quand je me promène sous les étoiles.

Loulou

Mon meilleur moment, c'est quand je me réveille le matin. Mais le plaisir est court parce que tout de suite après, je me regarde dans la glace !

Kriss

C'est le soir avec mon homme. On prépare le repas. On se raconte la journée. On est bien ensemble.

Anna

Moi, le meilleur moment, c'est quand quelqu'un me dit quelque chose de gentil.

Ludo

Le meilleur moment, c'est quand je me couche, de préférence avec ma copine préférée ou avec un livre ou devant un bon film ou avec un morceau de pizza

Le forum questions-réponses

1. Lisez le document. Imaginez qui est chaque participant. (Quel est son âge, son activité, avec qui il vit, etc.)
Relevez les verbes qui se conjuguent avec deux pronoms.
Exemple : je me lève.

2. Répondez à la question du forum.
Dites quel est votre meilleur moment de la journée. Expliquez pourquoi.

Les autres questions du forum

Travail en petits groupes.

1. Le groupe choisit une des deux questions posées sur la page du forum.
Chacun donne sa réponse.

2. Quelles questions aimeriez-vous poser sur ce forum ?

Leur journée

Imaginez les emplois du temps des personnes qui sont sur les photos.

Votre journée idéale

Faites l'emploi du temps de votre journée idéale.

Les activités de la journée

le matin
se réveiller (je me réveille à 7 heures)
se lever
se laver – prendre un bain – une douche
s'habiller
prendre son petit déjeuner
se préparer
sortir – aller travailler
déjeuner
retourner au travail
se promener
faire des courses
rentrer à la maison
préparer le dîner
s'occuper des enfants
se reposer
dîner
se coucher
dormir
la nuit

▶ **Les verbes du type « se lever »**

1 Observez la conjugaison des verbes du type
« se lever ». Faites la liste des verbes de ce type
que vous connaissez.

2 Comparez le sens des phrases suivantes.

a. Marie réveille Pierre. / Pierre se réveille.
b. Marie appelle Pierre. / Ce jeune homme s'appelle Pierre.
c. Pierre promène son chien. / Pierre se promène.

3 Mettez les verbes entre parenthèses à la forme
qui convient.

Deux femmes parlent de leur emploi du temps.
– Je suis employée dans un cinéma. Alors je *(se coucher)* tard.
– Et bien sûr, vous *(se lever)* tôt.
– Non, je ne *(se lever)* pas avant 9 heures !
– Et qui *(s'occuper)* des enfants ?
– Mon mari. Mais j'ai de grands enfants. Ils savent
(se préparer) tout seuls.
– Mais, alors, avec votre mari, vous *(se voir)* quand ?
– Je travaille quatre soirs par semaine. Les autres jours,
nous *(se lever)* et nous *(se coucher)* normalement.

4 Racontez votre journée de dimanche
dernier. Utilisez les verbes du tableau de la page
précédente.

« Je me suis levé(e) à… »

Les verbes du type « se lever »

se lever	s'habiller
je me lève	je m'habille
tu te lèves	tu t'habilles
il/elle se lève	
nous nous levons	
vous vous levez	
ils/elles se lèvent	ils/elles s'habillent

- **Forme négative**
  Je ne me réveille pas tôt.
  Elle ne se couche pas avant minuit.

- **Question**
  À quelle heure est-ce que tu te couches ?

- **Construction « verbe + verbe »**
  Je n'aime pas me lever tôt.
  Il ne veut pas se coucher tard.

- **Au passé composé (construction avec « être »)**

je me suis levé(e)	nous nous sommes levé(e)s
tu t'es levé(e)	vous vous êtes levé(e)(s)
elle s'est levé(e)	elles se sont levé(e)s

▶ **Donner des instructions, des conseils**

1 Observez les différentes façons de donner des
ordres. Transformez à l'impératif.

a. Tu dois te lever → lève-toi
b. Tu dois te préparer → …
c. Nous devons être en forme → …
d. Nous devons nous réveiller à 7 h → …
e. Vous ne devez pas vous coucher tard → …

L'impératif

manger		sortir
mange	ne mange pas	sors
mangeons	ne mangeons pas	sortons
mangez	ne mangez pas	sortez

se lever	
lève-toi	ne te lève pas
levons-nous	ne nous levons pas
levez-vous	ne vous levez pas

2 **Donnez-leur des conseils. Utilisez les verbes indiqués.**

a. Demain, ils vont jouer un match de football.
se coucher tôt – bien manger – ne pas se fatiguer
– se détendre
b. Pierre a un rendez-vous aujourd'hui à 8 h.
se réveiller – se lever – s'habiller – se dépêcher
– ne pas oublier son dossier
c. Après 3 heures de promenade dans la ville.
s'arrêter dans le parc – s'asseoir – se reposer
– manger un sandwich

avoir	
aie du courage	n'aie pas peur
ayons du courage	n'ayons pas peur
ayez du courage	n'ayez pas peur
être	
sois calme	ne sois pas stressé
soyons calme	ne soyons pas stressé
soyez calme	ne soyez pas stressé

▶ **Les mots de quantité**

Tu oublies quelque chose ?

Non, je n'oublie rien. J'ai pris plusieurs stylos, beaucoup de papier, tous mes cours de bio, deux sandwichs, un peu de café, quelques bonbons et beaucoup de jus d'orange.

1 **Classez ce qui est dans le sac de Robin.**

choses comptables	choses non comptables
...	...

2 **Classez les mots en commençant par les petites quantités.**

peu de....

3 **Utilisez les mots du tableau pour faire des listes.**

a. Marie raconte son voyage à Londres.
J'ai vu beaucoup de « pubs », ... bars, ... cafés avec des terrasses, ... J'ai mangé ... . J'ai bu ... .
b. Vous avez invité des amis à une soirée.
On doit acheter ... On doit avoir ...

4 **Complétez avec « quelque chose », « ne ... rien », « quelqu'un », « ne ... personne ».**

Infidélité
• J'ai ... à te dire. Mais ne raconte cette histoire à ... .
– D'accord.
• Mélissa n'est pas partie seule au stage de Bruxelles. Elle est partie avec ... .
– Son mari sait ... ?
• Non, il ne sait ... .

L'expression de la quantité

Les choses ne sont pas comptables	Les choses sont comptables
du thé – **de l'**eau 1 kilo de sucre Il boit **peu de** café. Je prends **un peu de** lait dans mon thé. Elle a **beaucoup de** temps libre.	**un**, **deux**, **trois** livres 1 kilo de pommes Elle a **peu de** DVD. J'ai **quelques** DVD. J'ai **plusieurs** CD de Pascal Obispo. Elle a **beaucoup de** journées libres dans le mois.

Personnes et choses (sans idée de quantité)

• **quelqu'un – personne**
Tu attends quelqu'un ? – Je n'attends personne.
Quelqu'un a appelé ? – Personne n'a appelé.

• **quelque chose – rien**
Tu fais quelque chose ce soir ? – Je ne fais rien.
Quelque chose t'intéresse ? – Rien ne m'intéresse.

▶ 🎧 **À l'écoute de la grammaire**

1 **Distinguez la conjugaison pronominale.**

conjugaison de type « lever »	conjugaison de type « se lever »
a. Paul lave sa voiture.	...
b. ...	...

2 **Rythme des phrases impératives. Transformez comme dans l'exemple et répétez la réponse.**

Tu dois te réveiller. → Réveille-toi !
Tu ne dois pas dormir. → Ne ... !
...

La traversée de l'Hexagone

3 - Surprises

 1

Un mardi, à 15 heures, Fanny et Bertrand arrivent chez Claudia et Jérôme.

Jérôme : Bonjour, Fanny. Salut, Bertrand !

▶ Transcription

2

Fanny et Bertrand visitent la maison.

Claudia : Alors, voici le salon.
Fanny : Oh, vous avez de belles lampes !
Claudia : Les œuvres de Jérôme. C'est un artiste maintenant.
Bertrand : Tu fabriques des lampes ?
Jérôme : Pour passer le temps.
Fanny : Vous ne savez pas : à Carcassonne, nous avons acheté la même lampe... Pour nous ! Regardez dans la voiture.
Claudia : C'est une de tes lampes !
Jérôme : Normal. Elles commencent à être célèbres !

Claudia : Venez. On continue. Là-bas, c'est la cuisine... Là, les toilettes et ici, l'année prochaine, on va faire les chambres !
Fanny : Ça veut dire que vous n'avez pas de chambres ?
Jérôme : On a deux caravanes dans le jardin. Une pour nous, une pour les amis !
Fanny : Bertrand, on va dormir dans une caravane. C'est super !

3

Dans l'après-midi, Claudia et Fanny vont acheter des produits de la région dans une ferme auberge.

Le fermier : Une minute, madame Buisson, je suis à vous.
Claudia : Je voudrais 5 kilos de miel.
Le fermier : Ah ! Madame Buisson va faire ses confitures.
Claudia : Vous savez tout, monsieur Mangin.
Fanny : Tu fais de la confiture de quoi ?
Claudia : D'abricots.
Fanny : Ah bon.

▶ Transcription

FERME AUBERGE ▶

BIENVENUE À LA FERME

4

En fin d'après-midi.

Claudia : On passe à table ?

Fanny : Là ? Maintenant ? Il est six heures et demie.

Claudia : On n'a pas la télé. Alors on se couche tôt.

Jérôme : Mais on se lève tôt. Moi, tous les matins, je me lève à 6 heures.

Bertrand : Et qu'est-ce que tu fais à 6 heures ?

Jérôme : Une grande balade dans la montagne. Puis je fabrique mes lampes.

Claudia : Résultat ? Vous voyez, on a la forme.

Jérôme : Vous êtes d'accord pour une grande randonnée, demain ?

Bertrand : Pourquoi pas ? C'est une bonne idée !

Fanny : À quelle heure ?

Jérôme : À 7 heures. Parce que c'est vous !

5

La nuit dans la caravane.

Fanny : Bertrand, écoute !

Bertrand : Qu'est-ce qu'il y a ?

Fanny : J'entends quelque chose.

Bertrand : Moi, je n'entends rien. Et Choucroute ne bouge pas !

Fanny : J'entends un bruit bizarre. C'est peut-être un ours ?

Bertrand : Il n'y a pas d'ours par ici.

Fanny : Alors, c'est quoi, ce bruit ?

Bertrand : Je ne sais pas. Quelqu'un. Peut-être Jérôme ou Claudia ou un voisin.

Fanny : Je vais voir.

...

Bertrand : Alors ?

Fanny : Il n'y a personne.

▶ Compréhension et simulations

 1. *Scène 1.*
Transcrivez le dialogue.

 2. *Scène 2.*
Écoutez la scène.
Expliquez pourquoi Fanny et Bertrand sont surpris...
– quand ils entrent dans le salon
– à la fin de la visite.

 3. *Scène 3.*
Transcrivez la fin de la scène. Complétez ce résumé de la scène.
Claudia va dans ... avec ... .
C'est chez ... .
Elle achète ... pour ... .
Elle achète aussi ... .
Ça coûte en tout ... .
Elle paie avec ... .

 4. *Scène 4.*
Écoutez la scène. Notez les différences de rythmes de vie entre les Rochard et les Buisson.
Imaginez d'autres différences.

 5. *Scène 5.*
Écoutez la scène. Imaginez.
Le matin, Fanny raconte sa nuit à Claudia.
« Hier, on s'est couché et à minuit... »

6. Préparez et jouez une scène.
a. Vous allez passer le week-end chez des amis. Ils vous présentent le programme du week-end (d'après la scène 4, à faire à quatre).
b. Avec un(e) collègue, vous êtes resté(e)s au bureau pour finir un travail. Vous entendez un bruit bizarre (d'après la scène 5, à faire à deux).

Sons, rythmes, intonations

Rythme et intonation dans la conjugaison pronominale
Décalage horaire
Je me lève tôt. Tu te lèves tard.
Je me couche tôt. Tu te couches tard.
Quand je me dépêche, tu te détends.
Quand tu te reposes, je fais du sport.
Mais on s'adore, on se comprend.
Nous nous appelons régulièrement
Pour nous dire nos emplois du temps.

TOUT EST GRATUIT...
OU PRESQUE

Musées

Tous les musées sont gratuits le premier dimanche de chaque mois. Quelques musées sont gratuits tous les jours comme le Petit Palais (musée des Beaux-Arts de la ville de Paris).

Journées du patrimoine

C'est le troisième week-end de septembre. Tous les endroits historiques (musées, monuments, châteaux, hôtels particuliers, jardins) sont ouverts et l'entrée est gratuite.

Cinéma

Le lundi, dans toute la France, les cinémas proposent des tarifs réduits. N'oubliez pas la Fête du cinéma (trois jours en mai ou en juin). Vous achetez un billet au tarif normal et vous pouvez voir tous les autres films pour 1 €.

Musique

Il y a beaucoup de concerts gratuits à Paris. Pour connaître les dates et les programmes, regardez *L'Officiel des spectacles*.
Et le jour de la Fête de la musique, promenez-vous dans les rues. On peut entendre de la très bonne musique !

Bibliothèques

À Paris comme dans presque toutes les villes de France, on trouve des bibliothèques publiques. La plus grande et la plus célèbre est la BPI (Bibliothèque publique d'information) du Centre Georges-Pompidou à Paris.

Elle propose 2 000 places, 400 000 livres ou journaux, 10 000 CD et 2 000 films. Vous pouvez aussi apprendre 172 langues. Et tout est gratuit.

Sport

Le dimanche, la ville de Paris organise des matinées « Sport et nature » dans 12 endroits différents. Beaucoup de salles sont gratuites.

Journaux

À Paris et dans les grandes villes, on trouve des journaux gratuits : *20 Minutes*, *Métro*, etc.

▶ Compréhension du texte

1. Lisez le texte ci-dessus. Classez les activités gratuites

a. C'est toujours gratuit.	
b. C'est gratuit un jour par semaine.	
c. C'est gratuit quelques jours dans l'année.	

2. Un ami de votre pays vous pose ces questions. Répondez et précisez.

Est-ce que c'est vrai ?
a. Pour la Fête du cinéma, l'entrée des salles est à 1 €.
b. La bibliothèque du Centre Georges-Pompidou est très bien mais il n'y a pas beaucoup de places.

c. Le palais de l'Élysée est toujours fermé. Mais on peut le visiter un week-end en septembre et l'entrée est gratuite.
d. À la Maison de la radio, j'ai entendu la *Neuvième Symphonie* de Beethoven. Je n'ai pas payé un centime.

▶ Un document « c'est gratuit » pour votre pays

À faire seul ou en petits groupes.

Rédigez un document « Ici, c'est gratuit » pour les touristes français de votre pays.

Partagez-vous le travail (musées, fêtes, spectacles, etc.).

ACHETER

L'euro est la monnaie de la France et de beaucoup de pays d'Europe.
Pour une somme de moins de 10 €, on paie presque toujours en espèces.
Pour une somme de plus de 50 €, on paie souvent par chèque ou par
carte bancaire.
Les Français utilisent beaucoup les chèques.

Quand on va au restaurant
ou au café entre amis,
il est normal de partager.

On peut discuter
le prix d'un objet
quand il n'est pas
neuf ou quand c'est
un objet très cher
(une voiture, un
appartement).

Savoir acheter

**1. Observez les photos ci-dessus. Lisez et commentez
les informations.**

**2. 🌐 Écoutez le début des quatre scènes ci-dessus.
Associez chaque phrase à une photo.**

3. Imaginez et écrivez le dialogue de chaque situation.

**4. 🌐 Écoutez ces scènes complètes. Comparez avec vos
productions.**

5. 🌐 Écoutez et trouvez la situation...

a. à l'entrée d'un cinéma
b. chez un vendeur de téléphones
c. au bureau de change
d. à l'entrée d'un musée
e. à la gare
f. dans un taxi

Pour acheter, pour payer

- **Demander un prix**
  Quel est le prix de ce téléphone portable ?
  coûter → Combien ça coûte ? – Combien ça fait ? –
  Combien coûte ce livre ?
  Il coûte 15,30 € (quinze euros trente centimes).
  Il fait 15,30 € (quinze euros trente).

- **Demander une réduction**
  Vous faites une réduction pour les étudiants ?
  Vous pouvez faire une petite réduction ?

- **Demander un total**
  Je voudrais l'addition (restaurant), la note (hôtel), un
  reçu (taxi), un ticket de caisse, une facture (magasin).

- **Devoir.** Je vous dois combien ?

- **Payer**
  → en espèces – un billet de 20 € – une pièce de 1 €
  avoir la monnaie – rendre la monnaie
  → par chèque
  → par carte bancaire – taper le code

- **Changer**
  Je voudrais changer 200 dollars en euros.

- **Avoir de l'argent**
  Il a beaucoup d'argent.

DOMUS Immobilier
trouve votre logement en France

COMPLÉTEZ LE FORMULAIRE

Vous souhaitez ❑ acheter   **Vous cherchez** ❑ un appartement
❑ louer   ❑ une maison
❑ ancien   ❑ neuf

Vous voulez habiter ❑ en ville
❑ en banlieue
❑ un village près d'une grande ville
❑ un village isolé

Précisez votre région : ...
votre ville : ...

Vous préférez un logement
❑ près des commerces   ❑ près d'un parc ou d'un jardin public
❑ près des transports en commun   ❑ près des écoles
❑ au calme   ❑ ensoleillé   ❑ avec vue
❑ avec jardin   ❑ avec garage   ❑ avec piscine

À quel étage ? ...   ❑ avec ascenseur ?
Vous souhaitez un logement   ❑ vide ❑ meublé

Vos pièces
La cuisine ❑ équipée ❑ non équipée
Nombre de chambres ...   de salles de bains ...
de toilettes ...
Le salon et la salle à manger   ❑ une pièce   ❑ deux pièces

Souhaitez-vous   ❑ un bureau   ❑ une cave

RÉSERVEZ VOTRE MAISON

LES VILLAS DU PARC

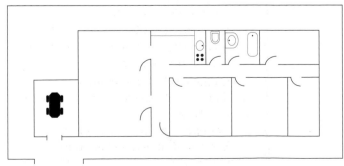

Nos curiosités

À VENDRE

NOS OFFRES EN VILLE

Très bien située, derrière la gare, en face du parc Coubertin, belle maison des années 60, de 140 m², avec petit jardin. Soleil. Vue.   250 000 €

Entre la gare et le lycée Albert-Camus, en face de la bibliothèque Émile-Zola, sur une belle avenue, appartement de 80 m², au 3e étage d'un bel immeuble moderne. 2 chambres.

180 000 €

Dans la vieille ville, à côté de la cathédrale, sur une place ensoleillée, joli studio au 2e étage d'un immeuble du XVIIIe siècle.

60 000 €

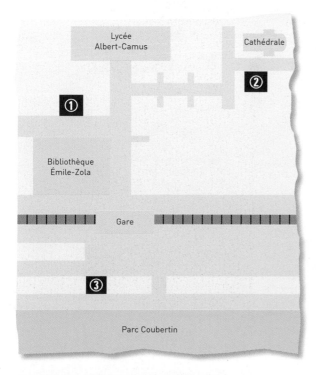

Complétez le formulaire

Travail individuel ou en petits groupes.

1. Complétez le formulaire avec l'aide du professeur.
Si vous travaillez en groupes, mettez-vous d'accord sur vos préférences.
2. Donnez d'autres détails sur le logement que vous cherchez.

Écoutez l'agent immobilier

1. Observez la publicité pour les villas du parc.
2. Écoutez. Un employé de Domus immobilier organise une visite de la maison.
Notez sur le plan le nom des pièces de la maison.

Étudiez les petites annonces

1. Situez chaque annonce sur le plan.
2. Donnez votre avis sur chaque logement.

Présentez votre logement idéal

Travail individuel ou en petits groupes.

1. Notez les caractéristiques de votre logement idéal.
2. Faites son plan.
3. Présentez-le à la classe.

Pour parler d'un logement

- **Les logements**
  un appartement (un studio, un deux-pièces) – une maison – une villa
  un immeuble de trois étages
  – le rez-de-chaussée – le premier étage
  – le deuxième étage – un ascenseur

- **Les pièces**
  une cuisine – une salle à manger
  – un salon – une chambre – une salle de bains – les toilettes – l'entrée – le couloir
  – le garage – la cave

- **Les caractéristiques**
  un appartement ancien / moderne / neuf
  – ensoleillé – calme

- **Louer – acheter – vendre**
  Il loue un deux-pièces à Lyon 400 €
  par mois.
  Cet appartement est à vendre.
  Elle voudrait acheter un studio.

► **Situer – S'orienter**

Mairie

Pour avoir le formulaire 2042 bis, il faut aller aux services techniques. L'immeuble des services techniques est **sur** la place Marie-Curie, **en face** du lycée Victor-Hugo, **devant** le supermarché, **entre** un cinéma et la bibliothèque ; **à côté** du cinéma, il y a une pizzeria, **au milieu** de la place, il y a une statue.

Services techniques

Vous allez trouver le formulaire 2042 bis au bureau 372. Prenez l'ascenseur. Quand vous sortez de l'ascenseur, **tournez à droite**. **Continuez jusqu'à** la cafétéria. **Traversez** la cafétéria. Prenez le couloir **à gauche**. **Faites 20 m**. Le bureau 372, c'est **la troisième** porte **à droite**.

Pour situer – Pour s'orienter

• **Situations**

A est devant B
D est derrière C
B est entre A et C
B est à côté de C

A est sur la table
D est sous la table
C est au bord de la table
B est au milieu de la table

A est en haut – B est en bas

B est ici – C est là – D est là-bas

• **Directions**

↑ tout droit   ↕ en avant

↰ à gauche   ↕ en arrière

↱ à droite

nord
ouest ✳ est
sud

• **Mouvements**

aller tout droit   continuer
tourner   traverser
faire 100 mètres (100 m), 1 kilomètre (1 km)

• **Ordre**

Ⓐ Ⓑ Ⓒ Ⓓ Ⓔ

A est premier – B est deuxième – C est troisième – D est quatrième – E est dernier

1 **Lisez la BD ci-dessus.**

a. Faites un dessin pour situer les services techniques.
b. Dessinez l'itinéraire pour trouver le bureau 372.

2 **Situez (utiliser le vocabulaire du tableau) :**

– votre école
– votre logement

3 **Observez la carte ci-contre. Complétez l'itinéraire pour aller au château de Tagnac.**

Rendez-vous à 9 h pour la randonnée au château de Tagnac.
Voici l'itinéraire.
Quand vous venez de Champclos, prenez...

4 🌐 **Comment aller de la gare jusque chez Marie ? Dessinez l'itinéraire.**

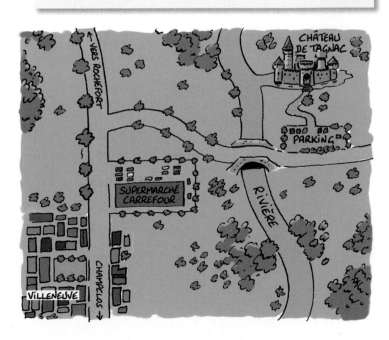

▶ Décrire un trajet

J'ai le formulaire 2042 bis. Je suis parti ce matin à 8 h. Je suis arrivé … J'ai attendu …. Je suis resté … Je suis reparti pour … Je suis sorti … Je suis rentré à la maison !

■1 Complétez avec « aller » ou « venir ».

• Aux vacances de février, je … dans les Alpes faire du ski. Tu veux … avec moi ?
– Je ne peux pas. Je … en Grèce avec Marie. Mais l'été prochain, je voudrais … chez toi, dans ta maison de campagne. Tu es d'accord ?
• Bien sûr. Tu … quand ? En juillet ou en août ?

■2 Complétez avec un verbe du tableau.

La directrice d'une boutique de vêtements de Marseille parle de son programme.
• Lundi, à 7 h, je … pour Paris en avion.
J'… dans le centre de Paris à 9 h. J'ai une réunion à 10 h. Je … à Marseille dans l'après midi et le soir, je … pour New York.
– Tu … quand à Marseille ?
• Le 14.
– Et après, les voyages, c'est fini ?
• Non, je … à New York à la fin du mois.

Partir – arriver – etc.

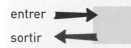

partir ——— aller / venir ———➤ arriver… rester…

rentrer ◄——— retourner / revenir ——— repartir

entrer ➤
sortir ◄

• **Au présent**
  partir : je pars, nous partons, ils/elles partent
  sortir : je sors, nous sortons, ils/elles sortent

• **Au passé composé**
  Tous ces verbes se construisent avec « être ».
  Elle est partie – Elle est restée – Elle est repartie…

▶ Exprimer un besoin

Je suis fatigué. J'ai chaud. J'ai soif. J'ai mal aux pieds. J'ai sommeil.

■1 Exprimez leur état physique ou leur besoin.

a. Il n'a rien mangé.   → Il a faim.
b. Elle a fait 20 km à pied. → …
c. Il a bu trop de whisky. → …
d. Il est au pôle Nord.   → …
e. Il fait très chaud.   → …

Exprimer un besoin

• **Il faut**
  Il faut s'arrêter. Vous êtes fatigués.
  Pour traduire ce texte, il faut un dictionnaire.

• **Devoir**
  Vous devez vous reposer.

• **Avoir besoin (de)**
  Elle a sommeil. Elle a besoin de dormir.
  Pour mettre vos affaires, vous avez besoin d'un sac.
  J'ai besoin d'aide.

▶ 🎧 À l'écoute de la grammaire

■1 Distinguez [s] et [z].

Ce soir à la maison
Nous avons des amis
Nous savons qu'ils arrivent à dix heures.
Ils ont faim. Ils sont fatigués.
Vous avez une montre ?
Vous savez quelle heure il est ?

■2 Notez l'adjectif masculin ou féminin.

finales	masculin	féminin
[t]		
[l]		
[k]		
[e] → [ɛʀ]		

La traversée de l'Hexagone

4 – Grosse fatigue

1

Fanny et Bertrand ont passé leur première nuit à Montcaillou. Le matin.

Jérôme : Alors, en forme ? Vous avez bien dormi dans la caravane ?
Bertrand : Comme dans un quatre étoiles !
Claudia : Allez, venez boire le café ! Asseyez-vous !

2

Sur la route, vers le départ de la randonnée.

Un gendarme : Vous ne pouvez pas passer.
Claudia : Et pourquoi ?
Le gendarme : Il y a une manifestation de l'APPO.
Fanny : C'est quoi l'APPO ?
Claudia : L'Association pour la protection des ours.
Fanny : Ah, tu vois, Bertrand, il y a des ours dans la région.
Claudia : On va prendre la route de Foix.
Le gendarme : C'est interdit aussi. Il y a une manifestation des fermiers.
Bertrand : C'est toujours comme ça chez vous ?

3

Dans la montagne en fin d'après midi.

Claudia : Il faut prendre à droite.
Jérôme : À gauche, le chemin est plus large.
Claudia : Mais il va vers l'est ! Nous, on doit aller à l'ouest.
Bertrand : Elle a raison. Montcaillou est à l'ouest.
Jérôme : Fanny ! À ton avis ?
Fanny : Écoutez. Vous connaissez la région. Vous décidez. Moi, j'ai mal aux pieds, j'ai chaud, j'ai soif, j'ai faim, je suis fatiguée ! J'ai envie de rentrer !

4

Le matin suivant.

Claudia : Fanny, j'ai besoin d'aide.
Fanny : Pour quoi faire ?

 Transcription

5

Au même moment.

Bertrand : Alors, pas de randonnée, aujourd'hui ?
Jérôme : Non, j'installe le panneau solaire.
Bertrand : Pas de problème. Fais ton travail. Moi, je vais lire sous les arbres.
Jérôme : C'est que… j'ai besoin de ton aide !
...

6

Le soir.

Fanny : Bertrand, il faut partir d'ici !
Bertrand : Je suis d'accord. Je ne peux pas continuer à ce rythme !
Fanny : Dis à Jérôme que tu as mal au dos.
Bertrand : Je suis sûr que Claudia a un produit pour le mal de dos.
Fanny : J'ai une idée. Demandons à Caroline d'appeler au secours.

Compréhension et simulations

 1. *Scène 1.* Imaginez d'autres réponses à la question de Jérôme.

 2. *Scène 2.* Écoutez. Présentez le problème.

3. Imaginez et jouez une scène avec une des phrases suivantes :

a. On ne peut pas entrer. C'est interdit.
b. Interdit de rentrer après minuit.
c. À droite, c'est interdit.

 4. *Scène 3.* Écoutez. Notez l'opinion de chaque personne.

Claudia pense qu'il faut …
Jérôme …

5. Imaginez et jouez une scène d'après la scène 3.

a. Vous visitez Paris avec des amis. Vous êtes perdus. (à faire à trois)
b. Vous êtes invités chez des amis. Vous ne trouvez pas l'immeuble. (à faire à deux)

 6. *Scène 4.* Transcrivez la scène.

7. *Scène 5.* Imaginez d'autres situations où Claudia et Jérôme demandent l'aide de leurs amis.

 8. *Scène 6.* Imaginez la fin de l'histoire.

Pour parler d'un état physique

être en forme / être fatigué – être malade avoir faim – avoir soif – avoir chaud – avoir froid – avoir sommeil – avoir mal (à la tête, aux pieds, etc.)

Sons, rythmes, intonations

1. Différenciez [a] et [ɑ̃].
Tanguy
Ah, entre, Valérie !
Tu es en avance.
Voici mon appartement,
Ma salle à manger,
Ma chambre et mon chat.
Ma maman est au restaurant,
Nous allons boire à sa santé !

2. Prononcez [ʒ].
Association d'idées
Bouger… voyager… étranger…
Argentine… argent… jouer…
Partager… projet… génial !

Supprimer Indésirable Répondre Rép. à tous Réexpédier Imprimer

De : Marine Ferrand
À : Aurélie Robert
Objet : nouvelle adresse
date : 10 mai 2007

Bonjour Aurélie

Excuse mon silence. J'ai bien eu ton message à Noël mais j'ai été très occupée cette année.

Tu vas être surprise. Marseille, c'est fini. J'habite maintenant au Havre. En novembre dernier, j'ai eu un poste chez Total et Pierre a tout de suite trouvé du travail dans une entreprise d'aéronautique. Le Havre est une ville très agréable. Pas très grande mais avec pas mal de choses intéressantes à faire. Il pleut plus qu'à Marseille mais pas très souvent. L'hiver n'a pas été trop froid et le printemps est magnifique.

Nous avons trouvé un appartement dans le quartier Saint-Vincent, le plus ancien quartier du Havre. C'est près des commerces et à cent mètres de la plage. Tous les soirs, je peux aller faire mon jogging ou du vélo au bord de la plage. Je fais aussi du roller et Pierre a commencé le kite surf.

Au travail, l'ambiance est très sympathique. On a vite trouvé des copains.

Autre surprise. Il y a ici beaucoup de peintres amateurs intéressés par les magnifiques paysages. J'ai eu envie de recommencer la peinture et j'ai rencontré des gens passionnants.

Résultat : tout va bien. Je suis contente de ce changement.

J'attends de tes nouvelles.

Bises.
Marine

▶ Compréhension du message

1. Lisez le message.

Qui écrit ?   À qui ?   D'où ?   Pourquoi ?

2. En petits groupes, recherchez les informations données sur…

a. le travail   **d.** le logement   **g.** les relations entre
b. la ville   **e.** les activités   Marine et Aurélie
c. le quartier   **f.** le temps

3. Que pensez-vous de ces affirmations ?

a. Aurélie et Marine sont de bonnes copines.
b. Marine est une fille dynamique.
c. Marine doit avoir 40 ans.
d. Marine et Pierre s'aiment.
e. Marine n'a pas d'enfants.

▶ Écrivez un message ou une carte postale de vacances

Parlez…

– de l'endroit où vous êtes – du temps – de vos activités
– de vos rencontres.

CADRES DE VIE

• Le temps en France

Dans l'Est de la France, les hivers sont froids et les étés sont chauds.
Dans l'Ouest et dans les régions du Centre, le temps est plus doux.
Il pleut souvent mais il y a de très beaux printemps.
Dans les montagnes, les hivers sont très froids.
Dans les régions méditerranéennes, les hivers sont doux. En été, il fait très chaud. L'automne est la saison la plus agréable.

• Villes ou campagnes

Trois Français sur quatre habitent une ville mais beaucoup voudraient vivre à la campagne.
Aujourd'hui, avec le TGV et l'ordinateur, certains peuvent travailler pour une entreprise parisienne et vivre en Bretagne ou dans le Massif central.
D'autres cherchent à installer la campagne dans la ville et habitent des cités jardins.

• Partir ou rester

Pour trouver du travail, il faut bouger.
Beaucoup de jeunes ont compris qu'on ne peut pas rester toute sa vie à l'endroit où l'on a fait ses études.
Mais les plus de 40 ans n'aiment pas partir. Ils ont acheté un appartement ou une maison. Ils ont des amis. Ils n'ont pas envie de repartir de zéro.
Les Français sont très attachés à leur logement. 60 % sont propriétaires. 57 % habitent dans une maison individuelle.

Les grandes villes de France

(entre parenthèses : population de l'agglomération)

Paris : 2 200 000	
(**région parisienne** : 10 millions)	
Marseille : 800 000 (1 300 000)	
Lyon : 450 000 (1 300 000)	
Toulouse : 391 000 (760 000)	
Nice : 342 000 (450 000)	
Lille : 190 000 (1 million)	
Strasbourg : 265 000 (427 000)	
Bordeaux : 215 000 (753 000)	
Nantes : 250 000 (544 000)	
Montpellier : 207 000 (236 000)	

↘ Notre enquête

Les bons et les mauvais côtés du télétravail

Denis est dessinateur. Il travaille pour des éditeurs parisiens. Il est installé dans un village de l'Ardèche (sud-est du Massif central).

Le temps en France

1. Lisez l'information sur le temps.

Situez chaque région sur la carte de la p. 185.

2. Quel temps fait-il...

– à Bordeaux en hiver ?
– à Clermont-Ferrand en hiver ?
– à Montpellier en été ?
– à Bourges au printemps ?

Les cadres de vie préférés des Français

Lisez les autres informations. Comparez avec les préférences des habitants de votre pays.

L'interview de Denis

🎧 **Écoutez cette interview. Faites la liste des bons et des mauvais côtés de la situation.**

Pour parler du temps

- **Les saisons**
  le printemps – l'été – l'automne – l'hiver
- **Le beau temps**
  Il fait beau – Il fait chaud – Il fait bon
- **Le mauvais temps**
  la pluie – Il pleut (Hier, il a plu – Demain, il va pleuvoir)
  la neige – Il neige (Hier, il a neigé – Demain, il va neiger)
  Il y a de la glace.

Évaluez-vous

1 Vous êtes prêt (prête) à faire un voyage en France ou dans un pays francophone. .../10

Que dites-vous dans les situations suivantes ?

a. Vous achetez un billet de train.
b. Vous réservez un vol Paris-Marseille.
c. Vous ne pouvez pas prendre ce vol.
d. Vous prenez un taxi à l'aéroport.
e. Vous payez le taxi.

f. Vous arrivez à votre hôtel.
g. À l'hôtel, vous ne trouvez pas votre passeport.
h. Vous êtes perdu(e) dans la ville.
i. Vous n'avez plus d'euros.
j. Vous quittez votre hôtel.

Corrigez ensemble. Notez-vous.

2 Vous comprenez des informations au cours d'un voyage. .../10

**Trouvez où on peut entendre ces informations. Transcrivez-les brièvement.
Corrigez ensemble. Notez un point par phrase comprise.**

a. À la gare ...
b. Dans un train ...
c. À l'aéroport ...
d. Dans un avion ...
e. Dans le métro ...

f. Dans un musée ...
g. Dans un hôtel ...
h. Dans un restaurant ...
i. Dans un magasin ...
j. À la radio ...

3 Vous comprenez un menu de restaurant. .../10

**Dans le menu suivant, trouvez des mots pour chaque catégorie.
Corrigez. Comptez 0,5 point par mot correctement classé.**

a. Viandes : ...
b. Charcuteries : ...
c. Légumes : ...
d. Fruits : ...
e. Laitages : ...
f. Pâtisseries : ...
g. Boissons : ...

RESTAURANT L'Assiette

~ Entrées ~
Saucisson de pays
Salade verte et tomates
Concombre au yaourt
Tarte aux poireaux
Melon et jambon

~ Plat principal ~
Poulet aux champignons
Côte de porc
Rôti de bœuf
Saumon de Norvège

~ Pour finir ~
Fromage blanc
Mousse au chocolat
Tarte aux fraises
Crème caramel

Menu complet 15 €
Une entrée + un plat 10 €
Un plat + un dessert 10 €
Boisson non comprise

~ Accompagnement ~
Haricots verts
Purée de pommes de terre
Riz basmati

~ Boissons ~
Eaux minérales
Vins blanc, rosé, rouge
Bières

4 **Vous pouvez commander un repas.** .../10

Vous allez déjeuner au restaurant « L'Assiette » avec un(e) ami(e). Quelles phrases dites-vous dans les situations suivantes ? (Vous pouvez aussi jouer la scène avec votre voisin(e).)

a. Arriver. Choisir votre place
b. Commander l'entrée
c. Demander une explication sur un plat
d. Commander un plat et un dessert
e. Goûter le vin et donner votre avis

f. Répondre à la serveuse qui vous demande si « tout va bien »
g. Demander un café
h. Demander l'addition
i. Remarquer une erreur sur la note
j. Payer

Décidez ensemble d'une note.

5 **Vous comprenez un itinéraire.** .../10

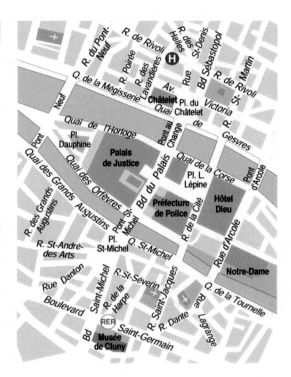

Observez le plan du métro de Paris (p. 187).

Pierre est à la station de métro Porte d'Orléans. Une Parisienne lui donne des explications.

Suivez l'itinéraire de Pierre et trouvez sa destination. Corrigez. Comptez deux points par instruction comprise.

6 **Vous pouvez décrire un itinéraire.** .../10

Observez le plan ci-contre. Vous logez à l'hôtel H, rue de Rivoli. Une amie doit venir vous voir. Elle doit prendre le RER et arriver à la station Saint-Michel.

Envoyez un message à cette amie pour expliquer comment aller jusqu'à votre hôtel. Corrigez et notez-vous.

7 **Vous comprenez un emploi du temps.** .../10

Écoutez. Pour le 14 juillet, les étudiants étrangers d'une école de langue de Perpignan font une excursion à Carcassonne.
Notez le programme de la journée sur l'agenda.
(Noms de lieux : le château de Salses, la région des Corbières)

Samedi 14 juillet

8 –
9 –
10 –
11 –
12 –
13 –
14 –
15 –
16 –
17 –
18 –
19 –
20 –
21 –
22 –
23 –
24 –

La Grand-Place à Bruxelles.

8 **Vous comprenez des informations sur un lieu de voyage.** .../10

Découverte de la Belgique

Carrefour de l'Europe, la Belgique a toujours été le lieu de rencontre des gens et des cultures. Elle propose aux touristes des paysages variés et des découvertes historiques, culturelles et artistiques.

Au nord, ce sont les Flandres, où on parle flamand. « Le plat pays » cher à Jacques Brel et le charme des bords de mer invitent à de tranquilles promenades à vélo.

Au sud, c'est la Wallonie francophone, les petits villages, les vieilles abbayes et la forêt des Ardennes, idéale pour les randonnées et le kayak. Et partout, des villes d'art et d'histoire : Bruxelles, Bruges, Gand, Liège... avec leurs places, leurs belles maisons du XVIe siècle, leurs églises et leurs riches musées où l'on peut admirer les tableaux de Breughel et de Rubens.

Enfin, la Belgique est aussi célèbre pour son art de vivre, l'accueil de ses habitants, sa bonne cuisine et ses excellentes bières.

- Formule circuit organisé : **800 €** du 2 au 16 avril

- Formule liberté : **700 €** 2 semaines en avril ou mai

Dans le document ci-dessus, trouvez les informations qui peuvent intéresser les touristes suivants :

a. Je ne veux pas voyager avec d'autres touristes.
b. Je veux le voyage le moins cher.
c. Je veux faire du sport.
d. Je m'intéresse à l'histoire.
e. Je veux faire des photos pittoresques.

f. Je suis un passionné d'art.
g. Je veux rencontrer des Belges.
h. Je veux faire de bons petits repas.
i. Je veux parler français avec les gens.
j. Les monuments ne m'intéressent pas.

Corrigez. Comptez un point par réponse juste.

9 **Vous pouvez écrire une carte postale.** .../10

Vous faites le voyage en Belgique (voir ci-dessus). **Vous écrivez une carte postale à des amis.** Racontez vos visites, vos activités, vos rencontres. Parlez du temps qu'il fait. N'oubliez pas les formules de début et de la fin.
Lisez votre carte à la classe. Décidez ensemble d'une note.

10 **Vous pouvez décrire votre lieu d'habitation.** .../10

Vous avez changé de domicile et vous avez loué l'appartement ci-contre.
Vous envoyez un message à un(e) ami(e) et vous décrivez en quelques phrases :

– la ville ou le village
– le quartier et la rue
– l'immeuble et les voisins
– l'appartement

À LOUER
Centre-ville.
Appartement de 50 m²
(deux pièces + cuisine)
5e étage – asc.
Clair – Vue sur jardin privé

11 **Vous connaissez les conditions de voyage en France.** .../10

Dites si les phrases suivantes sont vraies (V) ou fausses (F).

a. Avec le TGV, on peut traverser Paris très vite. ...
b. Il y a un aéroport à Nantes. ...
c. Les Français prennent le petit déjeuner en famille. ...
d. Beaucoup de restaurants n'acceptent plus de clients après 14h30. ...
e. À partir de 20 €, les Français paient souvent par carte bancaire ou par chèque. ...

f. On peut discuter le prix d'une voiture. ...
g. Dans les restaurants, le service est compris. ...
h. Il fait très froid en hiver en Bretagne. ...
i. Il ne pleut pas beaucoup dans le sud de la France. ...
j. Lyon et Marseille ont plus de 1 million d'habitants. ...

12 **Vous utilisez correctement le français.** .../40

a. La forme des verbes au présent. Mettez les verbes entre parenthèses à la forme qui convient.

- Tu (*prendre*) un croissant ?
- Non, merci. Je (*faire*) un régime. Et Marie aussi. Nous ne (*manger*) plus de pâtisseries et nous ne (*boire*) plus de boissons sucrées. Le soir, nous (*faire*) un dîner léger. Puis je (*sortir*), je (*se promener*) en ville et je (*se coucher*) tôt. Dans la journée, j'(*attendre*) l'heure des repas pour manger.
- Et vous (*perdre*) du poids ?
- Nous avons commencé le régime hier.

Notez sur .../10

b. Les articles définis, indéfinis, partitifs. Complétez avec l'article qui convient.

Phrases prononcées au cours d'un repas
- Vous voulez ... verre de vin ou vous prenez ... eau ?
- J'ai préparé ... rôti de bœuf. Vous n'êtes pas végétarien ? Vous mangez ... bœuf ? Vous aimez ... bœuf ?
- On écoute ... musique ? J'ai ... très bon enregistrement du boléro de Ravel.
- Patrick fait ... théâtre. Il prépare ... pièce de Molière. J'adore ... pièces de Molière.

Notez sur .../10

c. Les formes possessives. Complétez avec un adjectif possessif ou la forme « à + moi, toi, etc. ».

(Dans certains cas, plusieurs formes sont possibles.)
Pierre montre une photo à un ami.

« Regarde cette photo, c'est ... maison de campagne. Là, ce sont ... enfants et ici, c'est ... chien.
- Tu loues cette maison ou elle est ... ?
- Elle est à Marie et ... . Nous l'avons achetée ensemble.
- Et vous allez souvent dans ... maison de campagne ?
- Tous les week-ends. Marie est née dans le village. Elle retrouve ... famille et ... amies. Et les enfants adorent. Ils ont ... vélo, ... jeux.
- Ils ont quel âge, ... enfants ?
- 13 ans et 15 ans. »

Notez sur .../10

d. Les réponses à des questions. Léa est d'accord avec Luc. Kim n'est pas d'accord. Répondez pour eux (oui, non, si, moi aussi, etc.).

Luc : Je n'ai pas envie de travailler.
Léa : Moi ...
Kim : Moi ...
Luc : J'ai envie d'aller à la piscine.
Léa : ...
Kim : ...
Luc : Tu es sûre ? Tu ne viens pas ?
Kim : ...

Notez sur .../5

e. Les phrases négatives. Clémence est allée à une soirée. Un ami lui pose des questions. Continuez les réponses.

- Alexandre est venu ? – Non, il ...
- Tu as dansé avec François ? – Non, je ...
- Vous avez bien mangé ? – Non, nous ...
- Luc et Marie ont joué de la guitare ? – Non, ...
- Tu t'es couchée tard ? – Non, ...

Notez sur .../5

Évaluez vos compétences

	Tests	Total des points
• Votre compréhension de l'oral	2 + 5 + 7	... / 30
• Votre expression orale	1 + 4	... / 20
• Votre compréhension de l'écrit	3 + 8 + 11	... / 30
• Votre expression écrite	6 + 9 + 10	... / 30
• La correction de votre français	12	... / 40
Total		**... / 150**

... dans la poésie

Projet : poésie en liberté

La poésie revient.
Chaque ville a son café littéraire, ses ateliers
d'écriture et son Printemps des poètes.
Voici une évasion dans la poésie des villes.
Lisez. Écoutez la musique des mots.
Mais aussi écrivez des poèmes sur votre
ville, votre région, votre quartier, votre rue
ou votre maison.
En petits groupes, organisez un spectacle
de poésies.

9ᵉ Printemps des Poètes
5 > 18 mars Lettera amorosa
le poème d'amour

Rencontres avec les poètes,
cafés-poésie, spectacles,
tracts-poèmes...
15000 événements partout
en France et à l'étranger.

Centenaire René Char

www.printempsdespoetes.com / 01 53 800 800

Chaque année, pour le Printemps des poètes,
on peut lire, on peut écouter dans les lieux
publics des poèmes du monde entier.

▶ Regards

Je vois

Je vois une place rose
Avec des enfants
      des pigeons
      des chiens
Je vois une horloge
Et si je voulais je pourrais voir l'heure
Je vois des tas de gens
Des assis qui boivent
      qui boivent des cafés
      qui boivent des demis
      qui mangent des sandwiches
      qui mangent des croissants
         des crêpes
         des pizzas
[...]
Tout ça se confond
Tout ça se mélange
Ça fait du mouvement
C'est assez vivant

Louis Calaferte, *Sauf-Conduit*,
© Éditions Tarabuste 2002.

**1. Lisez le poème « Je vois » de Louis Calaferte.
Notez ce que vous voyez dans ce poème.**

**2. Choisissez un lieu que vous aimez. Faites la liste des
choses et des personnes que vous voyez dans ce lieu.
Écrivez un poème avec les mots de cette liste.**

3. Lisez ce texte du slameur Grand Corps Malade.

a. Retrouvez les formes écrites correctes :

Y'a → ...   T'as mal → ...

b. Faites la liste de ce que l'auteur voit de sa fenêtre.

De quel quartier parle-t-il ?

→ Vocabulaire familier :

un gars : un jeune – **un mec :** un homme – **galère :** vivre sans travail ou avec de petits boulots – **vachement :** beaucoup (de)

Écrivez un petit texte pour dire ce que vous voyez de votre fenêtre.

Vu de ma fenêtre

Vu de ma fenêtre, y'a des petits qui font
du skate, ça fait un bruit, t'as mal à la tête
Et puis y'a des gars en bas qui galèrent
Ils sont là, ils font rien, ils prennent l'air
Surtout le printemps, surtout l'été, surtout
l'automne, surtout l'hiver
Vu de ma fenêtre, y'a vachement de
passage, de Carrefour à la mairie je vois
des gens de tout âge
Du métro à la boulangerie, je vois toutes
sortes de visages
Et puis en face bien sûr, y'a Vidéo-Futur,
toute la nuit, les mecs s'arrêtent devant
en voiture.

Grand Corps Malade, 2006, Midi 20.

▶ Recette

Recette

Prenez un toit de vieilles tuiles
Un peu après midi.

Placez tout à côté
Un tilleul déjà grand
Remué par le vent,

Mettez au-dessus d'eux
Un ciel de bleu, lavé
Par des nuages blancs.

Laissez-les faire.
Regardez-les.

Guillevic (1907-1997), *Avec*,
© Éditions Gallimard.

Félix Vallotton,
Paysage, la maison au toit rouge, 1924.

1. Pourquoi le poème ci-contre a-t-il pour titre « Recette » ?

2. Guillevic peint un tableau avec des mots. Dessinez ce tableau.

3. Comme Guillevic, faites un tableau poétique de votre maison ou d'un lieu que vous aimez.

▶ Zoom

Dans Paris

Dans Paris il y a une rue ;
Dans cette rue il y a une maison ;
Dans cette maison il y a un escalier ;
Dans cet escalier il y a une chambre ;
Dans cette chambre il y a une table ;
Sur cette table il y a un tapis ;
Sur ce tapis il y a une cage ;
Dans cette cage il y a un nid ;
Dans ce nid il y a un œuf,
Dans cet œuf il y a un oiseau.

Paul Eluard, *Les Sentiers et les Routes de la poésie*,
© Éditions Gallimard, 1954

1. Lisez ce début d'un poème de Paul Eluard et imaginez la suite.

2. Imaginez un poème sur votre pays en utilisant un procédé du cinéma :

zoom arrière (du plus grand vers le plus petit), travelling (à côté de... autour de... derrière...), etc.

► Haïkus

Le haïku est un petit poème d'origine japonaise. En quelques mots, il décrit un monde, une impression. Voici des haïkus de poètes québécois.

Dans le parc soudain
très vide, un parapluie
s'éloigne

Robert Melançon

Le bar est vide
le serveur lit son journal
je n'attends personne

Carol Lebel

Le monde ce soir
premier plaisir d'automne
peler des pommes

André Duhaime

1. Pour chaque poème imaginez la scène.
2. Écrivez un haïku. Décrivez un souvenir en quelques mots.

Site : Haïku sans frontières, une anthologie mondiale,
pages.infinit.net/haïku

► Souvenir

Voici un des plus beaux et des plus célèbres poèmes de la langue française.

Le pont Mirabeau et la tour Eiffel

Lisez le poème. À qui pense le poète ? À quels moments de sa vie ? Utilisez la construction du début du poème pour évoquer un souvenir.

Le pont Mirabeau

Sous le pont Mirabeau coule la Seine
    Et nos amours
  Faut-il qu'il m'en souvienne
La joie venait toujours après la peine

    Vienne la nuit sonne l'heure
    Les jours s'en vont je demeure

Les mains dans les mains restons face à face
    Tandis que sous
  Le pont de nos bras passe
Des éternels regards l'onde si lasse

    Vienne la nuit sonne l'heure
    Les jours s'en vont je demeure

L'amour s'en va comme cette eau courante
    L'amour s'en va
  Comme la vie est lente
Et comme l'Espérance est violente

    Vienne la nuit sonne l'heure
    Les jours d'en vont je demeure

Passent les jours et passent les semaines
    Ni temps passé
  Ni les amours reviennent
Sous le pont Mirabeau coule la Seine

    Vienne la nuit sonne l'heure
    Les jours s'en vont je demeure

Guillaume Apollinaire
Alcools, © Éditions Gallimard, 1959

Établir des contacts

► POUR **ENTRER EN CONTACT** AVEC UN FRANCOPHONE ET CULTIVER VOS RELATIONS, VOUS ALLEZ **APPRENDRE** À...

► VOUS **INFORMER** SUR LES PERSONNES ET LES ÉVÉNEMENTS DE VIVE VOIX, PAR TÉLÉPHONE, PAR LETTRE, PAR INTERNET

► **SYMPATHISER** AVEC LES AUTRES, **ÉVOQUER** DES GOÛTS, DES SOUVENIRS, DES OPINIONS, **RÉAGIR** À DES ÉVÉNEMENTS HEUREUX OU MALHEUREUX

► **FAIRE FACE** AUX SITUATIONS D'URGENCE ET AUX PROBLÈMES DE SANTÉ

L'ALBUM DES SOUVENIRS

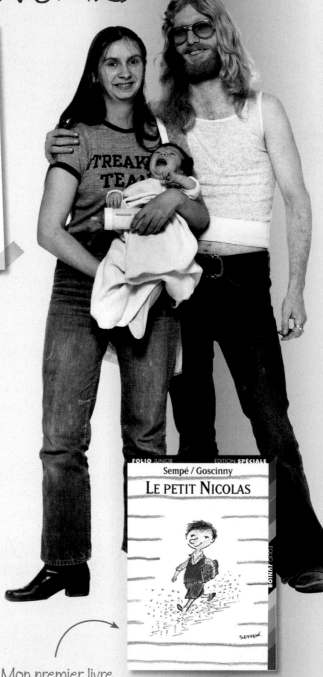

Mon plus vieux souvenir d'enfant

J'avais cinq ans. Chez ma grand-mère, dans le placard de la cuisine, il y avait des fraises Tagada. Quand j'allais chez elle, je remplissais mes poches de ces bonbons.

Mon meilleur souvenir d'école

À l'école, j'étais mauvais en maths. J'avais souvent zéro sur vingt. Un jour, l'école a participé à un concours national. J'ai gagné le prix du meilleur élève en maths de la région.
J'étais le plus heureux des enfants.
J'aimais bien aussi les derniers jours d'école à la fin du mois de juin. On jouait dans la cour. On lisait des BD d'Astérix et de Gaston Lagaffe.

Mon meilleur prof

J'adorais ma prof d'allemand. Avec elle, la vie entrait dans la classe. On chantait. On dessinait. On jouait des pièces de théâtre.

Mon meilleur souvenir avec les copains

Quand j'avais dix ans, nous habitions un immeuble de la cité de Lauzun à Bordeaux. J'avais plein de copains. On faisait du vélo et du skate.

Mon premier livre

Tous les soirs, je lisais quelques pages du *Petit Nicolas* de Sempé et Goscinny. C'était très amusant. Ça racontait les aventures d'un enfant de dix ans à l'école et à la maison. Le petit Nicolas, c'était moi !

Découvrez l'album des souvenirs

À faire en petits groupes.

1. Lisez les extraits de l'album.
Notez ce que vous apprenez sur son auteur :
– l'époque de sa naissance
– ses études
– ses goûts et ses intérêts.

2. Trouvez les verbes et leur infinitif. Classez ces verbes selon leur temps.

Verbes à l'imparfait	Verbes au passé composé
J'avais (avoir)	

Ma première voiture
J'ai eu ma première voiture à dix-neuf ans quand je suis entré à l'université.
C'était une vieille Renault 5 jaune avec un toit ouvrant. Elle avait 100 000 km. Les filles adoraient !

Mon premier grand voyage
À vingt ans, je suis parti au Pérou avec une copine. On n'avait pas beaucoup d'argent mais dans *Le Guide du routard*, on trouvait toujours un bon plan pour voyager, manger ou dormir pas cher.

Rédigez quelques souvenirs

Travail individuel.

1. Choisissez quelques souvenirs : souvenirs d'école, de vacances, de moments passés en famille ; souvenirs de votre premier livre, de votre premier ordinateur, etc.

2. Rédigez chaque souvenir en quelques lignes.

Réalisez l'album des souvenirs de votre groupe

1. Lisez vos souvenirs à votre groupe.

2. Choisissez les meilleurs souvenirs pour réaliser l'album du groupe.
Vous pouvez ajouter quelques photos.

La chanson de ma jeunesse
Tout un été, on a dansé sur « Ève, lève-toi » de Julie Piétri. C'était l'époque du disco. La chanson disait : « Ève, lève-toi et danse avec la vie ». Tout un programme !

Les moments de la vie

• **l'enfance et l'adolescence**
un enfant – un bébé – un enfant de 8 ans
La naissance. Claudia est née en 2000.
Elle a ... ans.
Jouer – aller à l'école
un adolescent (à partir de 13 ou 14 ans)
aller au collège, au lycée

• **l'âge adulte**
un adulte – un homme (un monsieur)
– une femme (une dame)
un jeune – un jeune homme – une jeune fille
une personne âgée (homme ou femme)
– les seniors
la mort – mourir. Il est mort en 1944.

• **les souvenirs**
se souvenir (de...). – Je me souviens de mon premier professeur de français.
Se rappeler. – Je me rappelle son nom.

▶ **Parler des souvenirs et des habitudes**

> À vingt ans, j'étais étudiant.
> Mais je n'étudiais pas beaucoup.
> J'avais beaucoup de copains. Ils
> aimaient faire la fête.
> On se couchait à cinq heures du matin.
> Nous n'allions pas souvent en cours.

> Où tu étais à vingt ans ?
> Qu'est-ce que tu faisais ?

1 **Que font les personnages ci-dessus ?**
Cochez les bonnes réponses.

a. ils racontent des histoires
b. ils parlent de leurs souvenirs
c. ils font des projets
d. ils parlent de leur jeunesse

2 **Relevez les verbes. Trouvez leur infinitif.**
Observez les terminaisons. Trouvez la conjugaison
du verbe « parler » à l'imparfait.

« je ..., tu ... »

3 **Lisez ci-contre comment on forme l'imparfait.**
Mettez les verbes suivants à l'imparfait.

connaître : elle ...   habiter : nous ...
lire : je ...   regarder : vous ...

4 **Mettez les verbes entre parenthèses à**
l'imparfait.

Un adolescent interroge son grand-père
• Tu (*habiter*) où quand tu (*être*) jeune ?
– À Paris. J'(*avoir*) une chambre dans le Quartier latin.
J'(*étudier*) à l'École de médecine. C'(*être*) une belle
époque. Le soir, nous (*danser*) à la Huchette.
L'après-midi, on (*aller*) dans les cafés de Saint-Germain-
des-Prés.
• Vous (*connaître*) Sartre et Simone de Beauvoir ?
– J'ai vu Jean-Paul Sartre deux ou trois fois.

L'imparfait

Ce temps est utilisé pour parler des souvenirs et des
habitudes passées.
Il est aussi utilisé avec le passé composé quand on
raconte une histoire.
Il est formé à partir de la personne « nous » du présent.
Exemple : aller → nous allons (présent)
→ **j'allais, tu allais**... (imparfait)

aimer
j'aim**ais**
tu aim**ais**
il/elle aim**ait**
nous aim**ions**
vous aim**iez**
ils/elles aim**aient**

être : **j'étais**...
avoir : **j'avais**...
faire : **je faisais**...

Attention aux verbes en *-ier*
→ nous étud**iions**

▶ **Raconter**

> Tu as beaucoup changé !

> Eh oui. Un jour,
> j'ai rencontré Zoé.
> Je me souviens.
> C'était à la bibliothèque
> de la ville. Je lisais des
> mangas. Elle cherchait
> un livre de Kawabata.
> Nous avons parlé du Japon.
> Puis nous sommes allés
> nous promener. Il faisait
> beau. Zoé était belle...

1 ▌ Classez les verbes dans le tableau. Observez l'emploi du passé composé et de l'imparfait.

Actions principales	Actions du deuxième plan (description, commentaire, habitudes)
Un jour, j'ai rencontré Zoé...	C'était à la bibliothèque...

2 ▌ Mettez le récit suivant au passé. Utilisez le passé composé et l'imparfait.

Nous allons au bord de la mer pour le week-end. Il fait chaud. Il y a beaucoup de monde. Je prends un bain. Puis, avec mon frère, nous faisons du surf. Le soir, nous sommes fatigués.

« Le week-end dernier, nous ... »

Le récit au passé

Les actions principales se mettent **au passé composé**. Les descriptions, les commentaires, les actions habituelles sont **à l'imparfait**.

Elle est sortie. Il faisait beau. Elle s'est promenée dans la campagne. La nature était belle. Elle venait souvent dans cet endroit.

▶ **Donner des précisions sur la durée**

> J'ai changé **depuis** le jour de ma rencontre avec Zoé.
> J'ai rencontré Zoé **il y a** dix ans.
> **Il y a** 10 ans que je n'ai pas vu mes copains.
> **Ça fait** 10 ans que je travaille dans l'entreprise du père de Zoé.
> Je suis directeur **depuis** 5 ans.

1 ▌ Observez ci-dessus l'emploi des expressions en gras.

2 ▌ Lisez le document ci-contre et répondez.

a. Depuis combien de temps Aurélie vit à Lyon ?
b. Il y a combien de temps qu'elle a rencontré Jérôme ?
c. Depuis quand sont-ils installés rue Voltaire ?
d. Ils se sont installés rue Voltaire combien de temps après leur rencontre ?
e. Quand Loli est-elle née ?
f. Quel âge a-t-elle aujourd'hui ?

Exprimer la durée

- **Durée d'une action qui continue dans le présent**
  → à partir d'une date
  Depuis quand tu habites à Paris ?
  J'habite à Paris **depuis** octobre 2004.
  → quand on donne la durée de l'action
  Depuis combien de temps elle habite à Paris ?
  Il y a
  Ça fait } longtemps qu'elle habite à Paris.
  Elle habite à Paris **depuis** 30 ans.

- **Durée entre une action passée et le moment présent**
  Depuis combien de temps êtes-vous arrivée ?
  Elle est arrivée **depuis** (**ça fait**, **il y a**) dix minutes.

- **Durée sans relation avec le présent**
  Pendant cinq ans, il a travaillé chez Peugeot.

> 2000 – arrivée d'Aurélie à Lyon
> 2001 – travail à la Banque du Nord
> 2002 – rencontre avec Jérôme
> 2003 – installation rue Voltaire
> 2005 – naissance de Loli
> **Aujourd'hui**, ils habitent toujours Lyon et ils travaillent toujours à la Banque du Nord.

▶ **À l'écoute de la grammaire**

1 ▌ Écoutez ces phrases. Notez le temps du verbe.

	Présent	Passé composé	Imparfait
1	Tu habites		

2 ▌ Le [j]. Nous parl_ions_ – Vous parl_iez_.

Aujourd'hui comme hier

Vous aimez la poésie... Vous aimiez la poésie
Vous lisez Arthur Rimbaud... Vous lisiez Arthur Rimbaud
Vous allez au café de Flore... Vous alliez au café de Flore
Nous parlons du passé... Nous parlions du futur
Vous prenez des thés citron... Vous preniez des thés citron

Mon oncle de Bretagne

1- Le mystère des Dantec

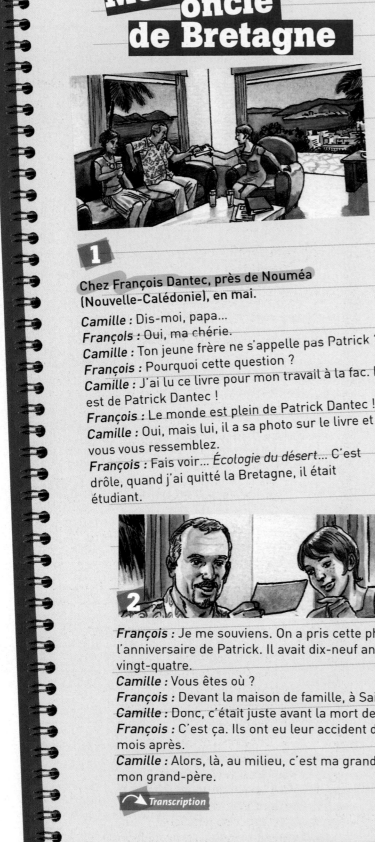

1

Chez François Dantec, près de Nouméa (Nouvelle-Calédonie), en mai.

Camille : Dis-moi, papa...
François : Oui, ma chérie.
Camille : Ton jeune frère ne s'appelle pas Patrick ?
François : Pourquoi cette question ?
Camille : J'ai lu ce livre pour mon travail à la fac. Il est de Patrick Dantec !
François : Le monde est plein de Patrick Dantec !
Camille : Oui, mais lui, il a sa photo sur le livre et vous vous ressemblez.
François : Fais voir... *Écologie du désert*... C'est drôle, quand j'ai quitté la Bretagne, il était étudiant.

Réussite

FRANCOIS DANTEC : LE ROI DE LA CREVETTE

Installé en Nouvelle-Calédonie depuis vingt-cinq ans, François Dantec est directeur d'Aquagambas, une grosse entreprise de production de crevettes. Aujourd'hui, Aquagambas exporte en Europe et au Japon.

Camille : Donc, c'est lui.
François : C'est bien lui !
Camille : Alors, je suis étudiante en écologie. J'ai un oncle spécialiste d'écologie et je ne connais pas cet oncle !
François : Je sais, c'est stupide.
Camille : Tout ça pour une dispute avec tes frères et ta sœur il y a vingt-cinq ans !
François : C'est la vie.
Camille : Et tu n'as pas envie d'avoir de leurs nouvelles ?
François : Ça fait trop longtemps, Camille...

2

François : Je me souviens. On a pris cette photo pour l'anniversaire de Patrick. Il avait dix-neuf ans et moi vingt-quatre.
Camille : Vous êtes où ?
François : Devant la maison de famille, à Saint-Malo.
Camille : Donc, c'était juste avant la mort de tes parents ?
François : C'est ça. Ils ont eu leur accident de voiture six mois après.
Camille : Alors, là, au milieu, c'est ma grand-mère et mon grand-père.

 Transcription

Fin septembre. Devant le centre culturel Jean-Marie-Tjibaou, près de Nouméa.

Un jeune homme : Salut, Camille... Alors, cet examen ?

Camille : J'ai réussi !

Le jeune homme : Félicitations ! Une licence de sciences à vingt et un ans, c'est top ! Et qu'est-ce que tu vas faire maintenant ?

Camille : Un mastère d'écologie, à Rennes.

Le jeune homme : Rennes ? En Bretagne ? Tu as de la famille là-bas ?

Camille : Oh, c'est une histoire compliquée. J'ai des oncles, une tante, peut-être des cousins. Mais je ne sais pas où ils sont.

Le jeune homme : Comment ça ?

Camille : Mon père est fâché avec eux depuis vingt-cinq ans.

Le jeune homme : Tu n'as pas fait une recherche sur Internet ?

Camille : Si. J'ai juste trouvé l'adresse d'un oncle à Saint-Malo.

Compréhension et simulations

 1. *Scène 1.*
Complétez les informations.
• François habite … depuis …
C'est le directeur d'…
Quand il était jeune, …
• Camille est la fille … . Elle est …

2. Imaginez, préparez et jouez la scène à deux.
Vous vivez avec un(e) ami(e). Un jour, sur son bureau, vous découvrez la photo d'un(e) inconnu(e).

 3. *Scène 2.* **Écoutez toute la scène (partie transcrite et partie non transcrite). Identifiez les personnages de la photo de famille.**
Faites l'arbre généalogique de la famille Dantec. Que savez-vous de chaque personnage ?

 4. *Scène 3.*
Répondez.
• Quelle nouvelle annonce Camille ?
• Qu'a-t-elle décidé ?
• Pourquoi va-t-elle à Rennes ?

5. Préparez et jouez la scène à deux.
Vous décidez de quitter votre travail ou d'arrêter vos études. Vous avez d'autres projets. Vous rencontrez un(e) ami(e) et vous parlez de ces projets.

Enchaîner les idées

• **Donc**
Il pleut. Donc nous ne faisons pas la randonnée. Nous allons donc jouer aux cartes.

• **Alors**
Tu ne vas pas au cinéma ? Alors qu'est-ce que tu vas faire ?

• **Pour**
Pourquoi sors-tu ? Pour aller à la poste.

Sons, rythmes, intonations

1. Différenciez [o], [ɔ] et [ɔ̃].
C'est drôle. Mon oncle ne répond pas
Quand je lui pose des questions.
Il ne dort pas. Donc, il est mort.
Appelons la police.

2. Différenciez [ɔ̃] et [ɑ̃].
Ça fait longtemps
Qu'il est sans réaction ?
A-t-il mangé du jambon
Du concombre de Cambrai
Du saucisson de Sancy
Ou du melon du Languedoc ?

LES JEUX DE L'AMOUR ET DU HASARD

Changement d'adresse

Film d'Emmanuel Mouret, avec Emmanuel Mouret, Frédérique Bel, Fanny Valette, Dany Brillant...

David est musicien. Il vient vivre à Paris et cherche un logement. Il rencontre par hasard Anne, une jeune coiffeuse. Anne propose à David de partager son grand appartement. David donne des cours de musique et tombe amoureux de son élève, Julia. Anne, elle, continue à chercher le grand amour. Le soir, les deux amis se racontent leurs rencontres, leurs espoirs et leurs déceptions. Quelques semaines plus tard, David et Julia partent en week-end au bord de la mer, mais Julia a une aventure avec un inconnu.

Les Enfants

Film de Christian Vincent, avec Gérard Lanvin et Karin Viard

Pierre est professeur. Sa femme et lui se sont séparés il y a quelques mois. Tous les mercredis et un week-end sur deux, Pierre s'occupe de ses deux fils : Victor (14 ans) et Thomas (9 ans). Comme il vit dans un studio, il cherche un appartement plus grand.

Il rencontre alors Jeanne, agent immobilier, divorcée, et mère de Camille, 13 ans, et de Paul, 9 ans. C'est le coup de foudre. Pierre et Jeanne veulent vivre ensemble. Ils partent en vacances avec les enfants sur l'île de Ré et, au retour, Pierre s'installe chez Jeanne avec ses fils.

Mais les enfants, eux, n'ont pas envie d'être ensemble. Ils se disputent sans arrêt et les problèmes commencent.

Une vie à t'attendre

Film de Thierry Klifa avec Nathalie Baye et Patrick Bruel

À vingt ans, Jeanne et Alex se sont aimés. Puis chacun est parti de son côté... Dix ans après, ils se retrouvent par hasard et réalisent qu'ils sont toujours amoureux l'un de l'autre.

Mais Jeanne a un mari et un fils et la petite amie d'Alex découvre qu'elle attend un enfant.

▶ ## Présentation orale des films

1. Partagez-vous les trois films du document. Notez les personnages et les étapes de l'histoire de votre film.

2. Imaginez la fin du film.

3. Présentez votre film à la classe.

Le sens réciproque

Pour exprimer la réciprocité, on utilise la conjugaison pronominale.

Pierre et Marie **se regardent** (Pierre regarde Marie et Marie regarde Pierre).

Ils **se sont rencontrés**. Ils **s'aiment**. Ils vont **se marier**.

LA FAMILLE ET LES AMIS

Il y a cinquante ans, en France, une famille devait ressembler au grand arbre du tableau ci-dessous.

Aujourd'hui, on rencontre plusieurs types de famille : un homme et une femme, mariés ou non, avec ou sans enfants ; une personne seule avec un ou plusieurs enfants ; deux hommes ou deux femmes avec ou sans enfants.

On se marie beaucoup : 75 % des couples sont mariés et 10 % sont « pacsés » (ils ont signé un contrat appelé « pacte civil de solidarité »). 36 % des couples font un mariage religieux.

Mais on divorce aussi beaucoup. Il y a un divorce pour deux mariages.

Les amis sont aujourd'hui aussi importants que la famille. Quand on fête une naissance ou un mariage, on « oublie » souvent quelques membres de la famille et on préfère inviter des amis.

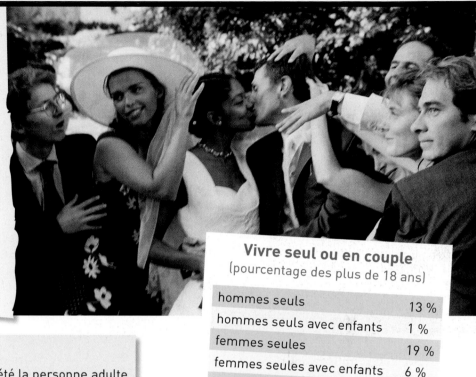

Vivre seul ou en couple (pourcentage des plus de 18 ans)	
hommes seuls	13 %
hommes seuls avec enfants	1 %
femmes seules	19 %
femmes seules avec enfants	6 %
couples sans enfant	28 %
couples avec enfants	32 %
autres situations	1 %

 Micro trottoir

« En dehors de vos parents, quelle a été la personne adulte la plus importante dans votre enfance ou votre jeunesse ? » Notre journaliste a interrogé cinq personnes.

Pour parler de la famille

• **les membres de la famille**

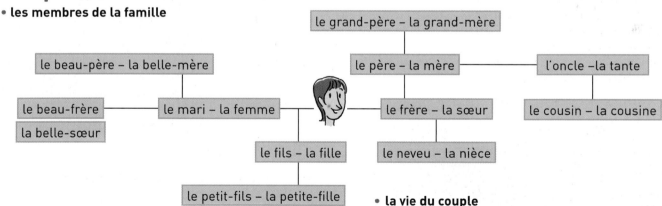

le grand-père – la grand-mère

le beau-père – la belle-mère

le père – la mère

l'oncle –la tante

le beau-frère

la belle-sœur

le mari – la femme

le frère – la sœur

le cousin – la cousine

le fils – la fille

le neveu – la nièce

le petit-fils – la petite-fille

• **la vie du couple**

se rencontrer (une rencontre) – vivre ensemble – un ami – un copain – un petit ami (peu employé par les jeunes) – un compagnon/une compagne

se marier (un mariage) – un mari/une femme – se séparer (une séparation), divorcer (un divorce)

Faites des comparaisons

Lisez les documents ci-dessus. Faites des comparaisons avec la situation dans votre pays.

Écoute du micro-trottoir

Pour chaque personne interrogée, complétez le tableau.

	Personne préférée	Explications
1	Un grand-père	......

Répondez à la question du journaliste.

Présentez votre famille à votre voisin(e)

Posez-vous des questions.

« Tu as un frère ? Qu'est-ce qu'il fait ? Il est marié ? Que fait ta belle-sœur ?... »

Sondage

ÊTES-VOUS ACCRO AUX NOUVELLES TECHNOLOGIES ?

1 Vous avez un ordinateur ?
Entourez une réponse.

OUI [1]   NON [0]

2 Vous l'utilisez pour :

- créer des documents [1]
- aller sur Internet [1]
- imprimer des photos [1]
- jouer à des jeux vidéo [1]

3 Vous allez sur Internet...

- jamais [0]
- quelquefois dans la semaine [1]
- une fois par jour [2]
- plusieurs fois par jour [3]
- vous êtes toujours connecté(e) [4]

tu m'aimes ?...

et toi ?...

Pétillon, *Le Meilleur de Pétillon*, © Albin Michel, 2002.

4 Vous l'utilisez pour :

- envoyer et recevoir des messages [1]
- chercher des informations [1]
- faire des achats [1]
- participer à des t'chats [1]
- enregistrer de la musique [1]
- télécharger des films [1]
- jouer en réseau [1]
- dialoguer avec une webcam [1]
- tenir un blog [1]

5 Cochez les phrases correspondant à votre situation.

- J'ai un téléphone portable. [0]
- Il est toujours allumé. [1]
- Je le prends quand je sors. [1]
- Quand je l'ai oublié, je reviens chez moi pour le prendre. [1]

6 Pour dire à votre petit(e) ami(e) que vous l'aimez...

- vous lui écrivez une longue lettre [0]
- vous lui téléphonez [1]
- vous lui envoyez un e-mail [2]
- vous lui envoyez un SMS [2]

Pétillon, *Le Meilleur de Pétillon*, © Albin Michel, 2002.

Répondez au sondage

1. Répondez au sondage avec l'aide du professeur.

2. Comptez vos points.

3. Quel est le sens des petits mots avant les verbes ?
l' (questions 2 et 4) – **lui** (question 6) – **leur** (question 7)

Faites le bilan du sondage en classe

1. Les étudiants se regroupent selon le total de leurs points.
groupe a : de 0 à 15 points
groupe b : de 16 à 25 points
groupe c : de 26 à 30 points

2. Chaque groupe résume ses réponses au sondage et les justifie.

Tour de table

Peut-on vivre sans téléphone portable ?
Peut-on vivre sans Internet ?

7 **En vacances, pour rester en contact avec vos amis...**

- vous leur écrivez une carte postale   0
- vous leur téléphonez   1
- vous leur envoyez un e-mail ou un SMS   2

8 **Êtes-vous d'accord ?**   OUI

- Les téléphones portables ne sont pas dangereux pour la santé.   1
- L'ordinateur n'est pas difficile à utiliser.   1
- Internet n'est pas dangereux pour les enfants.   1
- Avec Internet, la vie est plus facile et moins chère.   1
- Avec Internet, j'ai trouvé de nouveaux amis.   1

TOTAL DES POINTS   ... / 30

Exprimer la fréquence, la répétition

- Il regarde **toujours** ses messages le soir.
- Elle va **souvent**   sur Internet.
     quelquefois
     de temps en temps
- Elle lit ses messages trois **fois par** jour.
- Il **n'**utilise **jamais** Internet pour faire des achats.
- Le préfixe « re » peut exprimer la répétition :
lire → relire – faire → refaire – dire → redire
Elle a relu plusieurs fois le message.

La communication

parler à quelqu'un – parler de quelque chose
dire... raconter...
demander... écrire...
montrer... souhaiter...   } quelque chose
donner... prêter...   à quelqu'un
rendre... envoyer...
recevoir quelque chose de quelqu'un
répondre à quelqu'un, à un message
une lettre (une enveloppe, un timbre)
signer une lettre
un message, un courrier (électronique),
un courriel

Utiliser les pronoms compléments directs

Oui, Léa, Jérôme fête son anniversaire. Il **nous** invite… Excuse-moi, la directrice arrive. Tu **m'**appelles à midi ?

D'accord Sylvia. Je **t'**appelle.

Sylvia, vous pouvez traduire cette lettre en anglais ?

Il faut aussi préparer mon voyage aux États-Unis et réserver mes vols.

Je **vous** remercie.

D'accord, je **la** traduis.

Je **le** prépare. Je **les** réserve.

1 **Observez les phrases. Que représentent les mots en gras ?**

Je <u>la</u> traduis. → Je traduis <u>cette lettre</u>.

2 **Complétez en utilisant un pronom complément direct.**

Léo : J'ai rencontré une fille sympa. Je … aime bien.
Marco : Tu … vois souvent ?
Léo : Oui, je … appelle. Elle … appelle. Je … invite au restaurant. Hier soir, on est allé au restaurant italien de la rue Vigo.
Marco : Je ne … connais pas.
Léo : On a mangé des lasagnes.
Marco : Les lasagnes, je … adore !

3 **Répondez en utilisant un pronom.**

Le professeur à l'étudiant
• Vous apprenez bien le vocabulaire ? – Oui, je l'apprends.
• Vous faites les exercices ? – Oui, je …
• Vous regardez la chaîne française TV5 ? – Oui, je …
• Vous regardez les films ? – Oui, je …
• Vous comprenez les acteurs ? – Non, je …

Les pronoms compléments directs

Pour reprendre un nom de personne ou de chose complément direct du verbe (sans préposition).
Je connais **M. Dantec**. Je **le** connais depuis longtemps.

Il **me** connaît	Il **m'**appelle
Il **te** connaît	Il **l'**appelle
Il **le** connaît – Il **la** connaît	Il **l'**appelle
Il **nous** connaît	Il **nous** appelle
Il **vous** connaît	Il **vous** appelle
Je **les** connais	Il **les** appelle

NB : Ici, « le, la, les, l' (devant une voyelle ou h) » ne sont pas des articles. Ce sont des pronoms. Ils se placent devant le verbe.

• **Forme négative**
Je ne le connais pas. – Elle ne m'appelle pas.

• **Forme interrogative**
Est-ce que vous le connaissez ?
Le connaissez-vous ?

Les pronoms compléments indirects

La nouvelle assistante de la directrice n'est pas très sympa. Je **lui** dis bonjour. Elle ne **me** répond pas. Et vous, elle **vous** parle ?

Bien sûr. Elle **nous** parle. On **la** voit souvent. Elle **nous** connaît bien… Toi, elle ne **te** connaît pas.

Nous, avec les nouvelles, on a la technique. On **leur** offre un café. On **les** invite à la cantine. On **leur** présente tout le monde. On **leur** raconte des histoires drôles… Viens, on va **te** présenter.

1 Que reprennent les pronoms en gras ? Classez les pronoms dans le tableau selon la construction du verbe. Trouvez d'autres exemples.

	Le complément est direct (il est relié au verbe sans préposition)	Le complément est indirect (il est relié au verbe avec la préposition « à »)
Le pronom représente je / tu – nous / vous		
Le pronom reprend un nom de personne		Je dis bonjour à la nouvelle assistante. → Je lui dis bonjour.
Le pronom reprend un nom de chose		

2 Complétez en utilisant les pronoms compléments indirects.

Rencontres sur Internet

Clara : Comment tu fais pour rencontrer tous ces garçons ?

Lise : Je vais sur un site Internet. Je sélectionne des annonces sympas de garçons. Je … envoie des messages.

Clara : Ils … répondent ?

Lise : Quelques-uns … répondent. Ils … parlent de leurs goûts.

Clara : Ils … envoient leur photo ?

Lise : Quelques-uns. Alors je sélectionne un garçon et je … donne rendez-vous dans un café. Et, une fois sur dix, c'est le coup de foudre !

3 Supprimez les répétitions du texte. Remplacez les mots soulignés par un pronom complément direct ou indirect.

• Tu connais la nouvelle ? Clémentine a quitté Antoine !
– Elle a quitté <u>Antoine</u> quand ?

• Il y a un mois. Elle a écrit une lettre à <u>Antoine</u>. Elle a dit à <u>Antoine</u> qu'elle allait vivre à Toulouse.
– Et les enfants ?

• Elle a emmené <u>les enfants</u>.
– Antoine peut voir <u>les enfants</u> ?

• Il voit ses enfants pendant les vacances mais il téléphone tous les soirs à <u>ses enfants</u>.

Les pronoms compléments indirects

1. Pour reprendre un nom de personne après la préposition « à » quand le verbe exprime une idée de communication ou d'échange
(demander à… , répondre à…, écrire à…, envoyer quelque chose à… , dire quelque chose à…, donner quelque chose à… , etc.)

Elle **me** téléphone	Elle **m'**écrit
Elle **te** téléphone	Elle **t'**écrit
Elle **lui** téléphone	Elle **lui** écrit
Elle **nous** téléphone	Elle **nous** écrit
Elle **vous** téléphone	Elle **vous** écrit
Elle **leur** téléphone	Elle **leur** écrit

• **Forme négative :** Elle ne me téléphone pas.
• **Forme interrogative :**
  Est-ce qu'elle vous téléphone ?
  Vous téléphone-t-elle ?

2. Quand le verbe n'exprime pas une idée d'échange ou de communication
Tu penses à Marie ? – Je pense à **elle**.

3. Quand le complément introduit par « à » est un nom de chose (voir p. 137)
Tu penses à ton travail ? – J'**y** pense.

 À l'écoute de la grammaire

Rythme et enchaînement dans les phrases courantes de la classe.

1 Les phrases du professeur

Vous m'écoutez ?
Vous me comprenez ?
À votre voisin… Vous lui posez une question.
Vous lui répondez.
Voici un exercice… Vous le faites.
Voici un dialogue… Vous l'écoutez.

2 Les phrases des étudiants

C'est difficile.
L'explication… Je ne la comprends pas.
Ces mots… Je ne les comprends pas.
Le texte… Je ne le comprends pas.
Cet exercice… Je ne sais pas le faire.
Ce mot… Je ne sais pas le prononcer.

Mon oncle de Bretagne

2- Enquête à Saint-Malo

Octobre. À la faculté de sciences de l'université de Rennes.

La secrétaire : À qui le tour ?
Un étudiant : À moi !
Camille : Désolée. Je pense que c'est à moi.
L'étudiant : Tu es sûre ?
Camille : Totalement.
Une étudiante : Elle a raison. Et moi aussi, j'étais là avant toi.
L'étudiant : Ah bon. Excusez-moi. Je n'ai pas fait attention.

Dans le bureau.

Camille : Bonjour. Je suis Camille Dantec. Je vous ai envoyé mon dossier. Je viens de Nouvelle-Calédonie.
La secrétaire : Attendez, je vais voir... C'est bon, je l'ai et il est complet. Il me faut juste deux photos.
Camille : Je les ai. Tenez...

Quand Camille sort du bureau.

L'étudiant : Moi aussi, je fais un mastère d'écologie.
Camille : Tu écoutes aux portes ?
L'étudiant : Ce n'est pas de ma faute. On entend tout !
Camille : Alors, on va se revoir.
L'étudiant : J'ai juste un papier à donner à la secrétaire. Après, tu as le temps de prendre un café ?
Camille : Là, non, excuse-moi, j'ai un rendez-vous pour une chambre.
L'étudiant : Tiens, je te donne mon numéro de portable. Tu m'appelles quand tu veux.
Camille : D'accord, je t'appelle.

2

Quelques jours plus tard, à Saint-Malo, devant la maison de l'oncle de Camille.

Le voisin : Vous cherchez quelqu'un ?
Camille : Monsieur Patrick Dantec. Il habite bien ici ?
Le voisin : La maison est à lui mais on ne le voit pas souvent.

 Transcription

Une rue de Saint-Malo

3

Chez le voisin
de Patrick Dantec.

La femme du voisin :
Un sucre ?
Camille : Oui, je vous
remercie. Hum, il est bon,
votre café...
Alors, mon oncle Patrick
est en Afrique...
Le voisin : Ça fait deux ans.
Camille : Et il vous donne
de ses nouvelles ?
Le voisin : Il m'a envoyé un message pour Noël,
c'est tout. Il était au Burkina Faso.
Camille : Et il a des contacts avec son frère et sa sœur ?
Le voisin : C'est possible mais je ne les vois jamais ici.
Camille : Vous pensez qu'ils sont toujours dans la
région ?
Le voisin : Thierry, oui, c'est sûr. Il est au Conseil
régional. C'est un type important.
Camille : Et Mathilde ?
Le voisin : Alors, elle, je ne sais pas trop. Quand elle
s'est mariée, elle est partie à Metz. Là-bas, elle était
infirmière. Mais ça fait quinze ans...
Camille : Vous pouvez me donner l'adresse e-mail
de mon oncle ?
Le voisin : Sans problème !

Compréhension et simulations

 1. *Scène 1.*
**Que s'est-il passé depuis l'épisode précédent
(p. 91) ?**
Racontez l'inscription de Camille à l'université.

 2. *Scène 2.*
**Transcrivez le dialogue. Qu'apprend-on sur
Patrick Dantec et sur le voisin ?**

3. Jouez la scène (à deux).

Avec votre voisin(e), vous êtes invités chez
des amis. Vous arrivez chez eux à 20 h. Vous
sonnez. Personne ne répond. Pourquoi ? Que
se passe-t-il ?
Utilisez le vocabulaire du tableau.

Pour exprimer une opinion

- Vous croyez (vous pensez) que Patrick va
  rentrer ?
  À votre avis, il va rentrer ?
- Je crois
  Je pense   } qu'il va rentrer.
  Je suis sûr(e)
- Il va peut-être rentrer. C'est possible.
- C'est vrai / C'est faux

 4. *Scène 3.*
**Notez les nouvelles informations sur les per-
sonnages de l'histoire.**

**5. Camille envoie un courriel à son oncle
Patrick. Imaginez et rédigez ce courriel.**

Sons, rythmes, intonations

1. Différenciez [ʃ] et [ʒ].
Internet
Chercher « Géorgie » ou « Shéhérazade »
Télécharger des pages de Giono
Jouer avec des gens de Chicago
Enregistrer des chansons
Voyager en Chine ou au Japon
Échanger des images
Le monde est un village

2. Différenciez [s] – [z] – [ʃ] – [ʒ].
Montmartre
Dans sa chambre, sous les toits
Au sixième étage
Charles peint des paysages
Il fait chaud en juillet
Et il neige en janvier
Chaque dessin, un peu d'argent
Et Charles fait des projets
Avec sa charmante voisine

PETITS MESSAGES AU JOUR LE JOUR

Chère tante, cher oncle,

Je vous souhaite un joyeux Noël et vous adresse mes meilleurs vœux pour la nouvelle année.

Je vous embrasse.

Kevin

Mathilde Rougier et Benjamin Sarre
sont heureux de vous inviter à leur mariage

Le 25 mai 2008

Cérémonie à la mairie de Saint-Bonnet
à 16 heures
Fin d'après midi et soirée
à l'auberge de Laroche

De : Kevin

Bonjour Gaëlle
Je te remercie pour les documents sur le château de Chenonceaux. Je vais les utiliser pour ma prochaine BD.

Madame

Je vous prie de m'excuser de répondre à votre message avec une semaine de retard. J'étais en voyage professionnel en Argentine.

Je vous remercie de votre invitation à participer au festival de la BD de votre ville.

Bonjour Aurélie

Je n'ai pas pu venir à ta présentation de thèse. Je le regrette beaucoup. J'ai dû faire un voyage en Argentine. Sylvie m'a raconté. Je suis très content pour toi et je te félicite.

J'espère qu'on va se voir bientôt.

Je t'embrasse.

Kevin

▶ Lecture des documents

1. Identifiez chaque document (lettre, message, carte).

2. Pour chaque document, complétez le tableau.

	1	
Qui écrit ?	Kevin	
À qui ?		
À quelle occasion ?		
Qu'exprime la personne qui écrit ? (des remerciements, des excuses, etc.)		

3. Voici des expressions orales. Comment les exprime-t-on à l'écrit ?

a. Merci

b. Désolée

c. Excuse-moi

d. Venez dîner demain

e. Bravo

f. Bon voyage

▶ Rédigez

1. Une amie vous a prêté un livre il y a six mois. Elle vous le demande. Vous lui renvoyez ce livre avec un petit mot.

(Exprimez vos excuses, vos remerciements, votre plaisir d'avoir lu ce livre.)

2. Un ami vous invite à son mariage. Vous ne pouvez pas y aller.

(Exprimez vos remerciements, vos regrets, vos excuses, vos souhaits, votre espoir de voir bientôt le couple.)

Pour remercier

Merci – Je vous remercie (beaucoup) – C'est très gentil à vous

Réponses → De rien – Il ne faut pas – Je vous en prie

NB – « Je vous en prie » est aussi utilisé pour laisser passer quelqu'un (quand on entre dans une pièce ou dans l'ascenseur).

Pour s'excuser

Excusez-moi (Excuse-moi) – Je suis désolé(e) – Je regrette

Je vous prie de m'excuser – Je vous présente mes excuses (formel)

Réponses → Ce n'est rien – Ce n'est pas grave – Ça ne fait rien – Je vous excuse

SAVOIR-VIVRE EN FRANCE

CONSEILS POUR ÊTRE BIEN REÇU

TUTOYER OU VOUVOYER

On se dit « tu » en famille et entre amis. On tutoie aussi les enfants et les jeunes se disent « tu » tout de suite. Dans les autres situations, on se dit « vous ».

Un conseil : écoutez votre interlocuteur. Quand il vous dit « tu », passez au « tu ».

SERRER LA MAIN OU FAIRE LA BISE

Quand ils se rencontrent, les Français se serrent souvent la main (jamais plusieurs fois par jour). On se fait la bise en famille, entre jeunes ou entre amis. Les femmes et les hommes entre eux, les femmes entre elles, les hommes entre eux quand ils sont très bons amis.

MADAME, MONSIEUR, MARIE OU PIERRE

Quand on tutoie quelqu'un, on l'appelle par son prénom. On peut vouvoyer quelqu'un et l'appeler par son prénom dans une situation informelle (dans une soirée ou au bureau). On ne dit jamais Monsieur Pierre ou Madame Marie. On dit « Monsieur » au garçon de café et « Madame » à la serveuse.

BONJOUR OU BONSOIR

On dit « bonjour » jusqu'au début de la soirée. Puis on dit « bonsoir ».

Au lieu de dire « Au revoir », on peut dire « À bientôt », « À demain », « À la semaine prochaine », « Bonne journée », « Bon après-midi », « Bonsoir », « Bonne soirée », « Bonne nuit », « Bon travail », « Bon film », etc.

À L'HEURE, EN AVANCE OU EN RETARD

Essayez d'arriver à l'heure à vos rendez-vous. Mais quand on vous invite à dîner, arrivez avec un petit quart d'heure de retard. Pour une première invitation, apportez un petit cadeau (des fleurs, un livre...).

Quand on vous fait un cadeau, ouvrez-le tout de suite et dites votre plaisir de le recevoir.

SAVOIR-VIVRE EN FRANCE

1. Lisez les conseils. Faites des comparaisons avec les habitudes de votre pays.

2. Observez les photos. Imaginez un dialogue pour chaque situation. Travaillez par deux.

3. 🎧 Écoutez et transcrivez les scènes. Observez l'emploi des expressions du tableau de la page 100.

Vivre ensemble magazine n° 8

LE COURRIER DES LECTEURS
Exposez vos problèmes. Nos conseillers vous répondent.

La moitié des familles françaises ont un ou plusieurs animaux (chat, chien, poisson ou oiseau).

Acheter,
c'est facile, avec le crédit

→ Accro au tabac

Je fume deux paquets de cigarettes par jour. Depuis quelque temps, j'ai peur parce que je tousse et que je suis fatigué. Pour arrêter j'ai tout essayé : le patch, les médecines douces, mais rien ne marche !
Connaissez-vous une bonne méthode pour arrêter de fumer ?

Alexandre, 35 ans

→ Une vie de chien

J'ai un problème avec mon chien. À la maison, dans la rue, chez les gens, c'est lui le chef. Il veut me suivre partout : dans la chambre, dans la salle de bains, dans les toilettes... Mes amis ne veulent plus venir chez moi et il refuse de rester seul !
Je ne sais plus que faire !

Odile, 30 ans

→ Un truc contre le trac

Je suis timide. Je le sais. J'ai choisi d'être informaticien parce que je n'aime pas parler en public.
Mais depuis quelque temps, mon directeur me demande de présenter les nouveaux produits de l'entreprise. Trois jours avant chaque présentation je suis nerveux, je ne dors plus et j'ai mal à l'estomac.
Connaissez-vous un truc contre le trac ?

Thomas, 27 ans

→ Maladie d'achat

Je ne peux pas sortir en ville sans acheter quelque chose. Pour moi, c'est un besoin.
Quand je vois une publicité, je vais acheter le produit. Ma maison est pleine de choses inutiles et mon compte en banque est vide.
Peut-on guérir de cette maladie ?

Élise, 40 ans

→ Toujours là

Mon mari et moi, nous ne comprenons pas notre fils. Il a trente ans. Il gagne bien sa vie. Mais il continue à habiter chez nous. Quand je lui demande s'il n'a pas envie d'avoir son appartement à lui, il répond qu'il se sent très bien chez papa et maman.

Je suis peut-être vieux jeu mais quand, le matin, dans la cuisine, à l'heure du petit déjeuner, je découvre une de ses copines, je ne trouve pas ça normal.

Et je ne parle pas des fêtes jusqu'à 4 heures du matin. C'est notre fils, il est gentil. Nous ne pouvons pas le mettre à la porte.

Alors, comment faire ?

Laurence, 55 ans

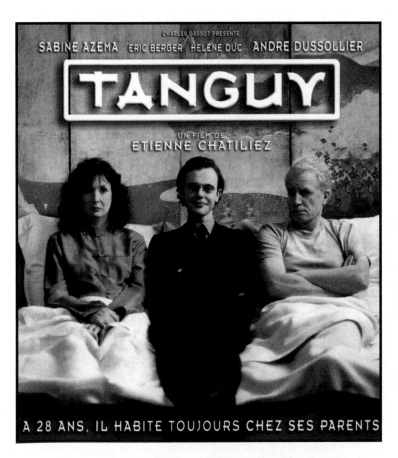

Le fils de Laurence ressemble à **Tanguy**, personnage d'un film d'Étienne Chatillez. À 28 ans, Tanguy refuse de quitter sa famille.

Entre 20 et 25 ans, 68 % des garçons et 50 % des filles vivent encore chez leurs parents.

▶ Les problèmes des lecteurs

1. Avec l'aide du professeur, lisez les lettres des lecteurs du magazine *Vivre ensemble*.
2. Présentez oralement chaque lettre.
3. Notez le vocabulaire des problèmes de santé.

▶ Répondez aux lecteurs

(réflexion en petits groupes)
1. Chaque petit groupe choisit une lettre et recherche des idées de réponses.
2. Présentez vos idées à la classe. Discutez.
3. Chaque étudiant écrit une réponse.

▶ Jouez au courrier des lecteurs

1. Chaque étudiant pense à un problème et l'expose en quelques lignes sur une feuille de papier.
2. Les feuilles sont pliées et tirées au sort.
3. Chaque étudiant prépare des solutions au problème qu'il a tiré.
4. Il présente à la classe le problème et ses solutions.

▶ Pour donner un conseil

• Je vous conseille de téléphoner à votre ami.
Je vous propose une solution : téléphonez à votre ami.
Un conseil : téléphonez-lui.
• À mon avis, vous devez le voir. – Il faut lui parler. – Vous ne devez pas le quitter.
• N'ayez pas peur… Soyez tranquille…
• Faites attention…

▶ **Présenter une action**

Gilbert commence à s'entraîner à 8 h. Il s'arrête à midi. Il recommence à 1 h et continue à faire du vélo tout l'après-midi. Il est toujours en forme.

Il a encore mal aux jambes ?

Non, il n'a plus mal !

1 Répondez.

Exemple : **a.** « Oui, je joue encore » ou « Je n'ai jamais joué au football ».

a. Vous jouez encore au football ?
b. Vous lisez encore des bandes dessinées ?
c. Vous écrivez encore vos lettres avec un stylo ?
d. Vous regardez encore les dessins animés à la télévision ?
e. Vous fumez encore ?
f. Vous faites encore des maths ?

2 Utilisez les verbes commencer, continuer, etc. Racontez...

a. votre apprentissage d'une langue étrangère
« J'ai commencé à apprendre l'anglais il y a... »
b. des travaux dans votre ville

Début, continuation et fin de l'action

- **Les verbes commencer, continuer, etc.**
  Pierre **commence à** travailler à 9 h.
  Il **s'arrête de** travailler à midi.
  Il **reprend à** 13 h et **continue à** travailler l'après-midi.
  Il **finit de** travailler à 18 h.
  Le commencement – le début – la continuation – la fin – l'arrêt

- **Encore – toujours / ne ... plus**
  Il est 19 h. Aujourd'hui, Pierre travaille **encore**.
  Il est **toujours** au bureau.
  Ses collègues **ne** sont **plus** au bureau.

- **Le préfixe « re » (avec certains verbes) signifie recommencer**
  Il reprend le travail.
  Pierre revient chez nous la semaine prochaine.

▶ **Préciser les moments d'une action**

Les coureurs sont **en train de** passer sur le pont. Les derniers **ne** sont **pas encore** passés. Gilbert est **déjà** passé. Il **vient** d'arriver au sommet !

1 Observez les constructions utilisées pour indiquer qu'on est...

a. avant une action (partir, arriver)
b. pendant une action (passer)
c. après une action (arriver, passer)

Le déroulement de l'action

Avant l'action

→ **ne ... pas encore**
Valérie n'est pas encore sortie.

→ **aller + verbe**
Elle va sortir.

Pendant l'action

→ **être en train de + verbe**
Elle est en train de se préparer.

Après l'action

→ **venir de + verbe**
Elle vient de sortir.

→ **déjà**
Elle est déjà loin.

2 **Dites ce qu'ils sont en train de faire, ce qu'ils viennent de faire, ce qu'ils vont faire.**

Exemple : **a.** Ils sont en train de recevoir la coupe. Ils viennent de faire un grand match. Ils vont faire la fête.

a. L'équipe de football de Lyon a gagné la Coupe de France *(faire un grand match, recevoir la coupe, faire la fête)*.

b. Jeanne et Pierre se marient *(arriver à la mairie, dire « oui » au maire, s'embrasser)*.

c. Paul part en vacances *(arriver à la gare, monter dans le train, chercher sa place)*.

d. Marie va faire une course *(sortir, acheter du pain, rentrer dans cinq minutes)*.

3 **Écrivez quelques phrases pour présenter des actions originales...**

a. que vous avez déjà faites
Exemples : J'ai déjà dormi 24 heures sans me réveiller. J'ai déjà mangé des escargots !

b. que vous n'avez pas encore faites mais que vous avez envie de faire
Exemples : Je ne suis pas encore allé(e) à Venise. Je n'ai pas encore fait de surf.

▶ **Rapporter des paroles ou des pensées**

Je lui demande s'il est fatigué.
Il me répond qu'il est en forme.
Il pense qu'il va gagner le Tour de France.

Ah, je dois le laisser. On lui demande de monter sur le podium.

1 **Observez le dessin. Retrouvez les paroles prononcées par chaque personne**

Le journaliste : ...
Gilbert : ...
L'organisateur : ...

2 **Rapportez le dialogue.**
Exemple : Lisa dit à Paul qu'elle a envie de sortir...

Lisa : J'ai envie de sortir.
Paul : Où tu veux aller ?
Lisa : Je voudrais aller danser. Tu veux venir ?
Paul : Je suis fatigué.
Lisa : Je ne veux pas sortir seule.
Paul : Appelle Marie.

Rapporter, des paroles ou des pensées

1. Introduire ou rapporter une affirmation
« Je suis en forme. »
Il dit qu'il est en forme.
Il sait que... Il pense que... Il croit que...
Je réponds que... Je me souviens que ...

2. Introduire ou rapporter une question
« Est-ce que tu es fatigué ? »
Il me demande si je suis fatigué.
Il me demande quand (où, comment, etc.) je vais me reposer.

3. Rapporter une phrase impérative
« Repose-toi. »
Je lui demande
Je lui dis } de se reposer.

▶ **À l'écoute de la grammaire**

1 **Son [y] et rythme de la négation « ne ... plus »**

Accro aux jeux vidéo
Il ne sort plus de son studio
Il ne lit plus. C'est inutile
Il ne dort plus. Il ne mange plus
C'est ridicule

2 **Rythme des constructions pour rapporter des paroles**

Entraîneur et sportif
Il me dit qu'il est fatigué
Je lui demande d'essayer
Il me demande s'il peut s'arrêter
Je lui dis de continuer
Il me dit qu'il a mal
Je lui réponds que c'est normal

Mon oncle de Bretagne

3- À chacun son problème

 1

Octobre à Nouméa.

François : Je vais voir les messages.
Peggy : Je viens de regarder. Il n'y a pas de message de Camille.
François : Je suis curieux de savoir si elle a vu mon frère.
Peggy : Alors toi, pendant vingt-cinq ans, c'est silence complet sur ta famille. Et là, tout à coup, tu t'intéresses à eux !

 2

Novembre à Rennes.

Thierry : Allô... Hélène ? C'est Thierry.
Hélène : Oui. Qu'est-ce qu'il y a?
Thierry : Je voulais savoir... Est-ce que tu as programmé tes vacances de février ?
Hélène : Pas encore. Pourquoi ?
Thierry : Écoute, Hélène. Je ne peux pas prendre Gabriel en février. J'ai un voyage au Japon avec le conseil régional.
Hélène : Thierry, tu dois t'occuper de Gabriel pour les vacances de février. C'est notre accord.
Thierry : Oui, mais là, c'est exceptionnel.
Hélène : C'est toujours exceptionnel avec toi. C'est comme pour les mercredis. Tu prends Gabriel une fois sur quatre.
Thierry : Tu le sais bien. Je suis très occupé.
Hélène : Et Myriam, est-ce qu'elle est occupée ?
Thierry : Tu vois, Myriam et Gabriel, c'est pas le grand amour.

 3

Au même moment, dans un hôtel de Ouagadougou, au Burkina Faso.

Patrick : Allô, le CFDE ?
La standardiste : Oui, monsieur.

 Transcription

M. Dossin : Je regrette, M. Dantec. L'année prochaine, il n'y a pas de crédit pour votre recherche.
Patrick : Mais sans votre argent, je ne peux pas continuer.
M. Dossin : Voyez avec la Banque mondiale ou avec la FAO...

Les bords de la Moselle à Metz.

Au même moment dans une clinique de Metz.

Mathilde : Florence, tu peux me remplacer ? Je ne me sens pas très bien.

Florence : Qu'est-ce que tu as ?

Mathilde : Mal à la tête, des vertiges... et je suis fatiguée.

Florence : Assieds-toi. Tu veux une aspirine ?

Mathilde : Oui, s'il te plaît.

Florence : Mathilde, tu ne peux pas continuer comme ça. Tu stresses tout le temps. Tu ne dors plus. Tu ne manges plus. Et ça, c'est depuis que Lapique est arrivée.

Mathilde : Je ne la supporte plus !

Florence : Pourquoi tu ne repars pas en Bretagne ? Ta fille est grande. Tu es libre.

Mathilde : Tu vois, j'aimerais bien retourner dans la petite maison de mes parents à Saint-Malo.

Florence : Vous l'avez vendue ?

Mathilde : Non, elle est à mon frère.

Compréhension et simulations

 1. *Scène 1.* **Écoutez la scène. Préparez et jouez la scène suivante (à deux).**

Un ami français doit vous envoyer un document important pour votre travail. Ce document n'arrive pas. Votre chef vous pose des questions.

 2. *Scène 2.* **Regroupez tout ce que vous savez sur la vie de Thierry.**

3. Préparez et jouez la scène (à deux).

Vous partagez un appartement avec un(e) ami(e). Vous devez ranger l'appartement à tour de rôle. Mais quand c'est au tour de votre ami(e), il (elle) a toujours quelque chose à faire.

 4. *Scène 3.* **Transcrivez le début de la scène. Retrouvez le vocabulaire du tableau ci-dessous.**

 5. *Scène 4.* **Répondez.**

Pourquoi Florence doit-elle remplacer Mathilde ? Quels sont ses problèmes ? D'où viennent-ils ? Que souhaite-t-elle ?

6. Préparez et jouez la scène (à deux).

Vous allez consulter un médecin. Utilisez le vocabulaire du tableau de la p. 109.

Pour téléphoner

Je voudrais parler à Claudia Bertrand.

• Votre interlocuteur
C'est moi... Je vous la passe... Vous avez fait un faux numéro.

• La standardiste
Ne quittez pas. Je vous la passe.
Sa ligne est occupée (Elle est en ligne).
Vous patientez ? Vous voulez laisser un message ?
Elle est en réunion. Vous pouvez rappeler à 11 h.

• Le répondeur
Bonjour. Vous êtes bien chez Claudia Bertrand. Je suis absente pour le moment. Merci de me laisser un message.

Sons, rythmes, intonations

Différenciez [p] et [b].
Allô ! Le Bar du Palais ?
C'est la police de Bobigny.
Je veux parler à Barnabé.
Il est absent ? Il est occupé au bureau ?
Il est parti en bateau ?
Et il n'a pas de bagages !
Et il a fait couper sa barbe !
Comme c'est bizarre !

NE STRESSEZ PLUS !

Vous travaillez dans un endroit bruyant et peu ensoleillé. Vous avez des problèmes avec vos collègues. Votre chef vous critique mais vous donne toujours plus de travail...
Résultat : comme 30 % des Français, vous êtes stressé. Vous dormez mal. Vous vous réveillez fatigué et vous n'avez pas envie d'aller travailler.

Voici trois exercices pour vous détendre.
Vous pouvez les faire couché ou assis, à la maison ou au bureau.

❶ 	❷ 	❸ 
Serrez les uns après les autres tous les muscles de votre corps. D'abord les muscles des mains, des bras, les muscles du visage : les yeux, la bouche. Puis tendez les jambes et les pieds. Restez tendu sans respirer quelques secondes... Détendez-vous et respirez lentement.	Mettez la main sur le ventre. Respirez lentement et profondément. Imaginez que l'air entre dans tout votre corps : vos épaules, votre ventre, votre tête... jusqu'à vos mains et vos pieds. Faites cinq ou six respirations lentes et profondes.	Fermez les yeux. Détendez les muscles de votre corps l'un après l'autre. Imaginez que vous êtes dans un endroit agréable. Par exemple, un paysage tranquille. Oubliez le présent et le monde autour de vous.

▶ **Exercices contre le stress**

1. Lisez l'introduction du document ci-dessus.
- **Recherchez les causes du stress.** Complétez avec d'autres causes.
- **Recherchez les effets du stress.** Complétez.

2. Faites les trois exercices contre le stress avec l'aide du professeur.
- Remarquez le vocabulaire des mouvements (serrer, détendre, etc.) et des parties du corps.
- **Discutez avec la classe.**
  Ces exercices sont-ils utiles ?
  Connaissez-vous d'autres recettes contre le stress (nourriture, activités physiques, etc.) ?

UNE URGENCE ? UN GROS PROBLÈME ? QUE FAIRE ?

▶ **On vous a volé votre portefeuille ou votre voiture.**	Allez au commissariat de police. Pour connaître l'adresse, appelez le 📞 17.
▶ **Vous assistez à des faits graves (agression, etc.).**	Appelez aussi la police 📞 17.
▶ **Il y a le feu dans votre immeuble.**	Appelez les pompiers 📞 18.
▶ **Vous assistez à un accident. Des personnes sont blessées.**	En ville, appelez le SAMU (service médical d'urgence) 📞 15 ou les pompiers. Sur la route et dans les petites villes, appelez les pompiers 📞 18. (Ils s'occupent aussi des blessés et des urgences médicales.)
▶ **Vous avez besoin d'un médicament.**	Entrez dans une pharmacie. Attention, en France, beaucoup de médicaments ne sont pas en vente libre. Il faut d'abord aller chez un médecin pour faire faire une ordonnance.
▶ **Vous êtes très malade.**	Allez chez un médecin ou aux urgences des hôpitaux et des cliniques. Vous pouvez aussi appeler le 📞 15. À ce numéro, un médecin vous écoute. Il vous donne un conseil, vous donne l'adresse d'un médecin, vous envoie un médecin ou une ambulance.
▶ **Quand vous avez un problème de compréhension.**	Appelez le 📞 112, c'est le numéro d'appel d'urgence européen.

Une **clinique** est un hôpital privé. Les cliniques sont souvent aussi bien équipées que les hôpitaux. À Paris, on trouve surtout des **hôpitaux**.

Les **policiers** (ou agents de police) s'occupent des villes ; les **gendarmes** s'occupent des campagnes et des routes.

Pour parler du corps et des problèmes de santé

• **la maladie**
être malade – avoir un rhume, la grippe, le sida – tousser – avoir mal au ventre, à la tête, aux dents – se sentir bien / mal – il ne se sent pas bien – il se sent mieux – guérir – il est guéri

• **les blessures**
se faire mal – il s'est fait mal à la main – se blesser – il s'est blessé à la jambe – se casser un bras, une jambe

• **les médecins et l'hôpital**
un médecin – un dentiste – aller chez le médecin – faire une ordonnance – un médicament – une pharmacie – un pharmacien un hôpital – une clinique – une infirmière – une ambulance

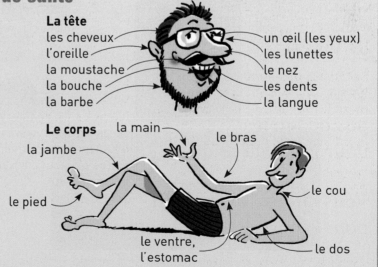

La tête
les cheveux
l'oreille
la moustache
la bouche
la barbe
un œil (les yeux)
les lunettes
le nez
les dents
la langue

Le corps
la main
le bras
la jambe
le cou
le pied
le ventre, l'estomac
le dos

Que faire en cas d'urgence ?

1. Lisez le document ci-dessus.
Vous êtes en vacances en France. Que faites-vous dans les situations suivantes :

– vous avez mal à une dent
– vous avez perdu votre carte bancaire
– dans la rue, une voiture brûle
– vous êtes tombé(e) dans un escalier et vous ne pouvez plus marcher.

2. 🎧 Écoutez. Des personnes appellent les services d'urgence. Complétez le tableau.

Qui appelle-t-on ?	Pourquoi ?	Quelle est la réponse de l'interlocuteur ?
Les pompiers	...	...

PARTAGEZ VOS ENVIES

Le site des échanges de compétences...

⌄ Loisirs

⌄ Voyages

⌄ Projets

Vous cherchez une compagne ou un compagnon de voyage...

Vous ne trouvez pas de partenaire pour jouer au criquet...

Vous cherchez des amis pour réaliser un projet...

Ce site peut vous aider !

Chang, 22 ans

→ Je suis chinoise. Je viens d'arriver à Paris pour continuer mes études de piano. Je ne parle pas très bien français. Je voudrais échanger des cours de français contre des cours de piano. Je cherche quelqu'un de sérieux et de compétent.

Maéva, 24 ans

→ Nous sommes une dizaine de filles et de garçons qui passons les étés à restaurer le vieux château de Broussac, en Bourgogne. Comme nous n'avons pas assez d'argent, nous créons de petits spectacles qui sont joués le soir dans la cour du château.
L'ambiance est sympathique et chaleureuse. On travaille mais on s'amuse aussi beaucoup.
Tu as envie de nous aider. Tu es créatif, pas trop timide, intéressé par les vieilles pierres. Alors réponds à ce message.

Charlène

→ Les voyages avec les copains, c'est fini ! Avec eux, il faut tout organiser, réserver, confirmer... et ils ont peur de tout. J'ai besoin d'une vraie aventure. Où ? Ça m'est égal.
J'ai 27 ans. Je suis infirmière, drôle, pas compliquée. J'aimerais partir avec des gens sympathiques et décontractés.

Édouard

→ J'ai 26 ans. Je viens de finir mes études de commerce et je suis un passionné d'histoire et de voyage. Avant de commencer à travailler pour une entreprise, j'ai envie de passer quelques mois en Amérique centrale pour découvrir la civilisation maya.
J'aime les contacts. Je suis dynamique et j'ai bon caractère. Je cherche un compagnon ou une compagne de voyage qui parle espagnol.

Corentin, 30 ans

→ Tu t'intéresses au cinéma et tu as déjà réalisé des films en amateur. Tu as envie de découvrir un parc naturel en Afrique. Vivre sous la tente, manger des conserves : ça te va. Tu es en bonne santé, courageux et patient.
Je te propose de partir avec moi en Namibie pendant deux mois pour réaliser un film sur le parc d'Etosha.

...et des projets communs

Quelques-unes de nos actions

↘ Des jeunes nettoient les plages de Bretagne.

↘ Partager le plaisir de chanter.

↘ À 65 ans, ils restent utiles à la société. Ils aident les enfants qui ont des problèmes à l'école.

Découvrez le site « Partagez vos envies »

1. Lisez les annonces avec l'aide du professeur. Pour chaque annonce, trouvez...
a. qui écrit (nom, âge, profession, goûts, etc.)
b. quel est son projet
c. qui recherche-t-il
d. quelles sont les qualités recherchées

2. Recherchez les mots qui expriment les qualités et les défauts des personnes.

	Qualités	Défauts
Au travail ou dans les études		
Avec les gens		
Autres situations		

Utilisez le site « Partagez vos envies »

1. Chaque étudiant rédige une annonce pour le site. Il se présente (ou imagine un annonceur) et présente son projet. Il décrit la personne recherchée.

2. Toutes les annonces sont affichées ou distribuées.

3. Chaque étudiant répond à une annonce (l'annonce d'un autre étudiant ou une annonce qui est déjà sur le site).

Pour parler des qualités et des défauts des personnes

- avoir bon caractère / avoir mauvais caractère
- être compétent / incompétent
    dynamique – travailleur / paresseux
    créatif – intelligent / stupide
    sérieux / pas sérieux
    patient / impatient
    calme / nerveux
    courageux / peureux
- être sympathique / antipathique
    chaleureux / froid
    décontracté – détendu / stressé – tendu
    drôle – joyeux / triste
    gentil / pas gentil
    simple / compliqué
- aimer les contacts / être timide

▶ **Caractériser les personnes ou les choses**

1 Observez ci-dessus les différentes façons de caractériser les mots en gras.

2 Ajoutez l'adjectif et accordez-le.

À Saint-Tropez, Lucas a rencontré une femme (*jeune, sympathique*).
Elle a un bateau (*blanc, grand*) et elle fait des voyages (*long, passionnant*) autour du monde.
Tous les ans, elle découvre un pays (*nouveau*).
Elle a beaucoup de choses (*intéressant*) à raconter.

3 Ajoutez l'information en italique en utilisant « qui ».

Paul est un professeur de biologie. (*Il travaille à l'université*)
Il habite un bel immeuble. (*Cet immeuble est dans le centre-ville*)
Il a une compagne. (*Elle joue du piano*)
Il connaît Flore et Antoine. (*Flore et Antoine sont mes meilleurs amis*)
Nous passons nos vacances à Gordes. (*Gordes est un village de Provence*)

4 Complétez avec « c'est » ou « elle est ».

• Vous connaissez Victoria Martinez ?
– ... la nouvelle directrice d'Alpha Voyages ?
• Oui, ... est très intelligente et très dynamique.
– On dit que ... une femme très professionnelle. Elle est espagnole, non ?
• Oui, ... une Espagnole de Séville. Avec elle, les choses vont changer !

Pour caractériser une personne ou une chose

1. être + adjectif
Pierre est **sympathique**.

2. nom + adjectif
Elle a rencontré un **beau** garçon **sympathique**.
NB – Les adjectifs *beau, bon, grand, petit, jeune, vieux, nouveau, joli* sont souvent placés avant le nom.
Les adjectifs de couleurs et les adjectifs de nationalités sont toujours placés après le nom.

3. nom + de + nom
Marie fait des **études** de **piano**.

4. Construction avec « qui »
• Je connais un garçon **qui** travaille à la télé.
(Je connais un garçon. Il travaille à la télé.)
• J'ai lu un livre **qui** m'a intéressé.
(J'ai lu un livre. Il m'a intéressé.)

5. « C'est » ou « Il est / elle est »
« C'est » présente une personne ou une chose.
Il est suivi d'un nom avec un article.
« Il/elle est » caractérise une personne ou une chose.

– Tu connais Pierre ?
– Oui, **c'est** un garçon sympathique. **Il est** très intelligent. **Il est** professeur à l'université.
C'est un bon professeur.

▶ **Donner des ordres ou des conseils**

1 ■ Transformez les phrases du dessin.

Écoute-moi ! → Tu dois m'écouter.

2 ■ Insistez comme dans l'exemple.

Julien est amoureux de Roxane mais il est timide. Une amie lui donne des conseils.

• Tu dois téléphoner à Roxane. Téléphone-lui !
• Tu dois inviter Roxane au restaurant. ...
• Tu dois envoyer des messages à Roxane. ...
• Tu ne dois pas refuser ses invitations. ...
• Tu dois supporter ses amis. ...
• Tu dois tout me raconter. ...

3 ■ Répondez comme dans l'exemple.

Un ami difficile
• Je peux utiliser ta voiture ? – Oui, utilise-la.
• Je peux écouter tes CD ? – Oui, ...
• Je peux enregistrer ce film ? Oui, ...
• Je peux regarder cet album de photos ? – Non, ...
• Je peux inviter mes amis ? – Non, ...

L'impératif avec un pronom

1. À la forme affirmative

Tu dois m'écouter → Écoute-moi !

Écoute-moi !	Écoute-nous !	
Écoute-le !	Écoute-la !	Écoute-les !
Parle-moi !	Parle-nous !	
Parle-lui !	Parle-leur !	

2. À la forme négative

Tu ne dois pas l'écouter → Ne l'écoute pas !

Ne m'appelle pas !	Ne l'appelle pas !
Ne me parle pas !	Ne leur parlez pas !

▶ **Former des mots**

Estelle et Pierre Ricard vont se séparer...

Séparation d'Estelle et de Pierre Ricard

1 ■ Trouvez le nom correspondant aux verbes.

entraîner → entraînement

commencer – inviter – féliciter – remercier – imaginer – participer – signer – remplacer

Continuez avec d'autres verbes.

Partir → départ   arriver → arrivée

2 ■ Trouvez le masculin ou le féminin.

Cette histoire est longue, belle, originale, mystérieuse.
Ce livre est ...
Ce personnage est vieux, intelligent, courageux, gentil.
Cette personne est ...

La formation des mots

• **du verbe au nom**

suffixe -*tion*	créer → une création
suffixe -*ement*	enregistrer → un enregistrement
suffixe -*ure*	blesser → blessure

• **du nom au verbe**

la danse → danser   un appel → appeler

• **du masculin au féminin**

finale + *e*	compétent / compétente
voyelle + *e*	joli / jolie
-*ien* / -*ienne*	un pharmacien / une pharmacienne
-*ier* / -*ière*	un infirmier / une infirmière
-*eur* / -*euse*	un vendeur / une vendeuse
-*ais* / -*aise*	un Portugais / une Portugaise
-*ain* / -*aine*	un Américain / une Américaine
-*eux* / -*euse*	heureux / heureuse
-*if* / -*ive*	sportif / sportive

▶ 🎧 **À l'écoute de la grammaire**

1 ■ Écoutez. Écrivez le nom de la personne dans la bonne colonne.

C'est une femme	C'est un homme	On ne sait pas
chanteuse	directeur	artiste
...	...	...
...	...	...

2 ■ Masculin et féminin. Écoutez la différence.

Enfants de Marx

Travailleurs, travailleuses ! Ouvriers, ouvrières !
Étudiants, étudiantes ! Infirmiers, infirmières !
Serveurs, serveuses de tous les pays. Levez-vous !

Mon oncle de Bretagne

4- En famille

1

Fin novembre.

De : Patrick Dantec
À : Camille Dantec

Chère Camille

J'ai bien reçu ton message qui m'a fait plaisir.
Je te réponds avec beaucoup de retard parce
que je viens de passer un mois dans le Sahel.
Je suis très heureux d'apprendre que j'ai une
nièce et, en plus, une nièce biologiste !
Je rentre en France le 1er décembre pour
plusieurs mois.
Appelle-moi au 06 70 43...

Camille appelle son oncle.
Patrick : Allô...
Camille : Bonjour. Je suis Camille.

 Transcription

Côte de Bretagne.

2

**Le 2 décembre, Camille rencontre Patrick
et sa compagne Fatou.**
Camille : Explique-moi pourquoi vous êtes tous
fâchés.
Patrick : Bon, d'abord, ton père et Thierry n'avaient
pas les mêmes idées politiques.
Camille : Mon père était de droite et Thierry de
gauche ?
Patrick : Non, le contraire.
Camille : Ça a bien changé !
Patrick : Ensuite, quand mes parents sont morts,
Mathilde voulait la maison de Saint-Malo.
Camille : Et c'est toi qui as hérité.
Patrick : Elle était très fâchée contre moi. Et puis,
surtout, il y avait Hélène.
Camille : La copine de Thierry ?
Patrick : De Thierry et de ton père. Elle était six
mois avec Thierry, six mois avec ton père. Elle ne
pouvait pas se décider.
Camille : C'est pour ça que mon père est parti...

Plus tard.
Camille : Tu sais... J'ai une idée !
Patrick : Dis-moi.
Camille : Tu m'as invitée à passer Noël
avec vous... Invite-les aussi.
Patrick : Qui ? Mathilde et Thierry ?
Camille : Oui. Téléphone-leur.
Patrick : C'est mission impossible, ça.
Camille : Alors, laisse-moi essayer.

3

Le 25 décembre, jour de Noël, dans la maison de Patrick.

Thierry : Au fait, pour ton projet en Afrique, j'ai une idée.
Patrick : Pour trouver des crédits ?
Thierry : Oui. Je te donne le numéro d'un copain au Conseil régional. Appelle-le de ma part.

Patrick : Alors tu reviens à Saint-Malo ?
Mathilde : Oui, je vais m'installer comme infirmière.
Patrick : Installe-toi ici.
Mathilde : C'est ta maison, Patrick.
Patrick : Fatou et moi, on va acheter un appartement à Paris. Je vends la maison. Achète-la. C'est toi qui fais le prix !

Gabriel : Papa, tante Mathilde m'invite ici pour les vacances de février.
Thierry : Et ça te fait plaisir ?
Gabriel : Ben oui !

Camille : S'il vous plaît. Un peu de silence. Votre frère François vous parle de Nouvelle-Calédonie.
Mathilde : Oh ! c'est François. On peut lui parler ?
Patrick (tout bas) : Oui, mais ne lui parle pas d'Hélène !

Compréhension et simulations

1. *Scène 1.*
a. Lisez le message de Patrick Dantec.
b. Écoutez et transcrivez la scène. Qu'apprend-on sur la vie de Patrick ?

2. *Scène 2.*
a. Lisez la première phrase de Camille. Imaginez la réponse de Patrick.
b. Écoutez la scène. Notez ce qui sépare...
– François et Thierry
– Patrick et Mathilde
c. Que propose Camille ?

3. *Scène 3.*
Pour chaque partie de la scène, complétez le tableau.

	Quel est son problème ?	Comment ce problème va-t-il être réglé ? Que va faire le personnage ?
Scène a Patrick		
Scène b Mathilde		
Scène c Thierry		
Scène d François		

Sons, rythmes, intonations

Différenciez et prononcez [ø] et [œ].

Recette pour un roman policier
Dans un immeuble de banlieue
Installez un vieux professeur,
Un docteur mystérieux
Qui vit avec son neveu et sa sœur,
Une chanteuse aux cheveux bleus
Amoureuse d'un jeune acteur
À neuf heures vingt-deux
Organisez un meurtre
Et faites entrer un inspecteur
Curieux et courageux

À CHACUN SON LOOK

Aujourd'hui, on peut s'habiller comme on veut. On peut faire ses courses en jogging, arriver au bureau sans cravate et aller en jean à l'opéra.

Mais cela ne veut pas dire que les vêtements n'ont pas d'importance. Au contraire, on s'habille pour être différent et pour ressembler aux images des magazines de mode.

Voici quelques-unes de ces images

LE DÉCIDEUR

Il veut paraître sûr de lui, compétent, sérieux, travailleur. Il porte donc un costume et une cravate. La « décideuse », elle aussi, s'habille classique : jupe, veste courte sur un chemisier blanc et grand foulard sur les épaules.

Quand le décideur parle, il utilise des mots anglais. Pour être « au top », il fait attention à son « timing » et programme des « coachings ».

Il est souvent chef d'entreprise ou travaille dans la politique.

LE CRÉATIF

Il est facile à reconnaître. Il s'habille en noir de la tête aux pieds : pantalon noir, veste noire, chapeau noir. Seule originalité, une écharpe blanche ou rouge et quelquefois des baskets aux pieds.

La « créative » lui ressemble. Ils sont artistes, architectes, écrivains, travaillent dans le théâtre ou le cinéma. Ils veulent paraître intelligents et cultivés, et utilisent avec naturel un langage compliqué.

LE BOBO

Les bobos (bourgeois bohèmes) refusent la mode bourgeoise et le style décontracté des bohèmes. Ils veulent être différents des autres. Ils achètent des vêtements (chers) qui rappellent les années 50 ou 60, l'Asie ou l'Afrique, mais qui ont un style original.

Ils ne parlent jamais d'argent mais d'écologie, de médecines douces et de nouvelles technologies.

LE DÉCONTRACTÉ

Le décontracté et la décontractée ne s'intéressent pas à la mode. Pour eux, le vêtement n'a pas d'importance.

Chez eux, au travail ou dans les soirées, ils portent un jean, un chemisier, une chemise ou un tee-shirt en été et un pull en hiver.

Ils veulent paraître simples, vous parlent simplement, vous tutoient facilement et on a tout de suite envie d'être leur copain.

On les rencontre partout. Ils peuvent être étudiants, employés mais aussi médecins, avocats ou professeurs de faculté.

LE JEUNE

Aujourd'hui, tout le monde veut rester jeune. Alors on s'habille comme les jeunes. On met leurs vêtements qui viennent du monde du sport : haut de jogging, long tee-shirt de basketteur, pantalon large, casquette de joueur de base-ball.

On utilise leurs mots. On dit « Je kife » (j'aime) le français mais la grammaire, « c'est grave » (c'est un problème). Et on apprend le SMS :

« ks tu fé 2min ? » (Qu'est-ce que tu fais demain ?)

▶ Les « looks » en France

1. Décrivez les personnes qui sont sur les photos de la page 117. Utilisez le vocabulaire du tableau.

2. Lisez le texte. Pour chaque type, complétez le tableau.

	Le décideur	Le créatif
personnalité		
vêtements		
langage		

3. Reliez les types et les photos.

4. 🌐 Écoutez. À quelle photo correspond chaque phrase ?

▶ Rédigez

Vous faites un voyage professionnel en France. Une personne qui ne vous connaît pas doit vous attendre à l'aéroport.

Vous envoyez un message à cette personne. Vous lui donnez des informations sur votre arrivée.

Vous vous décrivez pour qu'elle vous reconnaisse.

▶ Les « looks » dans le monde

Quels sont les modèles des gens de votre pays ? Décrivez-les.

Exemple

L'étudiant : il veut paraître... Il porte...

Le bourgeois : ...

L'artiste : ...

Le chanteur rappeur **Joey Starr**.

L'architecte **Jean Nouvel**. On lui doit le musée du quai Branly (voir p. 15), l'opéra de Lyon, l'Institut du monde arabe et le Palais de la culture à Lucerne.

Née en Belgique, **Cécile de France** a joué dans *L'Auberge espagnole* et dans *Les Poupées russes*.

Arnaud Montebourg, jeune député du département de la Saône-et-Loire.

La comédienne **Sophie Marceau** au Festival de Cannes.

La comédienne **Julie Depardieu**.

Pour décrire une personne

- **le physique**
  être grand, petit, de taille moyenne
  mesurer 1,70 m – faire 1,70 m
  avoir les cheveux bruns... blonds... châtains... roux
  – être brun / brune... blond / blonde
  avoir les yeux bleus... marron... noirs...
  être beau – avoir du charme
  être mince – rond (gros)

- **les couleurs**
  blanc – noir – bleu – violet – vert – jaune – orange
  – rouge

- **les vêtements**
  → porter... mettre...
  un costume (pour lui)
  une robe – une jupe – un chemisier (pour elle)
  un pantalon, une veste – une chemise – une cravate
  – un tee-shirt – un pull
  des chaussures – des chaussettes
  un chapeau – une casquette – une écharpe – un foulard
  → un vêtement long / court... large / étroit

Évaluez-vous

1 Pensez-vous être capable d'établir des contacts avec des francophones ? .../10

Pensez-vous être à l'aise dans les situations suivantes ? Répondez « oui » ou « non ».

a. Vous voulez aller en France. Vous avez l'adresse d'une famille française qui peut vous loger. Vous leur écrivez. ...

b. Comme vous n'avez pas de réponse, vous téléphonez. ...

c Dans l'avion pour Paris, votre voisin français vous dit : « Vous êtes en vacances ? » ...

d. Le soir de votre arrivée, votre famille d'accueil vous invite à dîner. ...

e. Pendant le dîner, vous dites pourquoi vous êtes en France. ...

f. Vous racontez rapidement votre vie. ...

g. Vous parlez de votre famille. ...

h. Pendant votre séjour en France, vous devez prendre rendez-vous avec un professeur. ...

i. Vous êtes malade, vous expliquez votre problème à un médecin. ...

j. À la fin du séjour, vous dites quelques mots pour remercier votre famille d'accueil. ...

Comptez les « oui » et notez-vous.

2 Vous comprenez les informations biographiques. .../10

Complétez la biographie de Colette avec les informations suivantes. Placez ces informations au bon endroit. Comptez deux points par réponse juste.

(1) Willy et Colette divorcent en 1910.

(2) Pendant cette période, Colette devient directrice littéraire au *Matin*. Elle écrit beaucoup.

(3) Elle a passé une enfance heureuse dans ce village.

(4) Colette meurt 9 ans après la guerre. C'est en France la seule femme à avoir eu des funérailles nationales.

(5) Très jeune, elle a rencontré Willy, un romancier parisien. Elle se marie avec lui à l'âge de 20 ans.

Marie Trintignant dans le téléfilm *Colette*.

Colette
Une femme libre

a. Sidonie Gabrielle Colette est née en 1873 dans un petit village de Bourgogne.

b. Pour son mari, elle raconte ses souvenirs d'enfance et de jeunesse. Les romans *Claudine à l'école*, *Claudine en ménage*, etc., ont beaucoup de succès. Mais c'est Willy qui signe les livres. Willy qui a beaucoup d'aventures amoureuses.

c. Colette se sépare de Willy. Elle devient danseuse orientale au Moulin-Rouge.

d. Colette tombe amoureuse du directeur du journal *Le Matin* : Henry de Jouvenel. Elle se marie en 1912 et a une fille. Elle va rester 11 ans avec Henry.

e. Après la guerre de 1939-1945, les livres de Colette ont beaucoup de succès.

3 Vous pouvez parler brièvement de quelqu'un.

.../10

Vous êtes directeur d'un centre culturel et le scientifique Patrick Dantec vient faire une conférence dans votre centre. Vous devez le présenter au public.
À l'aide des mots suivants, rédigez votre présentation. (Vous pouvez imaginer d'autres informations.)
Lisez votre présentation à la classe. Décidez ensemble d'une note.

Dantec Patrick, 38 ans, né à Saint-Malo (Bretagne)
Études : université de Rennes, doctorat en biologie végétale
Situation professionnelle : directeur de recherche au CNRS (Centre national de recherche scientifique)
Fonction : missions de coopération en Alaska, au Niger, au Burkina Faso
Livres publiés : *Écologie du désert, Fleurs du Groenland*

4 🎧 Vous comprenez des informations pratiques au téléphone.

.../10

🌐 **Écoutez ces cinq situations au téléphone. Pour chaque situation, notez ce que vous faites. Comptez deux points par réponse juste.**

Ce que je fais...
a. je recherche le bon numéro dans l'annuaire
b. je rappelle plus tard
c. je prends rendez-vous pour la semaine prochaine

d. je patiente
e. je laisse un message

Situations : 1. ... - 2. ... - 3. ... - 4. ... - 5. ...

5 🎧 Vous comprenez des consignes orales.

.../10

🌐 **Trouvez le dessin qui correspond à la consigne. Comptez un point par réponse juste.**

6 Vous comprenez un problème.

.../10

Lisez la liste de Lise. Dites si les phrases suivantes sont vraies ou fausses.

a. Il y a un mois que Lise habite Paris
b. Lise a envie de partager un appartement
c. Lise n'est pas étudiante
d. Lise loue un appartement avec Flore
e. Lise dort bien dans cet appartement
f. Flore est une étudiante sérieuse
g. Elle passe toutes ses soirées avec des amis
h. Elle doit faire attention à sa santé
i. Elle ne reçoit jamais d'appel téléphonique
j. Elle est très organisée

Corrigez.
Comptez un point par réponse juste.

Chère amie
Je suis depuis un mois à Paris et je n'ai pas trouvé de chambre en Cité universitaire. Les logements sont très chers et je dois partager un appartement avec une étudiante de mon âge : Flore. Elle est gentille mais pas très travailleuse. Très souvent, elle reçoit des amis le soir. Ils parlent et écoutent de la musique jusqu'à deux ou trois heures du matin. En plus, Flore et ses copains fument. Il y a toujours une odeur de tabac dans l'appartement.
Le téléphone sonne tout le temps et comme il est à côté de ma chambre, c'est toujours moi qui doit répondre.
Elle ne pense jamais à acheter à manger...

7 Vous pouvez parler de votre famille. .../10

Cette femme célèbre, née en 1880, est une de vos lointaines parentes.
Imaginez et expliquez pourquoi en quelques lignes.
« Mon grand-père, le père de ma mère était… »

8 Vous pouvez écrire un message de circonstance. .../10

Un ami vous invite à son anniversaire le 22 mai. Malheureusement, le 23, vous devez passer un examen important.
Répondez-lui. Exprimez des remerciements, des excuses, des souhaits.

9 Vous comprenez la description d'une personne. .../10

Écoutez. Pierre et Marie sont à une fête. Ils parlent des invités. De qui parlent-ils ?
À quelle personne correspond chaque phrase ?

Amélie : …   Dylan : …   Barbara : …   Émile : …   Claudie : …   François : …

a.   b.   c.   d.   e.   f.

10 Vous savez prendre un rendez-vous .../10

Un journaliste veut faire l'interview d'un chercheur scientifique. Il faut 1h30 pour faire l'interview.
Le journaliste téléphone au chercheur pour prendre rendez-vous.
Jouez la scène avec votre voisin(e).
Décidez ensemble d'une note.

Emploi du temps du chercheur

8	
9	
10	cours à l'université
11	
12	
13	
14	réunion projet de recherche
15	
16	
17	
18	
19	tennis
20	

Emploi du temps du journaliste

8	
9	
10	
11	
12	
13	déjeuner de travail
14	
15	interview du conseiller
16	régional Dantec
17	
18	
19	
20	

11 Vous connaissez la France et les Français. .../10

Écoutez. Dites si les phrases sont vraies ou fausses. Comptez un point par réponse juste.

12 Vous utilisez correctement le français.   …/40

a. L'imparfait. Mettez les verbes entre parenthèses à l'imparfait.

Époque difficile

Je me souviens… Paul ne (*travailler*) pas. Il (*faire*) sa thèse. Je (*travailler*) dans un supermarché. Nous n'(*avoir*) pas beaucoup d'argent. Nous (*vivre*) avec 700 € par mois. On (*manger*) beaucoup de spaghettis.

Des copains nous (*inviter*) souvent. Tu me (*prêter*) de l'argent. Vous (*être*) sympas avec nous. Vous nous (*offrir*) de petits cadeaux.

Notez sur …/10

b. Imparfait ou passé composé. Caroline a écrit son journal au présent. Mettez-le au passé.

« Le 10 mai, je suis allée… »

10 mai

Le matin, je <u>vais</u> chez Julien. Il <u>habite</u> la Cité universitaire. J'<u>aime</u> bien jouer au tennis avec lui. À 10 h, nous <u>faisons</u> une partie de tennis. Puis, nous <u>allons</u> déjeuner au restaurant du tennis-club. <u>Il y a</u> des étudiants qui <u>fêtent</u> l'anniversaire d'un grand brun. À un moment, le grand brun me <u>regarde</u>. Je lui <u>souris</u> et je lui <u>dis</u> : « Bon anniversaire ! ».

Alors il nous <u>invite</u> à nous asseoir à sa table.

Notez sur …/10

c. Des paroles rapportées.

Un copain qui passe ses vacances dans les Alpes vous téléphone. Vous transmettez ce qu'il dit à votre ami(e).

« Il te dit bonjour… »

« Bonjour à ton ami(e). Il fait très beau ici. Vous êtes libres le week-end prochain ? Venez passer le week-end ! J'ai une chambre d'amis. N'oubliez pas vos chaussures de marche ! »

Notez sur …/5

d. Les pronoms objet direct ou indirect. Répondez en utilisant un pronom.

• **La télé et vous**

– Vous regardez souvent la télévision ? – Oui, …
– Vous regardez les émissions de la nuit ? – Non, …
– Vous aimez bien le présentateur de TF1 ? – Oui, …
– Vous suivez la série « Plus belle la vie » ? – Oui, …
– Vous regardez souvent le journal télévisé ? – Non, …

• **Thomas est à l'étranger**

– Thomas t'écrit ? – Oui, …
– Il te téléphone souvent ? – Non, …
– Il écrit à ses amis ? – Oui, …
– Il téléphone à son frère ? Oui, …
– Et toi, tu téléphones à Thomas ? – Oui, …

Notez sur …/10

e. Les pronoms objets avec les verbes à l'impératif. Pierre s'est disputé avec Élise. Il vous demande conseil. Répondez en utilisant un pronom.

– Est-ce que je téléphone à Élise ? – Non, …
– Est-ce que j'écris à Élise ? – Oui, …
– Est-ce que je parle à ses amies ? – Oui, …
– Est-ce que j'invite Élise et ses amies à mon anniversaire ? – Oui, …
– Est-ce que je t'invite aussi ? – Oui, …

Notez sur …/5

Évaluez vos compétences

	Tests	Total des points
• Votre compréhension de l'oral	4 + 5 + 9 + 11	… / 40
• Votre expression orale	1 + 10	… / 20
• Votre compréhension de l'écrit	2 + 6	… / 20
• Votre expression écrite	3 + 7 + 8	… / 30
• La correction de votre français	12	… / 40
Total		**… / 150**

... au théâtre

Projet improvisation

Les meilleures scènes de comédie sont souvent inspirées par des moments de la vie quotidienne.

Voici quelques-unes de ces scènes. Lisez-les. Jouez-les ou imitez les auteurs.

Par deux, écrivez un petit dialogue sur un moment de vie quotidienne.

Jouez ou lisez votre scène devant la classe.

▶ Le cadeau

LE PÈRE NOËL EST UNE ORDURE

Thérèse et Pierre travaillent dans un centre qui reçoit des appels de personnes en difficulté. Le soir de Noël, ils sont de garde. Thérèse offre un cadeau à Pierre.

Thérèse : Joyeux Noël, Picrrc !
(Elle lui donne un paquet et l'embrasse)
Pierre : Oh merci, merci, Thérèse.
Thérèse : J'espère que c'est bien ce que vous vouliez.
Pierre : Oh Thérèse, merci beaucoup.
Thérèse : Oh, et c'est difficile de vous faire plaisir, hein, vous avez tout.
Pierre : Oh, mais Thérèse, mais rien que d'avoir pensé que c'était Noël, c'est formidable.
Thérèse : Regardez d'abord, hein...
Pierre : Oh, de l'extérieur, c'est déjà magnifique.
(Il déballe le paquet[1] et découvre un tricot plus long d'un côté que de l'autre) Oh... Eh bien, écoutez Thérèse, une serpillière[2], c'est formidable, c'est super, quelle idée !
Thérèse : C'est un gilet.
Pierre : Oui, bien sûr, bien sûr, il y a des trous plus grands pour les bras, c'est superbe, c'est amusant, je suis ravi. *(Il met le gilet)* Thérèse, je suis ravi, c'est formidable,

Le Père Noël est une ordure est une pièce de théâtre créée en 1979 et un film sorti en 1982. Ici, l'acteur Thierry Lhermite (Pierre).

j'ai toutes sortes de pull-over mais comme ça jamais, je suis ravi, je suis ravi Thérèse [...]
Thérèse : Je me demande s'il ne serait pas un petit peu court ?
Pierre : Sur la gauche, un petit peu, peut-être.
Thérèse : Remarquez, ça se rattrape[3] au lavage, en tirant dessus, on n'y verra que du feu[4].

Le Père Noël est une ordure, Josiane Balasko, Marie-Anne Chazel, Christian Clavier, © Actes Sud Papier, 1986

1. *déballer un paquet :* ouvrir un paquet.
2. *une serpillière :* tissu utilisé pour laver les sols.
3. *ça se rattrape :* ça se corrige.
4. *on n'y verra que du feu :* on ne le remarquera pas.

1. Lisez la scène à haute voix avec votre voisin(e). Recherchez les moments amusants.
2. Imaginez, rédigez et jouez (à deux).
   • Pierre, à son tour, fait un cadeau à Thérèse.
   • Un(e) ami(e) ou un(e) collègue vous offre un cadeau bizarre.

► Les invités surprises

TROIS VERSIONS DE LA VIE

C'est le soir. Sonia et Henri viennent de coucher leur jeune enfant.
Ils se préparent à passer une soirée tranquille chez eux. Tout à coup on sonne...

On sonne.

Sonia (à voix basse) : Qui est-ce ?
Henri (idem) : Je vais regarder.

Il revient aussitôt
Tout ce qui suit à voix basse :

Henri : Les Finidori !
Sonia : C'est demain !
Henri : On est le 17... C'est ce soir.
Sonia : C'est une catastrophe.
Henri : Oui.
Sonia : Ils nous ont entendus ?
Henri : Qu'est-ce qu'on a dit ?
Sonia : On ne peut pas ouvrir.
Sonia : Qu'est-ce qu'on fait ?
Henri : Va te... va te recomposer[1] un petit peu.
Sonia : On ouvre ?
Henri : Ils savent qu'on est là.
Sonia : C'est une catastrophe.

Henri : Il reste quelque chose dans la cuisine ?
Sonia : On a tout fini. Pour moi, c'était demain.
Henri : C'est fondamental ce dîner pour moi !
Sonia : Tu m'accuses !
Henri : Va te changer au moins.
Sonia : Non.
Henri : Tu ne vas pas recevoir les Finidori en robe de chambre !
Sonia : Si.
Henri (il la pousse vers le fond de l'appartement en essayant de ne pas faire de bruit) : Va t'habiller, Sonia !
Sonia (elle résiste à sa pression) : Non.
Henri (ils luttent en silence) : Comment peux-tu être aussi égoïste ?
Nouvelle sonnerie
Henri : J'ouvre.

Yasmina Reza, © Éditions Albin Michel S.A. et Yasmina Reza, 2000.

---

1. *Va te recomposer* : Va t'habiller, te coiffer, etc.

1. Lisez cet extrait de la pièce de Yasmina Reza, *Trois versions de la vie*. Résumez la situation.

2. Imaginez une mise en scène (gestes, déplacements des personnages, intonations des phrases).

3. Imaginez, rédigez et jouez un dialogue sur une situation inattendue.

Vous devez passer un dimanche avec un(e) ami(e). Au moment de partir, vous recevez un coup de téléphone ou une visite qui va changer vos projets.

► La consultation chez le médecin

KNOCK

Au début du xxᵉ siècle, les habitants du village de Saint-Maurice ne vont pas très souvent chez leur médecin, le docteur Parpalaid.
Mais le successeur de Parpalaid, le docteur Knock, est bien décidé à changer les habitudes. Il lui faut des malades.
À son arrivée, il organise une consultation gratuite.
Dans la scène suivante, il accueille la première patiente. Il l'interroge d'abord sur ses activités.

Knock : Il ne doit guère vous rester de temps pour vous soigner ?

La Dame : Oh non !

Knock : Et pourtant vous souffrez.

La Dame : Ce n'est pas le mot. J'ai plutôt de la fatigue.

Knock : Oui, vous appelez ça de la fatigue... Tirez la langue. Vous ne devez pas avoir beaucoup d'appétit.

La Dame : Non.

Knock (il l'ausculte) : Baissez la tête. Respirez. Toussez. Vous n'êtes pas tombée d'une échelle étant petite ?

La Dame : Je ne me souviens pas.

Knock : Vous n'avez jamais mal ici le soir en vous couchant ? Une espèce de courbature ?

La Dame : Oui, des fois.

Knock : Essayez de vous rappeler. Ça devait être une grande échelle.

La Dame : Ça se peut bien.

Knock : C'était une échelle d'environ trois mètres cinquante, posée contre le mur. Vous êtes tombée à la renverse. C'est la fesse gauche, heureusement, qui a porté.

La Dame : Ah oui !

Knock : Vous avez déjà consulté le docteur Parpalaid ?

La Dame : Non, jamais.

Knock : Pourquoi ?

La Dame : Il ne donnait pas de consultation gratuite.

Knock : Vous vous rendez compte de votre état ?

La Dame : Non.

Knock : Tant mieux. Vous avez envie de guérir ou vous n'avez pas envie ?

La Dame : J'ai envie.

Knock : J'aime mieux vous prévenir tout de suite que ce sera très long et très coûteux.

Jules Romains, © Éditions Gallimard, 1924.

1. **Lisez la scène. Notez ce qui est bizarre ou absurde.**
2. **Imaginez, rédigez et jouez la scène : pour gagner de l'argent, un professionnel trompe son client.**
Le professionnel peut être un garagiste, un vendeur de vêtements, un agent immobilier, etc.

S'adapter à de nouvelles réalités

Unité 4

▶ *POUR VOUS **ADAPTER** À LA SOCIÉTÉ FRANÇAISE, VOUS ALLEZ **FAIRE CONNAISSANCE** AVEC...*

La Bibliothèque nationale François Mitterrand.

▶ *LE MONDE DES **ÉTUDES** ET CELUI DU **TRAVAIL***

▶ *L'ORGANISATION **ADMINISTRATIVE** ET **POLITIQUE** DU PAYS*

▶ *LA **PRESSE** ET LES **MÉDIAS***

13 Vivement demain !

Sondage

ÊTES-VOUS OPTIMISTE FACE AU FUTUR ?

Le monde est en train de changer. Que pensez-vous de cette évolution ?
Avez-vous peur du futur ou êtes-vous optimiste ?
Lisez les phrases suivantes. Cochez le chiffre qui correspond à votre opinion.

2 oui, c'est sûr
1 peut-être
0 non, c'est impossible

◆ **Les villes dans trente ans**
- Les voitures seront interdites dans les centres-villes   **2** **1** **0**
- Les villes seront moins bruyantes   **2** **1** **0**
- Les transports en commun se développeront   **2** **1** **0**
- La population des villes n'augmentera pas   **2** **1** **0**

◆ **Les campagnes**
- Beaucoup de gens iront habiter à la campagne   **2** **1** **0**
- Il y aura plus de forêts et d'espaces naturels   **2** **1** **0**
- Il y aura moins d'accidents sur les routes   **2** **1** **0**
- Des trains rapides iront dans toutes les régions du pays   **2** **1** **0**

◆ **La santé**
- On guérira le cancer et le sida   **2** **1** **0**
- On vivra plus longtemps   **2** **1** **0**
- On pourra remplacer les parties malades du corps   **2** **1** **0**
- La nourriture du futur sera bonne pour notre santé   **2** **1** **0**

◆ **Les grands problèmes**
- Des énergies nouvelles remplaceront le pétrole   **2** **1** **0**
- Les différences entre les pays riches et les pays pauvres diminueront   **2** **1** **0**
- Les pays aujourd'hui en guerre auront signé la paix   **2** **1** **0**
- Le climat de la Terre ne changera pas   **2** **1** **0**

◆ **Le travail dans trente ans**
- Nous travaillerons moins qu'aujourd'hui   **2** **1** **0**
- Nous changerons plusieurs fois de métiers dans notre vie   **2** **1** **0**
- Beaucoup de gens travailleront chez eux   **2** **1** **0**
- Tout le monde aura un travail   **2** **1** **0**

◆ **La vie quotidienne**
- Le travail de la maison sera plus facile   **2** **1** **0**
- Vous serez moins stressé   **2** **1** **0**
- Vous aurez plus de loisirs   **2** **1** **0**
- Les relations entre les gens seront plus faciles   **2** **1** **0**

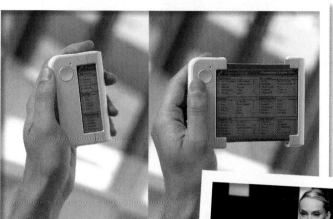

Le futur BGV, bateau à grande vitesse, imaginé par Gilles Vaton.
Il peut transporter 1600 passagers et 250 voitures à 120 km/h.

Avec l'arrivée du livre électronique, les prochaines années verront-elles la fin des bibliothèques ?

Les vêtements du futur seront équipés contre le froid et le chaud et pourront échanger des informations.

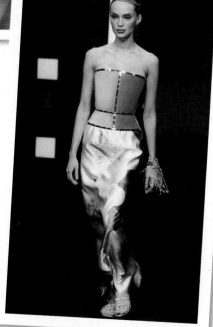

Notre micro trottoir
C'est bientôt le 1er janvier. Pour la nouvelle année, prendrez-vous de grandes décisions ?

Répondez au sondage

1. Pour chaque question :
a. Lisez la question avec l'aide du professeur. Observez la forme des verbes.
Exemple : seront → « être » au futur
b. Discutez chaque phrase en groupe.
c. Cochez la case qui correspond à votre opinion.

2. Faites le compte de vos points.
                ... / 48

3. Faites le bilan du sondage.
– de 0 à 15 points, vous êtes pessimiste
– de 16 à 26 points, vous êtes indécis
– de 27 à 48 points, vous êtes optimiste

Rédigez un commentaire du sondage

(Commentaire collectif)
Pour chacun des six sujets du sondage, un optimiste et un pessimiste donnent leur opinion.

Écoutez le micro-trottoir

a. Écoutez les réponses et complétez le tableau.

	personnes interrogées		
sujets	1	2	...
décision(s) prise(s)			

b. Répondez à la question du micro-trottoir.

Pour parler d'un changement
- changer (un changement) – Ce quartier a beaucoup changé.
- (se) développer (le développement) – Les espaces verts se sont développés.
- devenir – Le quartier est devenu agréable.
- augmenter (une augmentation) / diminuer (une diminution) – La population a augmenté. (Il y a une augmentation de la population.) – La pollution a diminué.
- évoluer (une évolution) – Les opinions ont évolué.

▶ **Parler du futur**

> Ça y est ! Je suis nommé directeur ! Mon salaire **augmentera**. **J'aurai** un grand bureau. Nous **achèterons** un grand appartement. Les enfants **auront** chacun leur chambre. Vous **irez** apprendre l'anglais à Londres.

> Tu **seras** moins stressé ?

> Nous **partirons** plus souvent en vacances ?

> On **pourra** inviter nos copains ?

1 **Dans les phrases ci-dessus, observez les formes des verbes.**

aller → j'irai
acheter → ...   augmenter → ...
avoir → ...   être → ...
partir → ...   pouvoir → ...

Trouvez toutes les formes du futur de ces verbes.

aller → j'irai, tu iras...

2 **Mettez les verbes entre parenthèses au futur.**

Préparatifs de pique-nique

« Demain matin, nous (*se lever*) à 7 heures.
Pierre, tu (*aller*) acheter du pain. Puis Julie et toi, vous (*faire*) des sandwichs. Vous (*trouver*) du jambon dans le réfrigérateur.
Chacun (*préparer*) ses affaires.
Moi, j'(*aller*) chercher la voiture au garage.
Nos amis (*arriver*) à 9 heures. Nous (*devoir*) être prêts. »

3 **Continuez en utilisant les mots de la rubrique n° 3 du tableau ci-contre.**

15 février, à midi → **maintenant**
15 février à midi et demie → **tout à l'heure**
15 février à une heure → ...
16 févier → ...   14 février → ...
17 février → ...   13 février → ...
20 février → ...   10 février → ...
23 février → ...   15 janvier → ...

4 **Imaginez ce qu'ils disent. Utilisez les verbes entre parenthèses.**

a. Un jeune couple fait des projets d'avenir.
(*vivre ensemble – louer un appartement – faire une fête – avoir des enfants – se marier –* etc.)
« Nous vivrons ensemble... »

Le futur

1. Trois façons de parler du futur

  a. le présent, quand on veut rendre l'action future vivante → Demain, elle part en voyage.
  b. la forme « aller + infinitif », quand l'action paraît proche → Elle va bientôt partir en voyage.
  c. le futur → Elle partira en voyage en juillet.

2. Formation du futur

• **Avec les verbes en -er et beaucoup d'autres verbes → infinitif + -ai, -as, -a, -ons, -ez, -ont**

je mangerai	nous mangerons
tu mangeras	vous mangerez
il/elle mangera	ils/elles mangeront

• **Cas particuliers**

être : je serai, tu seras, il/elle sera, etc.

avoir : j'aurai	*faire* : je ferai
aller : j'irai	*venir* : je viendrai
voir : je verrai	*pouvoir* : je pourrai

• **Avec les verbes du type « se lever »**
je me lèverai, tu te lèveras, il/elle se lèvera, etc.

3. Préciser le moment futur
Elle partira...
bientôt... tout à l'heure... dans une heure
demain... après-demain... la semaine prochaine
dans quinze jours
jusqu'au 31 juillet

b. Elle vient de gagner un million d'euros.
Elle fait des projets.
(*aller – acheter – visiter – donner – offrir – inviter – avoir –* etc.)
« J'achèterai un bateau... »

Comparer

1. Comparer des qualités

Pierre est **plus** grand **que** Tony.
Marie est **aussi** grande **que** Pierre.
Tony est **moins** grand **que** Marie.
Pierre est grand. Marie est **aussi** grande.

La note de Tony est **meilleure** que la note de Pierre.
Pierre travaille **moins** bien **que** Tony.
Marie travaille **aussi** bien **que** Tony.
Tony et Marie travaillent **plus** vite **que** Pierre et ils travaillent **mieux**.

2. Comparer des quantités

Durée hebdomadaire du travail
Pauline : 35 heures
Mathieu : 35 heures
Corentin : 20 heures

Pauline a **plus de** travail **que** Corentin.
Elle a **autant de** travail **que** Mathieu.
Corentin a **moins de** travail **que** Pauline.

3. Comparer des actions

Pauline travaille **plus que** Corentin.
Elle travaille **autant que** Mathieu.
Corentin travaille **moins que** Pauline.

---

1 ▪ Observez le tableau et complétez.

En France, on travaille … dans les autres pays d'Europe.
Les Espagnols travaillent … les Italiens.
En Grande-Bretagne, on travaille … France.
Les Espagnols ont … jours de congés … les autres pays d'Europe.
Les Anglais ont … jours de congés … les Français.
Le salaire d'un cadre anglais est … élevé … le salaire d'un cadre français.
Le salaire d'un cadre italien est … élevé.
Un cadre français gagne … cadre espagnol.

Le travail en Europe

	Heures travaillées par an	Jours de congés par an	Salaire annuel moyen d'un cadre
Espagne	1 764	38	40 000
France	1 561	36	40 000
Grande-Bretagne	1 787	31	44 000
Italie	1 764	33	38 000

Sources Eurostat, 2004.

🎧 À l'écoute de la grammaire

1 ▪ Le [ə] non prononcé dans la conjugaison du futur

Monde idéal

Je donnerai… Tu partageras…
On échangera… On prêtera…
On s'appellera… On s'invitera…
Ils se parleront… Ils recommenceront…
Ils espéreront…

2 ▪ Prononciation de [R]

Pessimiste

Je la regarderai… Elle tournera la tête…
Je lui parlerai… Elle s'ennuiera…
Nous sortirons… Il pleuvra…
Elle m'invitera… J'oublierai…
Nous jouerons… Nous perdrons…
On se mariera… On divorcera…

Les parfums de Laura

1– Coup de tête

En mars, un vendredi soir chez Laura et Tarek, à Orléans.

Laura : Salut !... Ah ! Ce soir, c'est curry de poulet.

Tarek : Dix sur dix !

Laura : Et tu as mis un nouveau parfum... Jazz, Yves Saint Laurent !

Tarek : Quel nez !

Laura : Que veux-tu, c'est mon métier. Justement, le DRH veut me voir lundi.

Tarek : Pour le poste de chef de projet ?

Laura : C'est possible.

Tarek : Mais alors, tu vas avoir une augmentation !

Laura : J'espère.

Tarek : Tu pourras changer ta voiture ! On achètera une nouvelle télé ! On ira à Venise le mois prochain !

Laura : Du calme ! Nous ferons surtout des économies.

Tarek : Tu penses déjà à ta retraite ?

Laura : Non, monsieur. Mais dans un an, on fait un bébé et je prends un congé. Tu es toujours d'accord ?

Tarek : Bien sûr !

Laura : Alors il faudra vivre avec ton salaire de contrôleur de gestion.

COSMELABO RACHÈTE SYNTEX

Le groupe international Cosmelabo vient de racheter une petite entreprise du Val de Loire spécialisée dans la création de parfums.

Le lundi, dans le bureau du DRH de l'entreprise Syntex.

Laura : Je vous dérange ?

Le DRH : Pas du tout, je vous attendais. Asseyez-vous... Voilà... Vous savez que notre contrôleur de qualité part à la retraite.

Laura : Oui.

Le DRH : Eh bien, nous avons pensé à vous pour le remplacer.

Laura : Mais je suis très contente à la production !

Le DRH : Vous serez encore mieux au contrôle. Vous aurez autant de liberté, moins de stress, un bureau agréable, vous gagnerez plus...

Laura : Peut-être, mais moi, j'aime créer des parfums. Je suis faite pour ça !

Le DRH : Comprenez-moi, mademoiselle Mirmont, dans un an, nous fabriquerons nos produits en Turquie.

Laura : Je veux bien aller en Turquie.

Le DRH : Un jour peut-être, mais aujourd'hui, j'ai besoin de vous au service qualité.

Laura : Alors je n'ai pas le choix ?

Le DRH : Réfléchissez, notre proposition est intéressante !

3

Plus tard, dans le laboratoire de Syntex.

Une collègue : Alors, qu'est-ce que tu vas faire ?
Laura : Je pars.
La collègue : Réfléchis bien !
Laura : C'est tout réfléchi.

Transcription

4

Le soir, Laura raconte sa journée à Tarek.

Compréhension et simulations

 1. *Scène 1.* Écoutez et répondez.

a. Les phrases suivantes sont-elles vraies ou fausses ?
Tarek et Laura vivent ensemble.
Ils ont des projets d'avenir.
Tarek ne travaille pas.
Laura travaille dans une entreprise de parfums.

b. Quels sont...
– les projets de Tarek ?
– les projets de Laura ?
– leurs projets communs ?

2. Jouez une des scènes (à deux).

a. Votre ami(e) organise une soirée. Vous lui demandez des précisions.
« Ce sera quand ? Qui sera invité ?... »

b. Vous pouvez prédire l'avenir. Votre voisin(e) vous consulte.
« Est-ce que je ferai une rencontre ? »

 3. *Scène 2.* Écoutez. Complétez.
Le DRH propose à Laura ...
La proposition est intéressante parce que ...
Mais Laura répond ...

4. *Scène 3.* Écoutez et transcrivez la fin de la scène.

5. Jouez la scène (à deux). Utilisez le vocabulaire du tableau.
Votre ami va passer un examen (ou un entretien pour trouver du travail). Il n'est pas sûr de lui. Vous le rassurez.

6. *Scène 4.* Imaginez et jouez la scène.

Pour exprimer la peur et l'inquiétude – Pour rassurer

- J'ai peur – J'ai peur d'être au chômage.
  je suis inquiet (inquiète) – Je m'inquiète pour sa santé.
  Je n'ai pas le courage d'aller voir le directeur.
  Je ne suis pas sûr (sûre) de moi.
- N'aie pas peur ! Aie du courage !
  Ne t'inquiète pas !

 ## Sons, rythmes, intonations

Les sons [ɑ̃], [ɛ̃], [œ̃]
Il est comment ton copain ?
Il est grand, mince, brun
Il met du parfum Guerlain
Il est attentif à chacun
Dans les transports en commun
Et il ressemble à ton cousin

Table ronde

Quelle école pour demain ?

Notre journal a réuni des parents d'élèves et des professeurs pour parler de l'avenir de l'école. Extraits.

LE QUOTIDIEN – On dit que l'école va mal. Certains élèves ne travaillent pas et ne respectent pas les professeurs. Il y a eu des incidents graves dans quelques collèges.

UN PARENT – Le problème est qu'on a mélangé tous les élèves. Dans la classe de 5e de ma fille, il y a des enfants qui ne savent pas lire. Quand le professeur s'occupe d'eux, les autres n'écoutent pas. Quand il s'occupe des élèves qui ont le niveau, les autres ne comprennent pas. Résultat, il y a toujours une partie de la classe qui ne s'intéresse pas au cours. Il faut des classes spéciales pour les élèves en difficulté.

UN PROFESSEUR – Vous avez raison. La vie d'un professeur n'est pas toujours facile mais je ne suis pas d'accord avec votre solution. L'école est faite pour apprendre les maths, l'histoire, les sciences, les langues. Mais elle est aussi faite pour apprendre à vivre ensemble. Les élèves qui ont des difficultés viennent de familles qui ont des problèmes (le chômage, la pauvreté, un divorce...). Vous ne devez pas les couper des autres. Quand nous aurons quinze élèves dans nos classes, nous pourrons passer plus de temps avec eux.

UN PARENT – Il y aura toujours des différences entre les bons et les moins bons. Les programmes sont les mêmes pour tous. Certains apprendront très vite. D'autres ne réussiront pas.

LE PROFESSEUR – Chacun doit pouvoir avancer à son rythme. Je suis sûr que les nouvelles technologies nous apporteront des solutions. Dans dix ans peut-être, l'école sera différente. Chaque élève sera devant un ordinateur. Le professeur sera là, bien sûr. Il animera le groupe et donnera des conseils à chacun. Et il y aura moins de problèmes. Quand on s'occupe d'un élève en difficulté, il vous respecte.

LE PARENT – Mais cela va coûter très cher !

LE PROFESSEUR – Pour les trois années de lycée, notre région dépense 500 € par élève pour payer les livres. C'est le prix d'un ordinateur.

Le Quotidien, 18 octobre 2007.

Lecture et compréhension de l'article

1. Lisez le titre et les premières lignes de l'article. Quel est le sujet de l'article ?

2. Lisez l'article en entier. Précisez l'opinion des participants.
Ils sont d'accord sur...
Ils ne sont pas d'accord sur...

3. De quoi parlent les participants ? Cochez les sujets abordés et donnez des précisions.
Exemple : **b.** → Il y a trop d'élèves dans les classes. Il faut...

a. le salaire des professeurs
b. le nombre d'élèves par classe
c. les relations entre élèves et professeurs
d. les programmes
e. la formation des professeurs
f. le rôle du professeur
g. les différences de niveaux
h. le nombre d'heures de cours
i. les méthodes d'enseignement
j. le prix des études

Quelle école pour demain ?

(Recherche en petits groupes)
Vous devez organiser une table ronde sur l'avenir de l'école dans votre pays.
Faites une liste des sujets qui pourraient être abordés.

Rédigez

1. Développez en 5 lignes un des sujets trouvés ci-dessus.
2. Rédigez la partie « Formation » de votre CV. (Voir le CV p. 159)

L'ENSEIGNEMENT EN FRANCE

L'école publique obligatoire et laïque

En France, l'école est **obligatoire** entre 6 et 16 ans. **L'école publique** est **gratuite**. Les communes et les régions paient les livres et les cahiers.
L'école publique est **laïque**. Elle respecte toutes les religions. On ne doit pas porter de signes religieux dans les écoles.
Il existe des **écoles privées**. Elles accueillent 15 % des élèves.

De l'école maternelle au baccalauréat

• **L'école maternelle (de 2 à 6 ans).** À 3 ans, presque tous les enfants vont à l'école.

• **L'école primaire (de 6 à 11 ans).** L'enfant apprend à lire, à écrire et à compter.

• **Le collège (de 11 à 15 ans).** Dans la classe de sixième (6ᵉ) puis de 5ᵉ, 4ᵉ et 3ᵉ, les collégiens étudient les connaissances générales.

• **Le lycée (de 15 à 18 ans) :** classe de seconde, première et terminale. Les jeunes commencent à se spécialiser. Beaucoup font des études générales (lettres, maths et sciences, etc.).

Élèves ingénieurs à l'IUT de Cachan.

D'autres se préparent à un métier dans les lycées professionnels.
70 % des jeunes Français réussissent à l'examen final : le baccalauréat (on dit aussi le « bac »).

Les études supérieures

• **L'université**
60 % des étudiants qui ont réussi au bac entrent à l'université.
Dans une université, il y a plusieurs facultés :
lettres et sciences humaines (34 % des étudiants), *droit et économie* (25 %), *sciences* (20 %), *médecine* (8 %), *pharmacie* (2 %), *sport* (2 %).
Les études se font en trois étapes :
– la licence (3 ans)
– le mastère (2 ans)
– le doctorat (3 ans)
On peut suivre aussi une formation professionnelle courte de technicien dans les IUT (institut universitaire de technologie).

• **Les grandes écoles**
Ces grandes écoles forment les ingénieurs, les cadres des entreprises et de l'administration.
La plus célèbre est l'ENA (École nationale d'administration). Beaucoup d'hommes et de femmes politiques sont sortis de l'ENA (Jacques Chirac, Laurent Fabius, Dominique de Villepin, Ségolène Royal).

• **Les autres écoles supérieures**
Beaucoup d'écoles publiques ou privées proposent des formations profes-

Depuis 1880, l'école (de la maternelle à l'enseignement supérieur) est un service public très contrôlé par l'État.

La Sorbonne : la plus ancienne université de France.

sionnelles courtes. Elles accueillent 40 % des étudiants et forment des techniciens, des infirmières, des artistes, etc.

• **Les étudiants étrangers**
15 % des étudiants de l'enseignement supérieur sont des étrangers.

• **Les bourses**
Dans les universités et les écoles supérieures publiques, les études sont presque gratuites.
Certains étudiants peuvent avoir des bourses d'études.

▶ **L'enseignement en France**

Lisez les informations de cette page. Faites des comparaisons avec l'enseignement dans votre pays.

Des **idées** pour créer votre **entreprise**

Si vous êtes au chômage, si vous vous ennuyez dans votre travail, si vous avez besoin de liberté, créez votre entreprise.

Beaucoup l'ont fait. Pourquoi pas vous ?
Imaginez quels vont être les nouveaux besoins.
Renseignez-vous sur les emplois de demain.
Recherchez des idées autour de vous.
Que manque-t-il ? De quoi les gens ont-ils besoin ?
Chez eux... au travail... en vacances...
dans les villes... à la campagne... etc.

▶ D'OÙ VIENDRONT LES NOUVEAUX BESOINS ?

- Il y aura plus de retraités (plus de 60 ans).
- Il y aura plus de personnes âgées seules qui auront besoin d'aide.
- Une partie importante de la population sera plus riche. Elle sera très occupée par son travail et aura besoin d'aide pour la maison et les enfants.
- Une partie importante de la population restera pauvre. Elle aura besoin de formation.
- La France accueillera de nouveaux émigrés.
- On changera plus souvent de métier et de lieu d'habitation.

▶ IL SUFFIT D'Y PENSER

- **Café pour tous les goûts**

  Les Américains, on le sait, boivent beaucoup de café. Mais en boire beaucoup n'est pas bon pour la santé. Une société a trouvé la solution : ajouter au café des vitamines et des plantes qui guérissent.
  Elle propose un café qui augmente la mémoire, un café qui donne de l'énergie et un café qui calme !

➜ Les emplois de demain

- les services d'aide aux personnes (garde d'enfants, repas à domicile, travaux de la maison, etc.)
- l'aide aux personnes âgées
- l'enseignement
- la construction : immeubles, maisons, travaux publics (routes, ponts, etc.)
- le tourisme (voyages, hôtels, restaurants)
- la santé (médecins, infirmières)
- les loisirs (sports, activités artistiques, etc.)
- la sécurité (gardiens, policiers, pompiers)
- l'industrie (ingénieurs et techniciens très qualifiés)
- le commerce (ouvert sur le monde)

Source : Commissariat général du Plan.

• Le retour de la vente ambulante

Au chômage depuis 6 mois, José va un jour chez des amis qui habitent un petit village de 500 habitants dans le sud du Massif central. Il observe qu'il n'y a plus un seul commerce dans le village. Si vous voulez acheter une baguette de pain ou mettre une lettre à la poste, il faut faire 10 km. Normal : un boulanger ne gagne pas sa vie dans un village de 500 personnes. Mais José observe aussi que la population du village augmente. Des retraités, des étrangers viennent s'y installer. Et tous les villages de la région sont dans cette situation.

José décide alors d'être vendeur ambulant. Sa banque est d'accord et lui prête 30 000 €.

Tous les jours, il fait le tour d'une quinzaine de villages et propose des produits et des services. Il vend du pain, des conserves, le journal, mais vous porte aussi un rôti si vous l'avez commandé. Il apporte aussi vos lettres à la poste et votre téléviseur chez le réparateur.

Et les affaires marchent !

• « Boire ou conduire » n'est plus un problème

En France, quand on sort pour faire la fête avec des amis, il y en a toujours un qui ne boit pas. C'est lui qui conduira la voiture au retour.

Au Japon, tout le monde peut faire la fête. Si, au retour, personne n'est capable de conduire, on appelle la société Daïton Taxi. Elle vous enverra quelqu'un qui vous ramènera chez vous dans votre voiture.

• Réponse à tout

Souvent, vous vous posez des questions sans pouvoir y répondre ! En quelle année l'Uruguay a-t-elle gagné la Coupe du monde ? Peut-on faire des études de droit à Chalon-sur-Saône ? Pourquoi la mer est-elle salée ?

Un couple de Strasbourgeois propose un service téléphonique « Réponse à tout ». Plus cher qu'Internet mais souvent plus rapide et plus sûr.

Réflexions sur la création d'une entreprise

1. Avec l'aide du professeur, lisez « D'où viendront les nouveaux besoins ? ».
• Êtes-vous d'accord avec ces évolutions ?
• Ces évolutions vont-elles créer des emplois ? Quels emplois ?

2. Lisez « Les emplois de demain ». À quel besoin correspond chaque type d'emploi ?

3. La classe se partage la lecture des quatre exemples de « Il suffit d'y penser ». Donnez votre avis sur ces idées.

Créer votre petite entreprise

(Travail en petits groupes)

1. Cherchez en groupe une idée d'entreprise et développez cette idée.
• **Présentation de l'entreprise.** Quel est son nom, que fait-elle, où est-elle installée ?
• **Justification de la création.** Quels sont les besoins ? Comment l'entreprise répond-elle à ces besoins ?
• **Organisation de l'entreprise** (Aidez-vous du tableau ci-dessous)

2. Rédigez votre projet et présentez-le à la classe.

Pour parler d'une entreprise

• **les services et le personnel**
la direction – un chef d'entreprise – un directeur – un cadre (supérieur) – diriger (gérer) une entreprise – un(e) assistant(e) – un(e) secrétaire – le service du personnel – un DRH (directeur des ressources humaines) – un(e) employé(e) – du personnel qualifié, formé, compétent – le service administratif, commercial, financier, etc.

• **la production**
un besoin – un manque – Il manque trois employés dans le service. – Trois employés manquent. créer (la création) – produire (la production) – fabriquer (la fabrication) – construire (la construction) – commercialiser (la commercialisation)

▶ Le pronom personnel indirect « en »

1 **Dans les phrases ci-dessus, que remplace le pronom « en » ?**

Buvez-**en**. → Buvez **du Punchy**.
Observez les constructions.
Faites la différence entre les emplois de « en » et de « le ».

2 **Dans le texte suivant, utilisez un pronom pour éviter des répétitions.**

Un chef d'entreprise reçoit un journaliste.

« Je vous offre un café ? Ah, vous ne buvez pas <u>de café</u> !
Moi, je prends dix tasses <u>de café</u> par jour. J'ai besoin <u>de café</u> pour être en forme.
Alors, mon entreprise ! Vous voulez qu'on parle <u>de mon entreprise</u> ? Qu'est-ce que vous voulez savoir ?
Le nombre d'employés ? Il y a 210 <u>employés</u>. Mon salaire ?
Je ne dis <u>mon salaire</u> à personne. Si j'ai des projets ?
Oui, j'ai <u>un projet</u>. Je présenterai <u>ce projet</u> à la presse la semaine prochaine. »

3 **Complétez le dialogue entre un demandeur d'emploi et un recruteur.**

R : Vous avez une voiture ?
D : Oui, ... Pourquoi ? J'aurai besoin de ma voiture ?
R : Oui, vous ....
D : Je ferai des voyages à l'étranger ?
R : Oui, ... Vous parlez combien de langues ?
D : J'...... trois : anglais, italien et japonais.
R : Vous parlez couramment le japonais ?
D : Non, je ...... couramment. Mais je ...... comprends très bien.
R : Vous avez des enfants ?
D : Non, je ....
R : Vous faites du sport ?
D : Non, Je ...... beaucoup.

Emploi du pronom « en »

Le pronom « en » reprend un nom complément d'un verbe et :

1. précédé de « du, de la, des »
Vous voulez **du café** ? – Oui, j'**en** veux.
Il y a **des employés** dans le bureau ? – Oui, il y **en** a.
Vous avez **de l'argent** ? – Non, je n'**en** ai pas.

2. précédé de la préposition « de »
Il a besoin **d'un dictionnaire** ? – Il **en** a besoin.

3. précédé d'un mot de quantité (un, une, deux, trois, quatre, etc. – beaucoup de, peu de, etc.)
Dans ce cas, « en » remplace le nom mais pas la quantité.
Tu as **une sœur** ? – J'**en** ai **une**.
Tu as **un frère** ? – Je n'**en** ai pas.
Il a **beaucoup de cousins**. Il **en** a **beaucoup**. (Il **en** a **dix**)
- **Au passé composé**
  Vous avez mangé **du gâteau** ?
  – J'**en** ai mangé. Elle n'**en** a pas pris.
- **À l'impératif**
  Voici **des gâteaux**. Prenez-**en** !
  Ce **jus de fruits** n'est pas bon. N'**en** buvez pas !

→ **Ne confondez pas les pronoms.**
- Vous connaissez **le jus de fruits Punchy** ?
  – Je **le** connais. (« le, la, les » sont des compléments directs)
- Vous buvez **du Punchy** ? – J'**en** bois.
  Vous connaissez **un bon jus de fruits** ? – J'**en** connais **un** (« en » est complément indirect ou précédé d'un mot de quantité)

Voir le tableau complet des pronoms p. 169.

► **Le pronom « y »**

> Votre publicité pour Punchy n'est pas très séduisante ! Il faut **y** mettre du soleil. Les gens achèteront Punchy pour **y** trouver du plaisir et de l'énergie. Pensez-**y** !

> D'accord. Allez-**y** !

> On va **y** réfléchir. On peut aller faire le film à Tahiti ?

1 **Dans les phrases ci-dessus, que remplace le pronom « y » ?**

Il faut y mettre du soleil → Il faut mettre du soleil...

Comparez les emplois de « y » et de « lui » ou « leur ».

2 **Remplacez les groupes de mots soulignés par un pronom.**

• Tu connais la station de sports d'hiver Courchevel ? Moi, je vais souvent <u>à Courchevel</u>. Mon amie et moi, nous passons une semaine <u>à Courchevel</u> pour Noël.

– Je n'aime pas les stations de ski. Je m'ennuie <u>dans les stations de ski</u>.

• Tu ne fais pas de ski ?

– Non, je ne fais pas <u>de ski</u>.

• Tu ne joues pas aux cartes ?

– Non, je ne joue pas <u>aux cartes</u>.

• Alors, je te conseille le restaurant « L'Avalanche ». On mange très bien <u>dans ce restaurant</u>. Ils ont de très bonnes tartiflettes. Je prends toujours <u>des tartiflettes</u>.

Emploi du pronom « y »

Le mot « y » reprend :

1. un lieu
   Les employés sont **dans le bureau** ? – Ils **y** sont.

2. une chose ou une idée complément indirect d'un verbe et précédé de la préposition « à »
   Il pense **à son travail** ? – Il **y** pense.

• **Au passé composé**
   Tu as réfléchi **au problème** ? – Non, je n'**y** ai pas réfléchi mais je vais **y** penser.

• **À l'impératif**
   Vous ne connaissez pas **Venise** ? Allez-**y** ! Mais n'**y** allez pas en été ! Il y a trop de monde.

NB – On ne met pas « y » avant le verbe « aller » au futur.
Tu iras à Venise ? – Oui, j'irai.

► **Exprimer une condition**

1 **Observez la construction. Complétez les phrases.**

a. avec une conséquence
S'il fait beau dimanche ...
Si je réussis à mon examen ...

b. avec une condition
Nous irons en France si ...
Je sortirai samedi soir si ...

> Si nous avons le marché asiatique, nous serons les meilleurs en Europe. Je vous augmente...

Expression d'une condition

• **Si + présent → présent ou futur**
   Si j'ai mes congés en juillet, nous ferons un voyage.
   Si nous allons en Espagne, nous prenons la voiture.

• **Si + passé composé → présent ou futur**
   S'il est parti en voyage, il ne trouvera pas notre message.

Attention : si + imparfait → conditionnel (voir niveau 2).

► 🎧 **À l'écoute de la grammaire**

1 **Rythme et enchaînement des constructions avec le pronom « en »**

Tout le monde en parle
Vous en avez un ?... Vous en êtes content ?...
Les Martin en ont un... Ils en parlent beaucoup.
Il y en a au marché. Charles en a trouvé...
Il en a acheté deux. Il va m'en donner un.

2 **Constructions négatives avec le pronom « en »**

Pas au top
Un 4x4 ? – Nous n'en avons pas.
Du golf ? – Nous n'en faisons pas.
Du bordeaux ? – Pierre n'en boit pas.
Du rap ? – On n'en écoute pas.
Des sushis ? – Je n'en mange pas.
Des jeans ? – Je n'en mets pas.

Les parfums de Laura

2- Coup d'essai

En mai, dans une boutique de vêtements d'Orléans.

La vendeuse : Je peux vous aider ?

Laura : Merci, je regarde.

La vendeuse : Pour aller avec cette veste, nous avons la jupe ou le pantalon.

Un peu plus tard.

Laura : Qu'est-ce que tu en penses ? Je prends la jupe ou le pantalon ?

Tarek : Les deux me plaisent. Ils te vont bien. Mais si tu veux mon avis, prends plutôt la jupe, elle est plus sexy.

Laura : Ils cherchent un chef de projet, pas un top model !

Tarek : Justement, la jupe fait moins décontractée. Elle fait « femme qui a réussi ».

Laura : J'ai horreur des jupes.

Tarek : Alors, prends le pantalon !

Laura : J'en ai dix dans l'armoire.

Tarek : Pourquoi tu ne prends pas les deux ?

LABORATOIRE DE COSMÉTIQUES RECHERCHE CHEF DE PROJET

Vous avez une bonne expérience dans la création de produits cosmétiques et dans l'animation d'une équipe de production.
Vous êtes créatif, créative, disponible, dynamique, vous aimez les contacts et vous parlez anglais couramment.
Dans notre entreprise, vous serez responsable d'un produit depuis sa création jusqu'à sa commercialisation.

Quelques jours plus tard, Laura a un entretien avec la DRH d'une société de cosmétiques. À la fin de l'entretien...

La DRH : Je peux vous parler franchement ?

Laura : Je vous en prie.

La DRH : Je vois que vous n'avez pas d'enfant.

Laura : C'est exact. Je n'en ai pas.

La DRH : Et... vous pensez en avoir un, disons, dans les deux années qui viennent ?

Laura : Mon compagnon et moi, nous y pensons.

La DRH : Mademoiselle Mirmont, pour ce poste de chef de produit, il faudra être très disponible. Nous ne voulons pas quelqu'un qui nous laisse tomber dans six mois.

Laura : Pourquoi vous ne prenez pas un homme ?

La DRH : Il y a des femmes disponibles.

Laura : Je serai disponible.

La DRH : J'en suis sûre, mademoiselle Mirmont !

Chambord, un des châteaux de la Loire.

3

Quelques jours plus tard, un samedi matin chez Laura et Tarek.

Tarek : Alors ?
Laura : Ils ne veulent pas de moi.
Tarek : Ils sont nuls !
Laura : Tu sais, Tarek, je crois que les entretiens, j'en ai assez.
Tarek : Si tu ne cherches pas de travail, tu n'en trouveras pas.
Laura : Je n'ai plus envie de chercher. J'ai envie de créer mon entreprise.

 Transcription

Laura MIRMONT
17 bis rue du Marché
45000 ORLÉANS
Tél : 06 …
Courriel :
30 ans
Célibataire

FORMATION
1996 : baccalauréat
1998 : diplôme de l'université de Cambridge
1999 : licence de chimie
2001 : mastère de chimie des arômes et des parfums (université de Versailles)

EXPÉRIENCE PROFESSIONNELLE
2002-2008 : formulatrice chez Syntex.

Compréhension et simulations

1. Lisez l'offre d'emploi.

• Quel est le travail proposé ?
• Quelles qualités faut-il avoir ? Pour chaque qualité, donnez un exemple.
créatif → La personne pourra créer de nouveaux produits.

 2. *Scène 1.*
Écoutez les deux moments de la scène. Imaginez ce que les personnages disent entre ces deux moments.

Exprimer des préférences

• J'aime… J'aime bien… J'aime beaucoup… J'adore
plaire : Cette robe me plaît. – Elle te plaît ?
• J'aime plus ou moins. – Ça m'est égal.
• Je n'aime pas. – Je n'aime pas du tout. – Cette robe ne me plaît pas du tout. – J'ai horreur de cette robe.
• Je préfère le pantalon. Je vais **plutôt** essayer le pantalon.

3. Jouez la scène (à trois).

Vous êtes avec un(e) ami(e). Vous entrez dans un magasin pour acheter un vêtement (ou un sac, etc.). La vendeuse vous accueille. Vous demandez conseil. Vous choisissez. Vous essayez le vêtement, etc.

 4. *Scène 2.* Écoutez la scène.

a. De quoi a peur la DRH ? Laura dit-elle la vérité ?
b. Imaginez le début de l'entretien.

 5. *Scène 3.*

a. **Écoutez le début de la scène** (partie transcrite dans le livre).
Quelle nouvelle apprend-on ?
Que décide Laura ?
b. **Imaginez la suite de la scène.**
c. **Écoutez et transcrivez la fin de la scène.**

 ### Sons, rythmes, intonations

Différenciez [k] et [g].
Musique
Quatre garçons
Qui jouent de la guitare
Chantent tangos et flamencos
Sur un quai pas très gai
De la gare de Calais
Et un groupe d'Anglais
En oublie sa correspondance

Samia KADOURI
BP 2007
Héliopolis
Le Caire
ÉGYPTE
Tél. : ...
Courriel : ...

Le Caire, le 20 avril 2007

LESCOT ARCHITECTURES
84 rue de Vaugirard
75006 PARIS

Madame, Monsieur,

Diplômée de l'École d'architecture du Caire, j'ai eu l'occasion d'étudier plusieurs des réalisations de Lescot Architectures. La médiathèque de Villeneuve, le musée de Châtillon et le théâtre d'été de Laroche m'ont beaucoup impressionnée.

Pour améliorer mes compétences, je souhaiterais faire un stage dans votre bureau d'architecture. Je suis en effet très intéressée par la création de bâtiments culturels.

J'ai déjà eu deux expériences dans ce domaine en Égypte : la réalisation d'une bibliothèque et la création d'un musée.

Je parle couramment l'anglais, l'arabe et le français. J'ai étudié votre langue au centre culturel français du Caire et à l'Alliance française de Paris.

Je vous remercie par avance de me dire si ce stage est possible. Je pourrais être disponible pour un entretien à partir du 1er juillet.

Dans l'attente de votre réponse et dans l'espoir de travailler avec vous, je vous prie d'agréer, Madame, Monsieur, l'expression de mes sentiments les meilleurs.

Samia Kadouri

Pièce jointe : curriculum vitae

Lecture de la lettre

1. Lisez la lettre et répondez aux questions.

a. Qui écrit ? À qui ? Pourquoi ?

b. Quelle est la formation de Samia ?

c. Quelles sont ses compétences ?

d. Comment Samia essaie-t-elle d'intéresser Lescot Architectures ?

2. Observez l'organisation de la lettre. Comparez avec l'organisation d'une lettre administrative dans votre pays.

Écrivez une lettre de demande d'emploi

Vous êtes intéressé(e) par l'emploi ci-dessous. Écrivez au Conseil régional de Bourgogne.

> **CONSEIL RÉGIONAL DE BOURGOGNE**
> Recherche hôtes et hôtesses trilingues, toutes nationalités, pour représenter la région dans les salons internationaux du tourisme.

Rédigez

Rédigez la partie « Expérience professionnelle » de votre CV. (Voir le CV p. 159)

En Normandie, la Snecma travaille sur les moteurs de la fusée Ariane.

L'ÉCONOMIE EN FRANCE

LA CRÉATION DES PÔLES DE COMPÉTENCES

C'est fait. Depuis août 2005, les pôles de compétences existent. Ils groupent dans une même région les centres de recherche et les entreprises créatives qui peuvent travailler ensemble sur des projets de recherche.

Par exemple, la Normandie sera spécialisée dans les moteurs d'avion et d'automobile et les cartes électroniques.

Ces pôles recevront des aides de l'État.

Le travail en dix points

(1) **Durée du travail :** 35 heures par semaine pour beaucoup de salariés (personnes qui travaillent dans une entreprise ou une administration). On peut travailler plus si on le souhaite.

(2) **Les congés :** 5 semaines par an. Si on travaille plus de 35 heures par semaine, on peut avoir des congés en plus.

(3) **La retraite :** à 60 ans. Mais on peut travailler plus longtemps.

(4) **Le salaire :** le salaire minimum (Smic) est 1 100 € net ; le salaire moyen 2200 €.

(5) **Les syndicats :** 7 % des travailleurs français sont syndiqués. Les syndicats ne gèrent pas les aides sociales comme dans certains pays mais ils ont le pouvoir de mettre beaucoup de gens en grève.

(6) **Les catégories professionnelles :** on distingue :
– les fonctionnaires : employés de l'État (6 millions)
– les salariés des grandes entreprises (8 millions)
– les salariés des petites entreprises (PME) (7 millions)
– les travailleurs indépendants (2 millions)

(7) **Les chômeurs :** en 2007, 2 millions de personnes étaient au chômage (8 % des personnes en âge de travailler).

(8) **Les personnes en difficulté :** plus de 3 millions de personnes : jeunes sans travail, retraités avec une petite retraite, personnes qui n'ont pas d'emploi à plein-temps.

(9) **La population qui travaille :** 25 millions (quatre Français sur dix). La moitié sont des femmes. Les Français commencent à travailler plus tard qu'avant.

(10) **La Sécurité sociale :** elle prend 10 % sur tous les salaires. Elle paie les soins à l'hôpital, une partie des consultations chez le médecin et des médicaments. Elle paie aussi certaines retraites.

L'économie et le travail en France

1. Lisez le document ci-dessus. Quels sont les points positifs et les points négatifs dans le monde du travail en France ?
Faites des comparaisons avec votre pays et les pays que vous connaissez.

2. Écoutez ces courtes scènes. Faites-les correspondre avec un des points du document « Le travail en dix points ».
Exemple : a → 3. (la retraite) ...

Revue de presse

Jusqu'où faut-il interdire ?

Plus de boissons à la récré

Depuis le 1er septembre 2005, les distributeurs de boissons sucrées et de petits biscuits sont interdits dans les écoles.

Les spécialistes de l'alimentation ont peur que les enfants mangent trop et grossissent. Pourtant, il y a quelques années, les mêmes spécialistes disaient que beaucoup d'enfants ne mangeaient pas assez au petit déjeuner et à la cantine. Le petit croissant du distributeur, pris à 10 h et à 16 h, était alors le bienvenu.

Source : *Aujourd'hui en France*, 10/09/2005.

DES VACHES, OUI…
MAIS SANS CLOCHES

D… est un dessinateur installé dans un petit village de Savoie (région des Alpes). Depuis des années, jour et nuit, D… entend les cloches des vaches de son voisin F… et il ne les supporte plus.

D… n'est pas contre les cloches mais il dit qu'il ne peut plus dormir et qu'il ne peut plus travailler. Il veut que son voisin mette ses vaches un peu plus loin dans la montagne. F… refuse et répète que ses vaches ont toujours été là, que les cloches sont des outils de travail et qu'elles font partie des traditions locales.

Source : Le Monde.fr, 06/10/2006.

Magasins ouverts le dimanche **POUR** ou **CONTRE** ?

En France, les magasins qui emploient des salariés ne peuvent pas ouvrir le dimanche et les jours fériés. Il n'y a que les cafés, les restaurants, les pharmacies et quelques commerces d'alimentation qui sont autorisés à le faire. Pourtant, au Portugal, au Québec, en Grande-Bretagne et en Suède, les règles sont différentes.

Les Français, eux, sont partagés. Les uns pensent que l'ouverture des magasins sept jours sur sept sera une bonne chose pour l'économie. Les salariés qui travaillent le dimanche seront mieux payés.

Les autres ont peur que le dimanche devienne un jour comme les autres. Si les parents doivent travailler le week-end, quand la famille pourra-t-elle se retrouver ?

Source : *Aujourd'hui en France*, 02/01/2005

Irresponsable ou artiste ?

En 1995, Thierry E., un homme d'affaires, achète une belle maison du XVIIe siècle dans un village près de Lyon.

Mais Thierry E. est un artiste. En quelques années, il va totalement transformer sa maison. De la rue, on peut voir des murs peints en rouge, couverts de fumée et de portraits de Ben Laden ou de Fidel Castro. Le jardin ressemble à un théâtre de guerre : canons, voitures accidentées, morceaux d'avions.

Tout cela fait bizarre dans ce pittoresque village qui compte beaucoup de monuments historiques.

Le maire et une partie de la population sont en colère. Ils font un procès. Mais le juge autorise Thierry E. à garder son « œuvre d'art ».

Et d'autres habitants, séduits par ce travail d'artiste, veulent imiter Thierry E.

Source : AFP, 15/09/2006

Lecture de la revue de presse

Lisez les articles avec l'aide du professeur. Pour chaque article, complétez le tableau.

	Article 1
Où se passe l'histoire ?	
Quel est le problème ?	
Qui est son auteur ?	
Qui accuse ?	

Jugez les quatre affaires

(Travail en petits groupes)

1. Faites quatre groupes. Partagez-vous les quatre affaires.

Dans chaque groupe, chacun choisit la personne qu'il va défendre.

2. Chaque étudiant cherche des idées pour défendre la personne qu'il a choisie et pour accuser les autres.

3. Chaque groupe présente son affaire à la classe.

La classe vote pour dire qui a tort et qui a raison.

Pour juger quelqu'un

- **accuser quelqu'un**
  Pierre a tort. Il a tort de dépenser beaucoup d'argent.
  J'accuse Pierre de dépenser beaucoup d'argent. Il n'y a plus d'argent. C'est la faute de Pierre.
  Il est responsable du manque d'argent.
- **défendre quelqu'un**
  Pierre a raison. Il a raison de dépenser beaucoup d'argent.
  Je le défends.
  S'il a un problème d'argent, ce n'est pas (de) sa faute.

Racontez

Connaissez-vous une histoire, une affaire pour compléter la « revue de presse » ?

> ► **Comprendre l'emploi du subjonctif**

> Nous voulons **qu'il y ait** des pistes pour les vélos !
> Il faut que **vous développiez** les transports en commun !
> Il faut que **vous recrutiez** des policiers !

> Je dis qu'**il y aura** 40 km de pistes pour vélos.
> N'oubliez pas que **nous développerons** les transports en commun.
> Je sais que l'insécurité **augmente**.

Élections municipales 2008
VOTEZ Paul ROUX

1 **Observez les phrases ci-dessus et complétez les deux tableaux.**

a. Phrases de Paul Roux

Verbe d'introduction	que	Temps du verbe de la proposition complément
Je dis (dire)	que	il y aura (futur)
...	...	...

b. Phrases du public

Verbe d'introduction	que	Temps du verbe de la proposition complément
Nous voulons (vouloir)	que	il y ait (subjonctif)

Après quels verbes emploie-t-on le subjonctif ?

2 **Lisez le tableau de grammaire ci-dessous.**

L'emploi du subjonctif

Quand le verbe principal exprime : – **un savoir**, **une connaissance** (savoir, dire, répéter, vouloir dire, voir, oublier, se rappeler, se souvenir) – **une opinion positive** (penser, croire) – **un espoir** (espérer) → **le verbe de la proposition complément est à l'indicatif (présent, passé composé, imparfait, futur).** Je sais que Marie **est** absente aujourd'hui. Je crois qu'elle **viendra** demain. J'espère qu'elle n'**a** pas **été** malade.	**Quand le verbe principal exprime :** – **une volonté ou une obligation** (vouloir, demander, avoir besoin, il faut) – **une préférence** (aimer, adorer, préférer, détester, avoir envie, avoir horreur) – **certains sentiments** (avoir peur, souhaiter) → **le verbe de la proposition complément est au subjonctif.** Je veux qu'elle **vienne**. J'ai envie qu'on **soit** ensemble.

Formation du subjonctif présent

Verbes en -er
Il faut que je parl**e**
    que tu parl**es**
    qu'il/elle parl**e**
    que nous parl**ions**
    que vous parl**iez**
    qu'ils/elles parl**ent**

N.B. – Quand la proposition complément a le même sujet que le verbe principal, on utilise la construction à l'infinitif.
Je veux partir.
(mais « **Je veux que tu partes.** »)

Autres verbes
<u>avoir</u> : il faut que j'aie – que tu aies – qu'il/elle ait – que nous ayons – que vous ayez – qu'ils/elles aient
<u>être</u> : il faut que je sois – que tu sois – qu'il/elle soit – que nous soyons – que vous soyez – qu'ils/elles soient
<u>aller</u> : il faut que j'aille – que tu ailles – qu'il/elle aille
<u>venir</u> : ... que je vienne   <u>dire</u> : ... que je dise
<u>prendre</u> : ... que je prenne   <u>savoir</u> : ... que je sache
<u>finir</u> : ... que je finisse   <u>faire</u> : ... que je fasse

Comme avec le futur, il suffit de connaître la première personne pour trouver les autres.
Voir ces conjugaisons p. 174.

3 **Employez le subjonctif.**

a. Le professeur dit souvent ces phrases en classe. Écrivez le verbe à la forme qui convient.

Il faut que vous (*apprendre*) le vocabulaire.
Je voudrais que vous (*faire*) les exercices du cahier d'exercices.
Il faut que nous (*parler*) toujours français en classe.
Il faut que vous (*être*) présents à tous les cours et que vous (*avoir*) votre livre.

b. Trouvez d'autres phrases qui commencent par « Il faut » ou « Je voudrais » et qui sont utilisées en classe.

c. Donnez les instructions de la partie a. à votre voisin(e).

Il faut que tu…

d. Prenez des décisions.

Il faut que je…

4 **Indicatif ou subjonctif ? Mettez les verbes à la forme qui convient.**

Un chef d'entreprise donne des instructions.
• Florence, je sais que vous (*être*) en vacances la semaine prochaine. Je voudrais que vous (*finir*) les comptes pour vendredi.
• Samir, il faut que vous (*aller*) au Canada. Notre bureau de Montréal (*avoir*) un problème.
• Myriam, n'oubliez pas que nous (*offrir*) un cocktail le 10 février. Il faut qu'on (*faire*) les invitations.
• Je ne (*pouvoir*) pas être au Salon de Berlin. Pierre, je voudrais que vous y (*être*).

5 **Imaginez des phrases. Laura et Tarek décorent leur appartement.**

Je voudrais que… J'aime bien que… J'ai horreur que… Je préfère que… Il faut que…

▶ **Indiquer la quantité**

Élections municipales 2014 :
VOTEZ Paul ROUX

Pour les vélos, vous n'avez fait qu'un kilomètre de piste !

Il n'y a qu'un parking dans le centre et il y a trop de voitures.

Vous avez assez d'argent pour le club de football !

Nous n'avons pas assez d'argent !

1 **Répondez en utilisant la construction « ne … que ».**

Exemple : **a.** Je ne connais que Saint-Tropez.
Un homme sélectif
a. Tu connais le sud de la France ? – … Saint-Tropez.
b. Tu vas dans les boîtes de nuit ? – …
c. Tu bois des cocktails ? – …
d. Tu danses avec mes copines ? – … Flora.

Pour évaluer une quantité

1. Poids et mesures
• peser. Cette lettre pèse 20 grammes. Ce paquet pèse 1,5 kg (1 kilo 500)
Combien pèses-tu ? – 55 kilos.
• mesurer. Mon appartement mesure 10 m sur 5.
Il mesure (il fait) 50 m^2 (mètres carrés).
Combien tu mesures ? – 1,70 m (1 mètre 70).

2. Ne … que – Seulement
Beaucoup d'étudiants ont la grippe. Il **n'**y a **que** cinq étudiants dans la classe.
Il y a **seulement** deux garçons.

3. Évaluer
Dans ce quartier, il y a **trop de** voitures.
Est-ce qu'il y a **assez de** parkings ?
Non, il n'y en a **pas assez**.

▶ 🎧 **À l'écoute de la grammaire**

1 **Écoutez ces phrases. Notez le deuxième verbe. Quand ce verbe est au subjonctif, expliquez pourquoi.**

Espoir
Je voudrais que Claudia vienne demain.
J'espère qu'elle me téléphonera.
Il faut que …

2 **Différenciez le présent de l'impératif et le présent du subjonctif.**

Avant le départ en week-end
Préparez-vous ! Il faut que vous vous prépariez.
Rangez vos affaires ! Il faut que vous rangiez vos affaires.
…

Les parfums de Laura

3- Coup de blues

UN NOUVEAU LABORATOIRE DE PARFUMS À GRASSE

Quand on lui dit que le secteur de la parfumerie est en difficulté, Laura Mirmont n'y croit pas. Cette jeune femme courageuse et pleine d'idées vient d'installer à Grasse un nouveau laboratoire spécialisé dans la création de parfums : Floréal. Laura Mirmont est optimiste. Pour elle, « le monde de demain sera parfumé ». Et pas seulement les produits de beauté mais aussi les vêtements, les voitures, les salles de cinéma et de théâtre.
Son équipe vient de créer un livre extraordinaire qui produit des ambiances parfumées selon les pages. Une révolution !

1

Un an plus tard chez Laura et Tarek à Grasse.

Laura : Laura Mirmont, bonjour. ...... Ah, bonjour, Leïla, comment ça va ? ...... Ben moi, je n'arrête pas. ...... Oui, on loue une maison à deux kilomètres de Grasse. ...... Il va bien. Il travaille avec moi maintenant. ...... Oh, c'est pour plus tard. ...... Ben tu sais, on commence. C'est pas facile. ...... On a créé des produits. Maintenant, il faut les commercialiser. ...... Ah, il faut passer nous voir. ...... Le week-end du 11, pas de problème. ...... Non, on a une chambre d'amis. ...... Alors, à bientôt. Ciao !

Transcription

2

Le mardi.

Tarek : Laura, c'est le dernier soir pour aller voir le film de Klapisch !
Laura : Pas ce soir, Tarek. Il faut que je prépare la réunion de demain.
Tarek : Laura, tu ne penses qu'à ton travail. Il faut qu'on sorte, qu'on aille au resto, qu'on voit des gens !
Laura : Quand on aura moins de problèmes.
Tarek : Dommage. C'est un bon film.
Laura : Vas-y seul.
Tarek : J'ai l'autorisation ?
Laura : Oui, mais je t'interdis de rentrer après minuit !
Tarek : Reçu cinq sur cinq. À minuit, je te raconte le film.

Le vendredi, dans les bureaux de Floréal.

Laura : Tu as fait les comptes ?

Tarek : Oui, on ne peut tenir que trois mois !

Laura : Il faut qu'on ait l'aide du pôle de compétences.

Tarek : J'ai peur que ce soit long.

Laura : Et la banque ?

Tarek : Je leur ai montré le prototype. Ça les a amusés, mais ils n'y croient pas.

Laura : Et si on trouve des marchés ?

Tarek : Ça change tout.

Samedi, chez Laura et Tarek.

Leïla : Il est génial, votre truc !

Tarek : On est d'accord mais personne n'en veut !

Leïla : J'ai un copain éditeur. Je suis sûre qu'il sera intéressé !

Laura : Une hirondelle ne fait pas le printemps !

Leïla : Sauf si l'hirondelle fait de la publicité.

Tarek : Et on la paie comment la publicité ?

Leïla : J'ai une copine à la télé... Laura, il faut que tu passes à la télé !

Compréhension et simulations

 1. *Texte et scène 1.*

a. Transcrivez les questions de Leïla.

b. Qu'apprenez-vous de nouveau ?

 2. *Scène 2.* Écoutez la scène.

Le mercredi matin, Laura raconte sa soirée à une assistante. Continuez.

« Hier soir, Tarek a voulu... Mais... »

3. Jouez une de ces scènes à deux. Utilisez le vocabulaire du tableau.

a. Vous voulez organiser une fête dans votre classe (ou dans votre entreprise). Vous demandez l'autorisation au directeur mais certaines choses sont interdites.

b. Vous devez aller d'urgence dans une pharmacie. Vous garez votre voiture sur une place de stationnement interdit. Un policier arrive...

Interdire – Autoriser

- **Interdire – Défendre**

C'est interdit – Je vous interdis de fumer

C'est défendu – Il nous défend de fumer

- **Demander une autorisation**

Est-ce que je peux entrer ? Est-ce que vous m'autorisez à prendre un jour de congé ?
Je demande l'autorisation de prendre un jour de congé.

- **Autoriser**

C'est autorisé. – Je vous autorise à prendre un congé.

Vous avez l'autorisation de sortir à 16 h.

 4. *Scènes 3 et 4.*

Écoutez les scènes. Faites la liste :

– des problèmes de l'entreprise Floréal

– des solutions possibles

Sons, rythmes, intonations

Différenciez [t] et [d].

1. Écoutez ces mots. Notez-les dans le tableau.

[t]	[d]
C'est tôt	Le dos
...	...

2. Interdiction

Dites donc !

L'entrée est interdite.

Vous êtes dans un studio... de télévision sans autorisation. Quelle idée !

ENTRÉE EN POLITIQUE

1790 – la naissance des départements

Quand la Révolution française de 1789 commence, la France est divisée en une trentaine de provinces. Mais ces provinces sont très différentes. Les unes sont plus riches que les autres. Elles n'ont pas les mêmes lois et on n'y parle pas la même langue.

Les députés de la Révolution veulent que les Français soient égaux. Ils partagent la France en 83 **départements**. Chaque département est créé autour d'une ville importante. Il est dirigé par un **préfet** nommé par l'État qui fait respecter les lois de la République.

Aujourd'hui, la France compte **96 départements** et **4 départements d'outre-mer** (La Martinique, la Guadeloupe, la Guyane et la Réunion). Avec la création des **régions** en 1982, certains pensent que le département est une administration inutile.

Mais les Français se reconnaissent dans leur département. On dit « Je suis du Doubs » (département de la ville de Besançon) et un Normand du Calvados se sent différent d'un Normand de l'Eure.

Élections municipales – 18 mars 2001

Comme Paris et Lyon
DIJON PASSE À GAUCHE

La liste de François Rebsamen, numéro 2 du Parti socialiste, est arrivée en tête avec 52,14 % des voix contre 47,86 au RPR François Bazin.

Les Dijonnais ont donc élu leur premier maire de gauche depuis 1945.

François Rebsamen dirigera la commune de Dijon jusqu'en 2007 avec ses 55 conseillers municipaux.

LA RÉGION POITOU-CHARENTES

Située dans l'ouest de la France, la région Poitou-Charentes est une des 22 régions de l'Hexagone. Créée en 1982, elle regroupe quatre départements : la Charente, la Charente-Maritime, les Deux-Sèvres et la Vienne. Elle est administrée par un conseil régional et un président de région installés à Poitiers. Ils sont élus pour 6 ans par les habitants de la région.

En France, la région a moins de pouvoir qu'en Allemagne ou en Espagne. Pour l'éducation, par exemple, c'est Paris (le gouvernement) qui décide des programmes, des jours de vacances, etc.

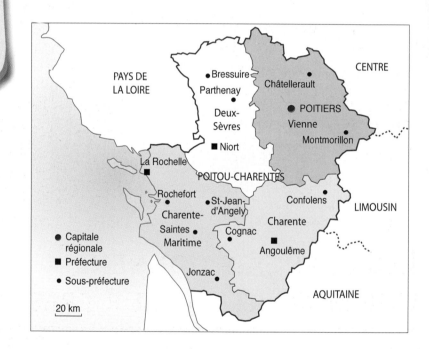

▶ L'organisation administrative de la France

Lisez les documents ci-dessus et complétez le tableau.

Division administrative	La commune	...	...
Qui la gouverne ?			
Comment est-il élu ?			
Par qui ?			
Pour combien de temps ?			

▶ Le gouvernement

En utilisant les documents de la page 149, complétez le schéma suivant.

Les Français élisent

[schéma : case → il nomme → case ; case → il nomme → case]

ÉLECTION PRÉSIDENTIELLE AVRIL 2007

NICOLAS SARKOZY
président de la République

Les électeurs ont fait leur choix. la droite garde le pouvoir en France. Nicolas Sarkozy, candidat de l'UMP (Union pour un mouvement populaire) a été élu par 53,06 % des voix contre Ségolène Royal, candidate du Parti socialiste.

M. Sarkozy a été élu pour 5 ans. Il succède à Jacques Chirac.

Il vient de nommer son Premier ministre, François Fillon, ancien ministre des Affaires sociales puis de l'Éducation nationale. Dans les jours qui viennent, M. Fillon va nommer les ministres du nouveau gouvernement.

Marié et père de trois enfants, Nicolas Sarkozy a 52 ans. Entré très jeune en politique, il a été maire de la ville de Neuilly à 28 ans, ministre du Budget à 38 ans, puis ministre de l'Économie et des Finances et ministre de l'Intérieur.

Nicolas Sarkozy et trois autres présidents de la République :
Charles de Gaulle (1958-1969)
François Mitterrand (1981-1995)
Jacques Chirac (1995-2007)

ÉLECTIONS LÉGISLATIVES

LES FRANÇAIS DONNENT
UNE MAJORITÉ À LEUR PRÉSIDENT

Les élections d'hier ont donné les résultats suivants :
– UMP (Union pour un mouvement populaire) : 323 députés
– Nouveau Centre : 22
– Autres partis du centre : 13
– PS (Parti socialiste) : 186
– Verts : 5
– PC (Parti communiste) et divers gauche : 30
La nouvelle chambre des députés est élue pour cinq ans.

⊕ Les vœux des jeunes

À l'occasion de l'élection présidentielle, on pose à quatre jeunes la question : « Que doit faire le nouveau président ? »
Notez les vœux de ces jeunes.

UN DIMANCHE À LA TÉLÉ...
Notre sélection

VOTRE MATINÉE

6.00-6.30 • **3** • **Euronews**

6.30-6.45 • **TF1** • **Informations**

6.45-10.15 • **TF1** • **Jeunesse et Club Disney** : les films et les dessins animés que les enfants adorent.

10.10-12.40 • **5** • **Le bateau livre** : les livres qui viennent de sortir. Interview de Michel Butor.

12.00-13.00 • **2** • **Chanter la vie** : émission de chansons animée par Pascal Sevran. Les folles années quatre-vingt. Invités : Pascal Obispo, Richard Clayderman.

12.40-13.35 • **5** • **Arrêt sur images** : Daniel Schneidermann étudie comment les différentes chaînes de télévision ont rapporté un événement récent. Aujourd'hui, les événements dans les banlieues.

13.00-13.25 • **2** • **Le journal**

VOTRE APRÈS-MIDI

13.25-15.35 • **2** • **Vivement dimanche** : Michel Drucker invite une personnalité qui raconte les grands moments de sa vie professionnelle et de sa vie privée. Invitée de l'émission : Céline Dion.

16.00-17.00 • **TF1** • **Les experts, Manhattan** : série policière, E.-U., 2004. Réal. : *Alex Zakrzewski*. Danny et Mac enquêtent dans le milieu de la Bourse de New York, suite au meurtre d'un agent de change.

17.00-18.00 • **TF1** • **Vidéo gag** : les meilleurs gags. Les moments les plus drôles.

18.00-19.00 • **TF1** • **Star Académie** : en direct du château. Interview des élèves de la Star Ac.

6.00-9.30 • **M6** • **M6 music et star 6 music** : des interviews, des clips et des chansons françaises et internationales qu'on va bientôt entendre partout.

9.35-10.00 • **5** • **L'atelier de la mode** : au sommaire : la mode dans les hypermarchés, le goût du relooking.

10.00-11.00 • **TF1** • **Auto-moto** : le magazine des passionnés de motos et de voitures.

11.30-12.00 • **2** • **La vie d'ici** : émission régionale. Chaque région présente sa vie locale et ses traditions.

12.50-13.25 • **3** • **Trente millions d'amis** : le magazine des animaux familiers.

L'émission « Arrêt sur images ». Quand la télé parle de la télé.

13.15-13.45 • **2** • **J'ai rendez-vous avec vous** : Rachid Arhab donne la parole aux gens de la rue. En direct de Caen. Les médias sont-ils libres ?

16.10-18.00 • **3** • **Trop, c'est trop** : théâtre. Mise en scène de Georges Beller, avec Georges Beller et Ariane Abadie.
Un psychanalyste a des problèmes avec sa femme. Avant de se séparer, le couple décide de se donner une dernière chance.

17.25-18.00 • **arte** • **La cuisine des terroirs**

18.00-19.00 • **5** • **Ripostes** : Serge Moati anime un débat sur une question d'actualité.

VOTRE SOIRÉE

19.00-20.00 • **TF1** • **Le sept à huit** : Anne-Sophie Lapix et Harry Roselmack reviennent sur les principaux moments de l'actualité de la semaine. Suites de courts reportages.

20.00-20.30 • **2** • **Le journal – la météo – les info routes**

21.00-23.00 • **TF1** • **Qui veut gagner des millions ?** : jeu animé par Jean-Pierre Foucault. Des couples célèbres à la ville ou sur la scène vont essayer de gagner de l'argent pour l'association qu'ils aident.

23.00-24.00 • **CANAL+** • **L'équipe du dimanche** : toute l'actualité du football du week-end en France et dans le monde.

Le plateau de l'émission
« Qui veut gagner des millions ? ».

19.00-20.00 • **arte** • **Concert classique** : l'orchestre Europa Galante, sous la direction de Fabio Biondi, joue du Corelli et du Vivaldi.

20.50-23.00 • **M6** • **Capital** : émission d'économie animée par Guy Lagache. Au programme ce soir : « Femme ou patron, faut-il choisir ? »

23.00-00.20 • **M6** • **Secret d'actualité** : enquêtes. Présentation : Éric Delvaux. Chaque semaine, Éric Delvaux enquête sur un événement mystérieux ou incompréhensible de l'actualité. Cette semaine : le mystère du coup de tête de Zidane au Mondial 2006.

▶ Votre programme télé

1. Avec l'aide du professeur, lisez la sélection télé du dimanche.

a. Classez chaque émission.
– actualité   – jeu
– débat   – magazine de société
– économie   – musique et chanson
– émission jeunesse – théâtre
– fiction   – sport
  (film, téléfilm, etc.)

b. Ce programme ressemble-t-il aux programmes de télévision de votre pays ?

2. Choisissez vos émissions.
Pour chaque moment de la journée, vous avez le choix entre deux émissions.
Sélectionnez l'émission que vous préférez et faites votre programme de la journée.

▶ Créez votre programme télé

(Travail en petits groupes)

1. Imaginez et rédigez votre programme télé idéal. Pour chaque émission rédigez trois lignes de présentation.

2. Présentez votre programme. Discutez.

▶ Pour parler de la télévision et de la radio

• **La télévision**
une chaîne de télévision
– une télécommande – changer de chaîne – zapper – les chaînes publiques : France 2, France 3, France 5, Arte, TV5
les chaînes privées : TF1, M6, Canal Plus, LCI, etc.
les chaînes régionales, locales

• **La radio**
une radio (un poste de radio) – une station de radio
les stations publiques : France Inter, France Info, France Culture, France Musique, RFI (Radio France Internationale)
les stations privées : RTL, RMC, Europe 1, Fun radio, Sky Rock

• **Les émissions (de télévision ou de radio)**
le journal (les informations) – un débat
– un magazine – un reportage
– un documentaire – un film (un téléfilm)
– un jeu – une émission de téléréalité

▶ **Caractériser, préciser avec une proposition relative**

> Voici la maison **où nous tournons** « **Les parfums de Laura** », un téléfilm **qu'on programmera** l'été prochain.

> Je connais un comédien **qui voudrait jouer** dans ton film.

> Tu connais l'actrice **qui joue** le rôle de Laura ?

> C'est Anne Rivière, une actrice **que j'aime** beaucoup.

> Les vêtements **que tu as dessinés** sont très bien.

> METTEUR EN SCÈNE

> On a trouvé un endroit **où on peut tourner** les scènes de Madagascar ?

1 **Observez les phrases ci-dessus.**
Quel mot caractérise chaque groupe en gras ?
Réécrivez les phrases sans utiliser les pronoms relatifs (qui, que, où).

Exemple : Voici une maison. Nous tournons « Les parfums de Laura » dans cette maison.

2 **Combinez les deux phrases en utilisant « que ».**

• Ce soir, nous allons regarder une émission de télé. J'aime beaucoup cette émission.
• « Thalassa » est une belle émission. Je la regarde toujours.
• J'y découvre des pays extraordinaires. Je ne connais pas ces pays.

3 **Ajoutez l'information entre parenthèses en utilisant « qui », « que », « où ».**

• Pierre m'a prêté un CD. (J'ai écouté ce CD)
• J'ai découvert un chanteur. (On connaît mal ce chanteur)
• Il fait de belles chansons. (Les chansons parlent du Brésil)
• Il a des rythmes super. (Ces rythmes me plaisent)
• Le Brésil est un beau pays. (J'ai envie d'y aller)

4 **Transformez les phrases en présentant le mot souligné.**

Exemple : **a.** C'est un film que j'adore.
a. *Astérix aux Jeux olympiques* : j'adore ce <u>film</u>.
b. Clovis Cornillac. Cet <u>acteur</u> joue très bien.
c. Adriana Karembeu. Cette <u>actrice</u> est très belle.
d. Alain Delon. J'ai vu très souvent cet <u>acteur</u>.
e. Jamel Debbouze. Ce <u>comédien</u> est amusant.

Les propositions relatives

Une proposition relative caractérise un nom (personne, chose ou idée). Cette proposition peut être introduite par :

• **qui**
Le mot caractérisé est sujet du verbe de la proposition relative.
J'ai vu un film. **Il** a été tourné en Provence.
→ J'ai vu un film **qui** a été tourné en Provence.

• **que**
Le mot caractérisé est complément direct du verbe de la proposition relative.
Nous avons vu un film. Pierre a beaucoup aimé **ce film**.
→ Nous avons vu un film **que** Pierre a beaucoup aimé.

• **où**
Le mot caractérisé est complément de lieu de la proposition relative.
Je suis retourné au cinéma La Pagode. Nous avons vu le film *Amélie Poulain* **dans ce cinéma**.
→ Je suis retourné au cinéma La Pagode **où** nous avons vu le film *Amélie Poulain*.

Constructions pour présenter ou définir

• Qui est Anne Rivière ?
– **C'est** l'actrice **qui** joue le rôle de Laura.
• **Voici** un livre **que** j'aime beaucoup et **que** j'offrirai à Paul pour son anniversaire.
• Toulouse : **c'est** la ville **où** je suis né(e).

Le mot caractérisé peut être défini ou indéfini.
Je connais **un acteur qui** peut jouer le rôle de Tarek.
Je connais bien **l'actrice qui** joue le rôle de Laura.

▶ **Caractériser une action**

On répète...
Entre rapidement. **Ferme
la porte** doucement.
Quitte ta veste en disant
« Salut ! ».
En parlant, **va** lentement
vers Tarek...

C'est elle qui **sait**
le mieux son texte !

1 **Recherchez et classez les formes qui caractérisent les groupes verbaux en gras.**

entre → rapidement

2 **Remplacez l'expression ou la phrase soulignées par un adverbe en -ment.**

Réussite à l'examen
Inès a étudié <u>avec beaucoup de patience</u>.
Elle est allée passer l'examen. <u>Elle était tranquille</u>.
Elle a répondu aux questions <u>avec intelligence</u>.
<u>Elle a trouvé ça facile</u>. Elle a réussi.
Elle a fêté son succès <u>avec joie</u>.

3 **Placez l'adverbe entre parenthèses dans la phrase.**

Une fête
Nous avons mangé (beaucoup).
Nous nous sommes amusés (beaucoup).
Nous avons dansé (bien).
Nous avons chanté (joyeusement).
Nous sommes partis (très tard).

4 **Complétez en utilisant la forme « en + participe présent ».**

Parlez de vos habitudes
a. J'écoute de la musique en prenant mon bain, en ...
b. Je téléphone sur mon portable en ...
c. Je regarde la télévision ...
d. Je travaille ...

Caractériser une action

1. Les adverbes
• Quelques adverbes fréquents : bien – mal – vite
– fort – souvent – très – etc.
• **Les adverbes en -(e)ment**
Ils sont formés à partir d'un adjectif.
lent → lentement   régulier → régulièrement
vrai → vraiment   heureux → heureusement
• **La place de l'adverbe**
→ aux temps simples
Elle parle **bien, rapidement, correctement**.
→ aux temps composés
Il est sorti **rapidement**. Il est sorti **tôt**.
Certains adverbes courts peuvent se placer après l'auxiliaire.
Il est **vite** sorti.
• **Nuancer le sens d'un adverbe**
Elle chante **assez** bien.
Cette entreprise marche **parfaitement** bien.

2. La forme « en + participe présent »
Le participe présent se forme généralement à partir de la forme « nous » du présent.
nous parlons → **parlant**   nous allons → **allant**
La forme « en + participe présent » caractérise une action ou donne une information sur cette action.
Il dîne **en regardant la télévision**.
Ils se sont salués **en se serrant la main**.

3. Caractériser une action par un superlatif
C'est Marie qui joue **le mieux**.
L'artiste qui joue **le plus mal** est parti.

▶ 🎧 **À l'écoute de la grammaire**

1 **Le son [u] opposé à [o] et à [w]**

Jalousie
Voici le château où tu es née
Voici l'hôtel où il vit
Pourquoi vous et pas moi ?
Voici le bureau où je travaille
Voici le vieux bateau où je vis
Pourquoi moi et pas vous ?

2 **Formes orales familières. Notez ce qui n'est pas prononcé.**

Il y a quelqu'un ?
Tu es où ?
Il n'y a personne ?
Tu ne m'entends pas ?
Tu n'es pas loin ?
Tu n'as pas pris tes affaires !

Les parfums de Laura

4- Coup de cœur

1

Paris. Sur un plateau de télévision.
Une heure avant l'émission « Il faut tout essayer ».

Laura : J'ai un peu le trac !
La réalisatrice de l'émission : C'est normal. Ne vous inquiétez pas. Ça va passer en arrivant sur le plateau.
Laura : Je l'espère !
La réalisatrice : On va faire une répétition... Entrez !... En souriant, s'il vous plaît !... Descendez l'escalier !... Plus rapidement... en regardant le public !
Laura : On vit dangereusement, chez vous.
La réalisatrice : Maintenant, allez vers l'animateur et serrez-lui la main en lui disant bonjour.
Laura : C'est lui qui me présente ?
La réalisatrice : Oui, mais attention, il va commencer par une plaisanterie...

2

Deux jours plus tard
dans les bureaux de Floréal.

Tarek : C'est formidable. Tous les journaux parlent de l'émission. Écoutez... *Le Figaro* : « Après le livre qu'on écoute, voici le livre qu'on respire ».
Un employé : Pas mal !
Tarek : *Le Parisien* : « Des histoires bien senties ».
L'employé : Très fort !

▶ *Transcription*

3

Six mois plus tard. À l'aéroport de Nosy Be, à Madagascar.

M. Andriavolo : Bonjour, madame Mirmont, bonjour, monsieur Issifi. Je suis très heureux de faire votre connaissance.
Laura : Nous aussi. C'est très gentil d'être venu à l'aéroport.
M. Andriavolo : Vous avez fait bon voyage ?
Tarek : Excellent !
M. Andriavolo : Alors, bienvenue à Nosy Be, qu'on appelle l'île aux parfums !
Tarek : C'est tout un programme... C'est ici que vous avez vos plantations ?
M. Andriavolo : Mes petites plantations. Justement, je suis surpris...
Laura : De quoi, monsieur Andriavolo ?
M. Andriavolo : Pour acheter vos fleurs, c'est moi que vous choisissez, moi, un petit producteur et pas la Sodexport. C'est étonnant.
Laura : On cherche un partenaire commercial, c'est vrai. Mais on veut aussi quelqu'un qui participe à la création de nos parfums...

4

À la fin du séjour à Madagascar.

Laura : Je lève mon verre à Madagascar et à M. Andriavolo. Avec lui, nous serons les meilleurs !

M. Andriavolo : Pourquoi voulez-vous toujours être les meilleurs ?

Laura : C'est plus fort que nous !

M. Andriavolo : Vous voyez cet arbre ?

Laura : Oui, c'est un baobab.

M. Andriavolo : Je vais vous raconter une histoire...
Au commencement du monde, le baobab était le plus bel arbre de la forêt. L'arbre qui faisait les plus belles branches, les plus belles feuilles, les plus belles fleurs, l'arbre que tout le monde admirait.
Mais comme on lui disait toujours qu'il était beau, il est devenu orgueilleux.
Alors Dieu a voulu le punir. Il l'a arraché et l'a replanté à l'envers. Les racines vers le haut. Et c'est comme ça qu'il est aujourd'hui !

Laura : C'est une belle histoire. On en fera un livre qui aura les parfums de Nosy Be !

M. Andriavolo : Vous ne perdez pas le nord, vous !

Compréhension et simulations

1. *Scène 1.* Écoutez la scène.
a. Faites les gestes et les mouvements de Laura.
b. Imaginez comment le présentateur va présenter Laura.

2. Jouez la scène à deux.
Utilisez les constructions qui caractérisent les verbes (voir p. 153).
Votre ami(e) va à un entretien pour trouver du travail. Vous lui donnez des conseils.
« Habille-toi... Arrive... Entre dans la pièce... »

3. *Scène 2.*
Écoutez et transcrivez la scène. Relevez :
a. les titres des articles de presse qui parlent de Laura
b. les propositions des entreprises

4. *Scène 3.*
a. Écoutez le début de la scène. Notez les formules d'accueil.
b. Écoutez la fin de la scène. Notez pourquoi Laura et Tarek sont allés voir M. Andriavolo.

5. *Scène 4.* Écoutez la scène.
a. Racontez l'histoire du baobab.
b. Quel est le sens de cette histoire ? Connaissez-vous des histoires qui ont le même sens ?

**6. Imaginez une suite de l'histoire
« Les parfums de Laura ».**

Pour présenter quelqu'un – Pour porter un toast

• Présenter quelqu'un
Mesdames et messieurs... Chers amis...
Madame... Je vous présente... Je voudrais vous présenter Marie Durand...
C'est quelqu'un qui a fait... que nous connaissons bien...

• Porter un toast
Je voudrais porter un toast à nos amis...
Je lève mon verre à... Je lève mon verre en l'honneur de la visite de Marie Durand...

Sons, rythmes, intonations

**Intonations de la surprise,
de la satisfaction et de la déception**
Classez les expressions dans le tableau.

surprise	satisfaction	déception
1. Quoi ?	2. Ah !	3. Oh !
...	...	...

Dans les journaux, à la télé, à la radio
il n'y a pas que des mauvaises nouvelles

LE KILO FRANÇAIS A PERDU DU POIDS

C'est au Bureau international des poids et mesures de Sèvres, à côté de Paris, que se trouve depuis 1889 le prototype international du kilo.
Tous les pays du monde qui utilisent le kilo sont venus au BIPM pour faire une copie de ce prototype.
Mais en comparant récemment les différentes copies, on vient de découvrir qu'elles ne font pas exactement le même poids.
Le kilo espagnol pèse 56 microgrammes de plus que le prototype, le kilo russe, 32, le kilo norvégien, 49.
Une bonne nouvelle pour les Espagnols, les Russes et les Norvégiens. Ils viennent de perdre du poids en lisant cet article.
Sauf si c'est le prototype français qui ne fait plus le poids.

Source : *Le Monde* 27/04/2005.

Le « K », le prototype du kilo.

IL Y A DES GENS BIEN

De graves inondations ont eu lieu dans la province de Fukui au Japon. De nombreuses familles sont sans logement.
Alors, imaginez la surprise du gouverneur de cette province quand il découvre dans son courrier le billet gagnant du Loto japonais : un billet qui vaut 1,8 million de dollars.
Le généreux envoyeur ne donnait pas son nom mais précisait qu'il offrait son billet aux familles en difficulté.

Source : *Marianne*, 17/08/2005.

LE JUGE A DE L'HUMOUR

La municipalité de Miami Beach ne supporte pas qu'on mette trop fort la musique dans les voitures. On ne doit pas l'entendre à plus de 30 mètres.
Michaël C., un passionné de rap, n'a pas observé le règlement et s'est retrouvé devant le juge. Heureusement, le juge avait de l'humour. Michaël C. a été condamné à écouter l'opéra de Verdi *La Traviata* pendant deux heures et demie.

Source : *Marianne*, 09/02/2004.

📖 *Poésie record*

Patrick H., qui est écrivain public à Lyon, occupe son temps libre à faire de la poésie.
Il vient d'écrire le plus long poème de la langue française. Écrit sur du tissu, il compte 7 547 vers et mesure 994 mètres.
De plus, en lisant la première lettre de chaque vers, on retrouve la Déclaration des droits de l'homme.
Bonne chance aux élèves qui devront peut-être un jour l'apprendre par cœur.

Source : *Marianne*, 12/08/2006.

▶ ## Lecture des articles

(Travail en quatre groupes)

1. Chaque groupe choisit un article et répond aux questions.
a. Où se passe l'histoire ?
b. De qui (de quoi) parle-t-on ?
c. Qu'a-t-il fait ? Que s'est-il passé ?

2. Chaque groupe raconte l'histoire qu'il a lue.

3. Chaque groupe recherche et raconte une autre histoire.

▶ ## 🎧 Écoutez une histoire

1. Observez la photo de l'équipe de France de football p. 14. Notez le geste des joueurs.

2. Écoutez l'explication de ce geste.

▶ ## Écrivez

À partir des informations que vous avez entendues, écrivez un petit article pour accompagner la photo.

COMMENT LES FRANÇAIS S'INFORMENT

▶ JOURNAUX NATIONAUX EN BAISSE

Un Français sur six lit un journal national. C'est moins qu'il y a vingt ans et moins qu'en Grande-Bretagne ou qu'en Allemagne.

Pourquoi cette diminution ? D'abord parce qu'avec la radio, la télévision et les journaux gratuits (voir p. 68), on a facilement les informations essentielles. Ensuite parce que, quand on veut réfléchir à un sujet d'actualité, on préfère les magazines.

Mais les grands titres sont toujours présents : *Le Figaro* développe plutôt des idées de droite, *Libération*, des idées de gauche. Tout le monde apprécie le sérieux du *Monde*, la simplicité d'*Aujourd'hui en France* (qu'on appelle *Le Parisien* à Paris), l'humour du *Canard enchaîné* et les informations sportives de *L'Équipe*.

▶ L'IMPORTANCE DES JOURNAUX RÉGIONAUX

Les journaux régionaux sont en meilleure santé. *Ouest-France*, par exemple, se vend plus que *Le Monde* ou que *Le Figaro*. Un Français sur deux lit le journal de sa région : *Sud-Ouest*, *La Voix du Nord*, *Le Dauphiné libéré* (région de Grenoble), *Le Progrès* (région de Lyon), etc.

Il y trouve les principales informations nationales et régionales mais surtout des pages sur sa ville ou son village. C'est là qu'il trouvera les dernières décisions du conseil municipal, les programmes des cinémas, les prochains spectacles et qu'il se verra peut-être en photo au milieu des participants de la fête locale.

▶ LE GOÛT POUR LES MAGAZINES

Les Français achètent beaucoup de magazines selon leurs intérêts ou leurs passions. Les plus lus sont les magazines de télévision (*TV Magazine*, *Télé 7 jours*), les magazines féminins (*Femme actuelle*, *Elle*), ceux qui parlent des célébrités (*Voici*), ceux qui parlent politique et culture (*Le Nouvel Observateur*, *Le Point*, *L'Express*, *Marianne*). Mais il n'y en a aussi pour tous les goûts (*Voyager*, *Capital*, etc.).

Les Français et la presse

**1. Lisez « Comment les Français s'informent ».
Relevez ce qui est surprenant pour vous.**

**2. Observez les journaux et les magazines ci-dessus.
Quels sont les sujets qui sont annoncés ?**

Évaluez-vous

1 | Pensez-vous être capable de vous adapter à la vie en France. | .../10

Répondez « oui » ou « non ». Comptez les « oui ».

• **Si vous allez en France, vous saurez comment faire pour :**

a. étudier le français   ...

b. vous inscrire à l'université ou dans une école supérieure   ...

c. chercher du travail   ...

d. vous loger   ...

e. rencontrer des gens   ...

• **En comparant la France à votre pays, vous pouvez citer quelques particularités de la France...**

f. dans l'éducation des enfants et des jeunes

g. dans les conditions de travail

h. dans l'organisation administrative du pays

i. dans la vie politique

j. dans la presse et la télévision

2 | Vous comprenez un curriculum vitae. | .../10

Lisez le curriculum vitae de la page 159. Répondez aux questions.

a. À qui s'adresse ce document ?

b. Quelle est la formation principale du candidat ?

c. Quelle est sa situation de famille ?

d. Est-ce un jeune demandeur d'emploi ?

e. A-t-il des compétences en plus de sa formation principale

f. A-t-il fait des stages ou a-t-il eu des contrats de courte durée ?

g. A-t-il une expérience professionnelle plus longue dans une entreprise ?

h. Est-il compétent en informatique ?

i. Connaît-il bien l'anglais ?

j. Clément Martin pourrait-il faire la promotion touristique de votre pays en France ?

Comptez un point par réponse juste.

3 | Vous pouvez présenter votre formation et votre parcours professionnel. | .../10

Vous cherchez du travail en France. Rédigez votre CV.
Vous pouvez aussi rédiger le CV d'une personne imaginaire.
Lisez votre CV à la classe. Décidez ensemble d'une note.

4 | Vous comprenez des informations portant sur des projets et des changements. | .../10

Le maire d'une ville de la région Languedoc-Roussillon (sud de la France) parle de l'avenir de sa ville. Notez ce qui va changer dans les secteurs suivants :

a. Population ...

b. Transport : ...

c. Éducation : ...

d. Logement : ...

e. Environnement : ...

Clément MARTIN
24 rue du marché   26 ans
45000 ORLÉANS   célibataire
Tél : 02
Courriel : clemartin@wanadoo.fr

FORMATION

2003-2004   DESS de communication, université Dauphine-Paris IX

2003   Mastère de droit et sciences économiques – université d'Orléans

2002   Diplôme de l'anglais des affaires de la Chambre de commerce
            et d'industrie franco-britannique

LANGUES

Anglais : bilingue   Espagnol : courant   Notions de japonais

EXPÉRIENCE PROFESSIONNELLE

2006-2008   NESTLÉ WATER France – Chargé de communication
            Rédaction de dossiers et de communiqués de presse
            – Organisation de conférences de presse

2005   L'ORÉAL – Durée : 6 mois – Chargé de communication
            Rédaction de dossiers de presse – Participation au lancement
            d'un produit de la marque

2004   CONSEIL GÉNÉRAL DE LA RÉGION CENTRE – Durée : 6 mois
            Réalisation d'une campagne de promotion de produit régionaux
            Chargé de la revue *Votre Région*

2003   Journaliste stagiaire à France 3 Centre

RÉALISATION

Réalisation d'un spot vidéo pour Air France
Réalisation du stand de la région Centre à la Foire internationale de Barcelone

DIVERS

Maîtrise des logiciels Word, Excel, X Press et Photoshop sur Mac et PC
Sports pratiqués : ski, tennis, golf

---

5) **Vous comprenez une information portant sur la société française.**   .../10

**Voici des extraits de presse. Trouvez le titre correspondant à chaque début d'article.
Comptez 1,5 point par réponse juste.**

a. Florence Bonnet, tête de la liste « République et progrès », a été élue maire de Villeneuve.
b. Avec 89 % de réussite au baccalauréat, le lycée Albert-Camus devient le meilleur lycée de la région.
c. Un train sur trois circulera demain.
d. 150 000 emplois ont été créés l'an dernier.
e. Le président de la République sera demain dans notre région pour l'inauguration du Centre de recherche sur les énergies nouvelles.
f. Notre région a connu son automne le plus chaud depuis 1950.
g. De nouvelles émissions sur la deuxième chaîne.

1. GRÈVE À LA SNCF
2. RÉCHAUFFEMENT DU CLIMAT
3. ÉLECTION MUNICIPALE
4. PROGRAMMES TÉLÉ
5. VISITE DU CHEF DE L'ÉTAT
6. BAISSE DU CHÔMAGE
7. RÉSULTAT DES EXAMENS

6 **Vous comprenez une annonce.** .../10

🎧 **Écoutez ces cinq personnes. Trouvez l'annonce qui peut intéresser chacune d'elle.**

1. ...   2. ...   3. ...   4. ...   5. ...

a.

VENDS Peugeot 206, bleue,
90 000 km, très bon état,
4 000
Tél. : 06...

b.

Étudiante en droit, 20 ans,
**Garde enfants, aide aux
devoirs**
À partir de 17 h
Tél. : 06...

c.

2 places pour Paris
Départ vendredi 08/05 vers 8 h
Retour dimanche 10/05 le soir
Participation aux frais
Tél. : 06...

d.

Étudiante anglaise
Donne cours d'anglais
ou échange cours d'anglais
contre cours de français
Tél. : 06...

e.

FOIRE INTERNATIONALE DE MARSEILLE
Cherche hôte / hôtesse d'accueil
parlant français, anglais + 2e langue étrangère
Tél. : 06...   (espagnol, allemand, italien, etc.)

---

7 **Vous savez demander des précisions sur une proposition.** .../10

**Préparez et jouez la scène suivante
avec votre voisin(e).**

Vous êtes intéressé(e) par une des annonces
ci-dessus. Vous téléphonez pour demander
des précisions.
Exemple : a. Quand la voiture a-t-elle été
achetée ? Qui la conduisait ? etc.

Décidez ensemble d'une note.

8 🎧 **Vous pouvez réagir à une information.** .../10

🎧 **Écoutez. Ces personnes vous parlent.
Réagissez à ce qu'elles disent en utilisant
une des phrases suivantes.**

a. C'est bien dommage...
b. Ne t'inquiète pas !
c. Réfléchis bien.
d. Il a tort.
e. Je te souhaite bon courage.

**Corrigez. Comptez deux points par
réponse juste.**

---

9 **Vous pouvez rédiger une liste ou un programme.** .../10

Votre classe décide d'organiser un « week-end
français » dans un lieu original et avec des
activités de loisirs variées. Seule obligation :
tout sera en français (chansons, films, jeux, etc.).
**Vous choisissez un lieu et vous préparez
le programme de ce week-end.**

> **Week-end en français**
> Lieu : ...
> Programme : ...

10 **Vous savez brièvement exprimer une opinion.** .../10

**Un forum de discussion sur Internet
vous propose les sujets de discussion
suivants.
Choisissez-en un et exprimez votre
opinion en 4 ou 5 lignes.**

• Faut-il arrêter la fabrication des grosses
voitures 4 x 4 ?
• Faut-il interdire la vente de cigarettes ?
• Faut-il autoriser la vente libre
de médicaments ?

**Lisez votre texte à la classe. Décidez
ensemble d'une note.**

---

11 🎧 **Vous connaissez la société française.** .../10

🎧 **Écoutez : un ami qui ne connaît pas la France vous pose dix questions.
Répondez aux questions oralement ou par écrit.
Vérifiez les réponses pages 133, 141, 149 et 157. Notez-vous.**

12 **Vous utilisez correctement le français.** .../40

a. Le temps futur. Mettez les verbes entre parenthèses au futur.

Projet de vie
• L'année prochaine, je (*prendre*) une année sabbatique.
– Qu'est-ce que tu (*faire*) ?
• J'(*aller*) en Italie. J'(*apprendre*) l'italien. J'(*essayer*) de faire des stages dans des entreprises.
– Tu (*habiter*) où ?
• À Milan, J'ai des copains qui me (*loger*).
– Aline et moi, nous (*venir*) peut-être te voir.
• J'espère que vous (*venir*). Nous (*visiter*) la Toscane.

Notez sur .../10

b. Les propositions relatives. Ajoutez à la phrase l'information entre parenthèses.

Réflexions en lisant le programme télé
1. On passe un vieux film de Hitchcock (J'ai envie de le voir)
2. « Ce soir ou jamais » est une bonne émission (On peut y voir beaucoup de gens nouveaux)
3. Sur la « 2 », il y a un film (Je l'ai déjà vu)
4. J'adore les émissions comme Ushuaïa (Elles nous montrent des régions du monde et des gens extraordinaires)
5. Sur TF1, il y a une émission de téléréalité (D'habitude, elle m'ennuie)

Notez sur .../10

c. Les constructions comparatives. Rédigez une phrase comparative pour chaque statistique.

Nombre d'habitants : France (60 millions)
Espagne (40 millions)
Durée du travail : France (35 h par semaine)
Allemagne (37 h par semaine)
Durée des vacances : France (5 semaines)
Italie (5 semaines)

Âge de la retraite (fonctionnaires) :
France (60 ans)
Royaume-Uni (60 ans)
Entrée dans l'Union européenne : France (1957)
Pologne (2004)

Notez sur .../10

d. Les pronoms compléments Remplacez les mots en gras par « en » ou « y ».

Luc : Tu as du travail ce week-end ?
Anna : Non, je n'ai pas **de travail**.
Luc : Moi, j'ai besoin d'un week-end de détente.
Anna : Moi aussi, j'ai besoin **d'un week-end de détente**.
Luc : On peut aller chez Lucy et Jean.
Anna : Ils ont une maison de campagne ?
Luc : Oui, ils ont **une maison de campagne** dans les Vosges.
Anna : Tu crois qu'ils seront **dans leur maison** ce week-end ?
Luc : Oui, Lucy m'a proposé d'aller **dans leur maison de campagne** avec eux.
Anna : Alors d'accord, on va **chez Lucy et Jean**.

Notez sur .../5

e. Le subjonctif. Mettez les verbes entre parenthèses au temps qui convient (présent du subjonctif, présent ou futur de l'indicatif).

Une famille se prépare à partir en vacances
La mère : Les enfants, il faut que vous (*se dépêcher*). Je veux que vous (*être*) prêts à 7 h 30. Il faut que nous (*partir*) à 8 h précise. J'espère qu'(*il n'y a pas*) trop de voitures sur l'autoroute. N'oubliez pas que nous (*devoir*) arriver en fin d'après-midi.

Notez sur .../5

Évaluez vos compétences

	Tests	Total des points
• Votre compréhension de l'oral	4 + 6 + 8 + 11	... / 40
• Votre expression orale	1 + 7	... / 20
• Votre compréhension de l'écrit	2 + 5	... / 20
• Votre expression écrite	3 + 9 + 10	... / 30
• La correction de votre français	12	... / 40
Total		**... / 150**

... dans les livres

Projet : prix du livre pour débutants en français

En France, le prix Goncourt et le prix Fémina récompensent les meilleurs romans francophones de l'année. Vous allez choisir le meilleur livre pour débutants en français.
Il doit être à la fois facile et intéressant.
Vous pouvez choisir :
– un des trois livres suivants
– un livre découvert dans la bibliothèque de votre école de langue. Par exemple, un livre de la collection ou un livre que le bibliothécaire vous conseillera.
Chaque étudiant présentera en quelques phrases le début du livre et lira un extrait.
Puis vous voterez pour désigner le meilleur.

Novembre est en France le mois des prix littéraires. Les plus recherchés sont le prix Goncourt et le prix Fémina.

► Roman

Le Robert des noms propres, d'Amélie Nothomb

Amélie Nothomb
Robert des noms propres

À l'âge de 18 ans, Lucette se marie avec Fabien. Quelque temps après, elle attend un bébé. Mais Fabien n'est pas un bon mari. Il ne travaille pas et il est souvent absent. Lucette pense qu'il ne peut pas assurer l'avenir de son enfant. Une nuit, elle le tue et se retrouve au poste de police. Un policier l'interroge.

– Pourquoi avez-vous tué votre mari ?
– Dans mon ventre, le petit avait le hoquet.
– Oui, et ensuite ?
– Rien. J'ai tué Fabien.
– Vous l'avez tué parce que le petit avait le hoquet ?
Elle parut interloquée avant de répondre :
– Non, ce n'est pas si simple. Cela dit, le petit n'a plus le hoquet.
– Vous avez tué votre mari pour faire passer le hoquet du petit ?
Elle eut un rire déplacé :
– Non, enfin, c'est ridicule !
– Pourquoi avez-vous tué votre mari ?
– Pour protéger mon bébé, affirma-t-elle, cette fois avec un sérieux tragique.
– Ah. Votre mari l'avait menacé ?
– Oui.
– Il fallait le dire tout de suite.
– Oui.
– Et de quoi le menaçait-il ?
– Il voulait l'appeler Tanguy si c'était un garçon et Joëlle si c'était une fille.
– Et puis ?
– Rien.
– Vous avez tué votre mari parce que vous n'aimiez pas son choix de prénoms ?

© Éditions Albin Michel SA, 2002.

1. Lisez cet extrait. Relevez ce qui est bizarre et amusant.
2. Imaginez la suite du dialogue.

► Nouvelle

Je voudrais que quelqu'un m'attende quelque part, d'Anna Gavalda

*La jeune femme (qui raconte l'histoire) vient de croiser un homme
sur le boulevard Saint-Michel à Paris.
Ils se sont regardés. Ils se sont souri. Puis, chacun a continué son chemin.
Mais quelques minutes plus tard, ils se croisent à nouveau.*

J'étais arrêtée au bord du trottoir à guetter le flot des voitures pour traverser à la hauteur de la rue des Saints-Pères.
Précision : une Parisienne qui se respecte sur le boulevard Saint-Germain ne traverse jamais sur les lignes blanches quand le feu est rouge. Une Parisienne qui se respecte guette le flot des voitures et s'élance tout en sachant qu'elle prend un risque.
Mourir pour la vitrine de chez Paule Ka. C'est délicieux. [...]

– Pardon...
Je me retourne.
– Oh, mais qui est là ?... ma jolie proie[1] de tout à l'heure. [...]
Je me demandais si vous accepteriez de dîner avec moi ce soir...
Dans ma tête, je pense « Comme c'est romantique ... » mais je réponds :
– C'est un peu rapide, non ?
Le voilà qui me répond du tac au tac et je vous promets que c'est vrai :
– Je vous l'accorde, c'est rapide. Mais en vous regardant vous éloigner, je me suis dit : c'est trop bête, voilà une femme que je croise dans la rue, je lui souris, elle me sourit, nous nous frôlons et nous allons nous perdre... C'est trop bête, non vraiment, c'est même absurde. Qu'est-ce que vous en pensez ? Ça vous paraît complètement idiot ce que je vous dis là ?
– Non, non, pas du tout.
Je commençais à me sentir un peu mal, moi...
– Alors ?... Qu'en dites-vous ? Ici, là, ce soir, tout à l'heure, à neuf heures, à cet endroit exactement ? [...]
– Donnez-moi une seule raison d'accepter votre invitation.
– Une seule... mon Dieu... que c'est difficile. [...] Une seule raison. La voilà : dites oui, que j'aie l'occasion de me raser... Sincèrement, je crois que je suis beaucoup mieux quand je suis rasé.

© Éditions Le Dilettante, 1999.

1. *proie* : animal qu'un autre animal tue pour se nourrir. L'auteur se compare ici à un « oiseau de proie ».

1. Lisez cet extrait d'une nouvelle d'Anna Gavalda. Résumez l'histoire en quelques phrases.
2. Que pensez-vous de cette jeune Parisienne ?
a. D'après vous, est-elle : amoureuse, séductrice, libre, naturelle, directe ?
b. A-t-elle un coup de foudre ? Veut-elle seulement s'amuser ?...
3. Connaissez-vous des rencontres originales dans les romans, au cinéma ?

▶ Bande dessinée

Le Retour à la terre, La Vraie Vie, **de Ferry et Larcenet**

Manu, un dessinateur de bande dessinée, et sa compagne viennent de s'installer à la campagne dans un petit village. Ils invitent leurs copains et leurs collègues de Paris.

1. Imaginez pourquoi Manu et sa compagne se sont installés à la campagne. Quelles sont les réactions des invités...
– au début du cocktail ?
– plus tard dans la soirée ?

2. Recherchez et imaginez en petits groupes. Un couple de Français s'installe dans votre pays. Quelles sont...
– leurs réactions le jour de leur arrivée ?
– leurs réactions deux mois plus tard ?

© Éditions Dargaud, 2002.

Annexes

Les nombres

> Jamais deux sans trois ! | les nombres

012345 6789

De 0 à 10

0 : zéro
1 : un – 2 : deux – 3 : trois – 4 : quatre – 5 : cinq – 6 : six – 7 : sept
– 8 : huit – 9 : neuf – 10 : dix

De 11 à 100

11 : onze – 12 : douze – 13 : treize – 14 : quatorze – 15 : quinze
16 : seize – 17 : dix-sept – 18 : dix-huit – 19 : dix-neuf
20 : vingt – 21 : vingt et un – 22 : vingt-deux – 23 : vingt-trois
30 : trente – 31 : trente et un – 32 : trente–deux – 33 : trente-trois
40 : quarante – 41 : quarante et un – 42 : quarante-deux
– 43 : quarante-trois
50 : cinquante – 51 : cinquante et un – 52 : cinquante-deux
– 53 : cinquante-trois
60 : soixante – 61 : soixante et un – 62 : soixante-deux
– 63 : soixante-trois
70 : soixante-dix – 71 : soixante et onze – 72 : soixante-douze
– 73 : soixante-treize
80 : quatre-vingts – 81 : quatre vingt-un – 82 : quatre-vingt-deux
- 83 : quatre-vingt-trois
90 : quatre-vingt-dix - 91 : quatre-vingt-onze – 92 : quatre-vingt-douze
- 93 : quatre-vingt-treize
100 : cent – 101 : cent un – 102 : cent deux – 103 : cent trois

Après 100

200 : deux cents – 201 : deux cent un – 202 deux cent deux
– 203 : deux cent trois
1000 : mille – 1001 : mille un – 1002 : mille deux
1 000 000 : un million – 2 300 000 : deux millions trois cents mille

Orthographe

• « Vingt » et « cent » prennent un « s » quand il y a plusieurs
vingtaines ou plusieurs centaines entières.
80 : quatre-vingts – 82 : quatre-vingt-deux
106 : cent six – 200 : deux cents – 210 : deux cent dix

• On met un trait d'union (-) entre les dizaines et les unités
(à partir de l'unité « deux ») : cent vingt-trois

Opérations

10 + 5 = 15	« dix » plus « cinq » = quinze (égalent « quinze », ça fait « quinze »)
15 – 5 = 10	« quinze » moins « cinq » = dix
10 x 5 = 50	10 multiplié par 5 ; « dix » fois « cinq » = cinquante
100 : 5 = 20	« cent » divisé par « cinq » = vingt

Les noms et les déterminants

Une hirondelle ne fait pas le printemps.

Quand le chat n'est pas là, les souris dansent.

Le temps, c'est de l'argent.

Les articles indéfinis

les articles définis

les noms

les articles partitifs

▶ Les noms

Noms masculins et noms féminins

■ **Les noms qui représentent les choses, les animaux ou les idées** sont masculins ou féminins. Il n'y a pas de règles pour connaître le genre de ces noms sauf dans quelques cas.

■ **Sont masculins** : les noms de jours (*un lundi*) – de mois (*le mois de janvier*) – de saison (*un bel automne*) – d'arbres (*un oranger*) – de langues (*le russe*)
Sont féminins : beaucoup de noms de fleurs (*une rose*) – d'îles (*la Corse*) – de sciences (*la chimie*)

■ **Les noms qui représentent les personnes** ont souvent deux formes (masculin et féminin).
La marque du féminin est souvent « **e** » : *un ami / une amie*
Mais il peut y avoir d'autres changements :
→ prononciation de la consonne finale : *un étudiant / une étudiante*
→ prononciation et doublement : *un musicien / une musicienne*
→ -er / -ère :   *un étranger / une étrangère*
→ -eur / -euse :   *un vendeur / une vendeuse*
→ -teur / -trice : *un directeur / une directrice*

• Certains noms ont la même forme au masculin et au féminin : *un secrétaire / une secrétaire*

• Certains noms n'ont pas de féminin : *un médecin / une femme médecin*

• Les nouveaux dictionnaires proposent des formes au féminin qui sont employées au Québec mais pas beaucoup en France :
une professeur / une professeure
un auteur / une auteure

Quelques suffixes pour former des noms

■ **À partir d'un verbe**
1. nom de l'action   -*tion* (nom féminin)   répéter → *une répétition*
                          -*ture* (nom féminin)   fermer → *la fermeture*
                          -*(e)ment* (nom masculin) changer → *le changement*

2. nom de la personne qui fait l'action
                          -*eur / -euse*   vendre → *un vendeur*
                          -*teur /-trice*   organiser → *un organisateur*
                          -*ant / -ante*   participer → *un participant*

• Certains noms sont formés à partir du participe passé des verbes :
arriver → arrivé → *une arrivée*   découvrir → découvert → *une découverte*

■ **À partir d'un nom**
-*ien / -ienne*   Italie → *un Italien / une Italienne*
-*ain / -aine*   république → *un républicain / une républicaine*
                  Amérique → *un Américain / une Américaine*
-*ais / -aise*   Lyon → *un Lyonnais / une Lyonnaise*
-*ier / -ière*   cuisine → *un cuisinier / une cuisinière*

▶ Les articles

	masculin singulier	féminin singulier	pluriel
Les articles indéfinis sont utilisés pour identifier une personne, une chose, une idée.	**un** *Je voudrais **un** dictionnaire.*	**une** *Voici **une** étudiante.*	**des** *J'ai **des** amis à Paris.* **de** (devant adjectif + nom) *Elle a **de** beaux bijoux.*
Les articles définis sont utilisés pour préciser, pour nommer une personne, une chose unique ou pour généraliser.	**le** *Je voudrais **le** dictionnaire de Pierre.*	**la** *Voici **la** sœur de Marie.*	**les** *Je connais **les** amis de Pierre.*
	l' (devant une voyelle ou « h ») *Voici **l'**amie de Pierre.*		
à + article défini	**au** *Je vais **au** théâtre.*	**à la** *Elle est **à la** gare.*	**aux** *Il écrit **aux** amis de Pierre.*
	à l' (devant une voyelle ou un h) *Elle est **à l'**hôpital.*		
de + article défini	**du** *Il vient **du** cinéma.*	**de la** *Voici l'amie **de la** secrétaire.*	**des** *Voici la liste des étudiants.*
	de l' *Elle arrive **de l'**école.*		
Les articles partitifs sont utilisés avec les noms de choses ou de personnes qu'on perçoit comme indifférenciées ou non comptables.	**du** *Je prends **du** sucre.*	**de la** *Elle boit **de la** bière.*	
	de l' *Il voudrait **de l'**eau.*		
L'absence d'article On ne met pas d'article : • devant un nom de personne (*François Martin*) ou de ville (*Madrid*) • quand on fait une liste (*départ : 8 heures – visite du château – etc.*) • sur une enseigne : *Pharmacie – Boulangerie* • dans les constructions avec préposition quand le nom a une valeur générale : *une artiste de cinéma – une cuillère à café* • dans certains titres : *Guerre et Paix* (Tolstoï)			

Le bonheur est de ce monde. — les adjectifs démonstratifs

Les amis de nos amis sont nos amis. — les adjectifs possessifs

La nuit, tous les chats sont gris. — les adjectifs indéfinis de quantité

▶ Les adjectifs démonstratifs

Ils sont utilisés pour désigner ou montrer.

	masculin	féminin
singulier	**ce** *Allons dans ce restaurant.*	**cette** *Regardez cette photo.*
	cet (devant une voyelle ou « h ») *Allons dans cet hôtel.*	
pluriel	**ces** *Je prends ces livres.*	

Les adjectifs possessifs

Ils sont utilisés pour indiquer une appartenance.

La chose (les choses) appartient (appartiennent)...	masculin singulier	féminin singulier		pluriel masculin ou féminin
à moi	**mon** mon frère	**ma** ma sœur	**mon** (devant voyelle) mon amie	**mes** mes sœurs
à toi	**ton** ton livre	**ta** ta maison	**ton** (devant voyelle) ton idée	**tes** tes frères
à lui, à elle	**son** son père	**sa** sa mère	**son** (devant voyelle) son écharpe	**ses** ses parents
à nous	**notre** notre cousin notre cousine			**nos** nos cousins
à vous	**votre** votre oncle votre tante			**vos** vos enfants
à eux, à elles	**leur** leur fils leur fille			**leurs** leurs enfants

 ## Les adjectifs indéfinis de quantité

La langue française peut représenter la quantité de deux manières :
- **comptable :** on se représente des personnes ou des choses différenciées ;
- **non comptable :** on se représente des personnes ou des choses comme des masses indifférenciées.

	représentation comptable	représentation non comptable
articles partitifs (voir ci-dessus)		**du – de la – de l'**
articles indéfinis **et adjectifs numéraux**	**un – une – des** **un – deux – trois –** etc.	
adjectifs indéfinis	**quelque(s)** *J'ai invité quelques personnes.* **peu de** *Peu de gens sont venus.* **beaucoup de** *Beaucoup de gens étaient en vacances.* **certain(e)(s)** *Certaines personnes étaient malades.* **chaque** *Chaque ami a reçu une invitation.* **tout (toutes)** *Tous mes amis ont répondu.*	**un peu de** *Elle met un peu de lait dans son thé.* **peu de** *Elle boit peu de vin.* **beaucoup de** *Elle boit beaucoup d'eau.* **tout (toute)** *Il a mangé tout le gâteau.*

Les mots qui représentent les noms

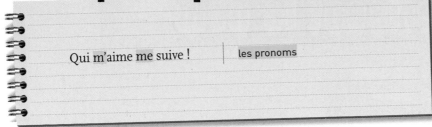

Qui m'aime me suive ! | les pronoms

► Les pronoms personnels

Les pronoms représentent les personnes ou les choses.

		je	tu	il - elle	nous	vous	ils - elles
Le nom représenté est introduit sans préposition.	*personnes*	**me**	**te**	**le - la l'** (devant voyelle)	**nous**	**vous**	**les**
	choses			**le - la - l'**			**les**
Le nom représenté est introduit par la préposition « à » (au, à la, aux).	*personnes*	**me**	**te**	**lui**	**nous**	**vous**	**leur**
	choses			**y**			**y**
Le nom représenté est introduit par la préposition « de » ou un mot de quantité.	*choses*			**en**			**en**
	personnes	**moi**	**toi**	**lui - elle - en**	**nous**	**vous**	**eux - elles - en**
Le nom représenté est précédé d'une préposition autre que « à » et « de ».	*personnes*	**moi**	**toi**	**lui - elle**	**nous**	**vous**	**eux - elles**

■ Constructions

Le pronom se place avant le verbe sauf dans les cas suivants :

1. Le pronom représente un nom de personne précédé d'une préposition autre que « à » :
J'ai besoin de Pierre. – J'ai besoin de lui.
Je pars avec Marie. – Je pars avec elle.

2. Le verbe est à l'impératif affirmatif.
• Vous connaissez les amis de Marie ?
– *Moi, je **les** connais.*
– *Moi, je ne **les** connais pas.*
– *Ne **les** laissez pas seuls ! Invitez-**les** !*

3. Le nom précédé de la préposition « à » est complément d'un verbe qui n'exprime pas une idée d'échange et de communication.
• *Tu as écrit à Marie ? – Je **lui** ai écrit. (idée de communication)*
• *Tu as pensé à Marie ? – J'ai pensé **à elle**. (pas d'idée de communication ou d'échange)*

Les adjectifs et les groupes qui caractérisent le nom

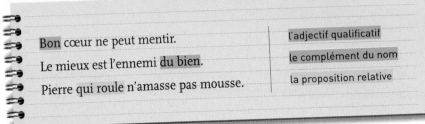

Bon cœur ne peut mentir. → l'adjectif qualificatif

Le mieux est l'ennemi du bien. → le complément du nom

Pierre qui roule n'amasse pas mousse. → la proposition relative

---

▶ Les adjectifs

■ L'adjectif qualificatif se place en général après le nom : *un film* **policier**

■ Quelques adjectifs courts et très fréquents se placent avant le nom :
bon – meilleur – mauvais – grand – petit – vieux – jeune – beau – joli – demi – dernier – prochain
un **bon** *livre – un très* **vieux** *film*

■ L'adjectif qualificatif peut se construire avec des verbes comme « être », « paraître », « sembler ».
Elle est **fatiguée**. *– Elle semble* **malade**.

▶ Le complément du nom

La forme « préposition + nom » permet de préciser le sens d'un nom.

■ La préposition **« à » (au, à la, aux)** est utilisée :
• pour préciser une fonction : *une cuillère à café – une boîte aux lettres – une machine à laver*
• pour décrire ou indiquer une composition : *une robe à fleurs – une tarte aux pommes*

■ La préposition **« de » (du, de la, des)** est utilisée :
• pour indiquer une appartenance : *le portefeuille de Pierre*
• pour indiquer une origine : *un tableau de Picasso*
• pour préciser la matière : *un pantalon de velours*
• pour indiquer un lieu : *la salle de bains*

■ La préposition **« en »** est utilisée :
• pour préciser la matière : *un immeuble en pierre (un immeuble de pierre)*
• pour préciser la forme ou la manière : *du sucre en poudre – les transports en commun
– des vêtements en solde*

▶ Les propositions relatives

La personne ou la chose caractérisée est :		
sujet	**qui**	*J'aime la viande* **qui** *est bien cuite.*
complément d'objet	**que**	*M. Lefranc est un professeur* **que** *j'adore.*
complément de lieu	**où**	*L'île de Ré est un endroit* **où** *nous allons souvent.*

■ **Constructions**
Voici le livre **que tu m'as demandé**.
Mon ancien appartement est habité par une famille **qui vient d'Australie**.
Cette famille **qui est arrivée il y a quinze jours** *ne parle pas français.*

Les constructions verbales et les groupes qui caractérisent les actions

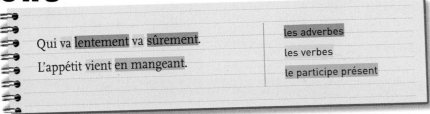

Qui va <mark>lentement</mark> va <mark>sûrement</mark>. — les adverbes — les verbes

L'appétit vient <mark>en mangeant</mark>. — le participe présent

▶ Les constructions verbales

Verbe + complément	Le complément du verbe peut se construire : • **sans préposition** (complément direct) *L'hôtesse accueille les participants.* • **avec la préposition « à »** (idées de destination ou de but) *Pierre va à Paris. – Marie écrit à sa mère. – J'ai fait un cadeau à mon amie.* • **avec la préposition « de »** (idées d'origine ou de rupture) *Pierre vient de Rome. – Marie a changé de robe. – Elle manque d'argent.*
Verbe + verbe (les deux verbes ont le même sujet)	• **sans préposition** (verbes comme *vouloir, pouvoir, savoir, devoir, aimer, adorer, détester,* etc.) *Elle aime danser. – Il veut partir.* • **avec la préposition « à » quand le verbe exprime une idée de destination ou de but** *Il apprend à jouer aux cartes. – Elle continue à parler.* • **avec la préposition « de »** *Elle a fini de parler. – Il a oublié d'inviter Marie.* **N.B.** – Dans certaines constructions avec « faire » ou « laisser » (voir niveau 2), les deux verbes n'ont pas le même sujet. *Elle a fait construire une piscine. – Marie a laissé sortir sa fille de 16 ans.*
Constructions pour rapporter des paroles	La phrase rapportée est : • **une déclaration (affirmative ou négative)** *Pierre dit que Marie est sortie.* • **une interrogation** *Pierre demande si Marie rentrera bientôt.* *Il demande quand elle rentrera.* • **un ordre (un conseil, etc.)** *Le professeur nous demande de travailler.*
Verbe + que + proposition (les deux verbes ont des sujets différents)	• Quand le premier verbe exprime un savoir (*savoir, dire, voir, oublier,* etc.), un espoir (*espérer*), une opinion positive (*penser, croire*), **le verbe de la proposition complément est à l'indicatif.** *Je sais qu'il viendra.* • Quand le premier verbe exprime une obligation (*vouloir, demander, il faut,* etc.), une préférence (*aimer,* etc.), certains sentiments (*avoir peur*), **le verbe de la proposition complément est au subjonctif.** *Je veux qu'il vienne.*

▶ Les adverbes

■ Les adverbes caractérisent une action (un verbe) ou nuancent le sens d'un autre adverbe
*Elle marche **lentement** mais elle court **très vite**.*

■ L'adverbe se place généralement après le groupe verbe.
*Eva parle français **couramment**. – Elle a travaillé **courageusement** pendant trois ans.*
Aux temps composés, il peut se placer entre l'auxiliaire et le participe passé.
*Elle a **beaucoup** travaillé.*

▶ La forme « en + participe présent »

Cette forme permet de préciser certaines circonstances de l'action.
*Il travaille **en écoutant** la radio.* (en même temps)
***En tombant**, il s'est cassé la jambe.* (parce que)
***En acceptant** ce poste, vous faites une erreur.* (si)

Les phrases négatives et interrogatives

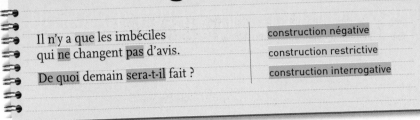

Il n'y a que les imbéciles
qui **ne** changent **pas** d'avis.

De quoi demain **sera-t-il** fait ?

construction négative

construction restrictive

construction interrogative

▶ Les phrases négatives

Cas général	**ne (n') ... pas** *Elle **ne** sort **pas**. – Elle **n'**aime **pas** la pluie.*
La négation porte sur un complément introduit par un article indéfini, un article partitif ou un mot de quantité.	**ne (n') ... pas de (d')** *Elle **n'**a **pas** de voiture.* *Elle **ne** boit **pas** d'alcool et **ne** mange **pas** beaucoup **de** viande.*
Comme dans le cas précédent, la négation porte sur un complément précédé d'article indéfini ou partitif, mais elle introduit une opposition.	**Ne (n') ... pas un (une, des, du, etc.)** *Elle **n'**a **pas une** voiture. Elle en a deux.* *Ce **n'**est **pas de** l'alcool. C'est du soda.*
Cas des constructions « verbe + verbe » et « auxiliaire + verbe »	**« pas » se place après le premier verbe ou l'auxiliaire.** *Elle **ne** veut **pas** sortir.* *Elle **n'**est **pas** sortie.*
Cas des constructions avec un pronom complément	**« ne » se place avant les pronoms.** *Elle **ne** me l'a **pas** donné.*

▶ Les phrases interrogatives

L'interrogation porte sur...	Formes interrogatives
toute une phrase	• Intonation : *Tu viens ?* • Forme « Est-ce que » : ***Est-ce que** tu viens ?* • Inversion du pronom sujet : *Viens-tu ? – Pierre vient-il ?* • Interrogation négative : *Ne viens-tu pas ?*
le sujet d'une action	• Personnes (Qui – Qui est-ce qui) : ***Qui** veut venir avec nous ?* • Choses (Qu'est-ce qui) : ***Qu'est-ce qui** fait ce bruit ?*
le complément direct d'une action	• Personnes (qui) : *Qui invitez-vous ? – Vous invitez **qui** ?* • Choses (que – qu'est-ce que – quoi) : ***Que** faites-vous ? – **Qu'est-ce que** vous faites ? – Vous faites **quoi** ?*
le complément indirect	• Personnes (à qui – de qui – avec qui – etc.) : ***À qui** parlez-vous ?* • Choses (à quoi – de quoi – avec quoi – etc.) : ***De quoi** avez-vous besoin ?*
un choix	• Quel (quelle – quels – quelles) : ***Quel** acteur préférez-vous ? – **Dans quel** film ?*
un lieu	• Sur la situation ou la direction ***Où** allez-vous ? – **D'où** venez-vous ?* ***Jusqu'où** va la ligne de métro ?* ***Par où** passez-vous ? – **Chez qui** allez-vous ?* ***À côté de qui / quoi** habitez-vous ?* • Sur la distance ***Quelle est la distance** entre Paris et Lyon ? – 430 km.* ***Il y a combien de kilomètres** de Paris à Lyon ? – Il y a 430 km.*
un moment ou une durée	• Sur le moment ***Quand... À quel moment...*** ***Quel jour... Quel mois...*** } *part-il en vacances ?* ***À quelle heure...*** ***En quelle année... En quelle saison...*** • Sur la durée – *Il y a **combien de temps** (**Ça fait combien de temps**) que vous habitez ici ? Vous habitez ici depuis combien de temps ?* – ***Combien de temps** (d'années, de mois, etc.) avez-vous vécu en Australie ?*

Les constructions pour apprécier et comparer

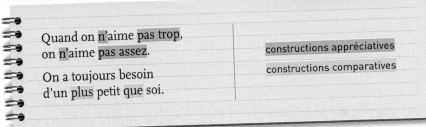

Quand on n'aime pas trop, on n'aime pas assez. → constructions appréciatives

On a toujours besoin d'un plus petit que soi. → constructions comparatives

► L'appréciation

	ne ... pas assez (de...)	assez (de...) (1)	trop (de...)
noms	Je n'ai **pas assez d'argent** (pour acheter cette voiture).	Il a **assez d'**argent (pour acheter cette voiture).	Elle a **trop de** travail.
verbes	Je n'économise **pas assez**.	Il travaille **assez**.	Elle travaille **trop**.
adjectifs et adverbes	Je dépense mon argent **assez** vite.	Ce plat est **assez** salé.	C'est **trop** cher.

(1) « assez » peut avoir deux sens :
• appréciation modérée (= un peu) : Ce film est **assez** intéressant.
• appréciation et comparaison (= suffisamment) : J'ai **assez de** temps pour pratiquer plusieurs sports.

► La comparaison

Comparaison des qualités (adjectifs et adverbes)	**Plus ... (que)** Marie est **plus** grande **que** Lucie. Luc est grand. Pierre est **plus** grand. Il est **meilleur** en anglais. • **Expression superlative** Marie est **la plus** grande. C'est Marie qui est **la plus** grande.	**Aussi ... (que)** Marie est **aussi** intelligente **que** Lucie. Marie est intelligente. Lucie est **aussi** intelligente. Elle est **aussi** bonne en anglais.	**Moins ... (que)** Lucie est **moins** grande **que** Marie. Pierre est grand. Luc est **moins** grand. Il est moins bon en anglais. • **Expression superlative** Lucie est **la moins** grande. C'est Lucie qui est **la moins** grande.
Comparaison des quantités (noms)	**Plus de ... (que)** Il y a **plus d'**habitants à Paris qu'à Lyon. Il y en a **plus**. • **Expression superlative** C'est à Paris qu'il y a **le plus d'**habitants.	**Autant de ... (que)** Il y a **autant de** monde au concert de Lara Fabian **qu'**au spectacle de Marc Jolivet. Il y en a **autant**.	**Moins de ... (que)** Il y a **moins d'**habitants à Lyon **qu'**à Paris. Il y en a **moins**. • **Expression superlative** C'est à Lyon qu'il y a **le moins d'**habitants.
Comparaison des actions (verbes)	**Plus (que...)** Marie dort **plus que** Pierre. • **Expression superlative** C'est Marie qui dort **le plus**.	**Autant (que...)** Lucie dort huit heures par nuit. Elle dort **autant que** Marie.	**Moins (que ...)** Pierre dort **moins que** Marie. • **Expression superlative** C'est Pierre qui dort **le moins**.

Principes généraux de conjugaison

▶ **Le présent**

■ **Verbes en -er**
Tous les verbes en -er sauf « aller »

regarder

je regarde	nous regardons
tu regardes	vous regardez
il/elle/on regarde	ils/elles regardent

■ **Autres verbes**
Beaucoup de verbes ont les mêmes terminaisons que « finir », mais il y a des cas particuliers.
Voir les verbes irréguliers (p. 176).

finir

je finis	nous finissons
tu finis	vous finissez
il/elle/on finit	ils/elles finissent

■ **La conjugaison pronominale**
Elle utilise deux pronoms.

se regarder
je me regarde
tu te regardes
il/elle/on se regarde
nous nous regardons
vous vous regardez
ils/elles se regardent

▶ **Le passé composé**

■ **Avoir (au présent) + participe passé**
finir

j'ai fini	nous avons fini
tu as fini	vous avez fini
il/elle/on a fini	ils/elles ont fini

■ **Être (au présent) + participe passé**
Avec : aller – arriver – descendre – monter – mourir – naître – partir – passer – rester – retourner – sortir – venir – tomber.
Avec les verbes à conjugaison pronominale.

aller
je suis allé(e)
tu es allé(e)
il/elle/on est allé(e)
nous sommes allé(e)s
vous êtes allé(e)(s)
ils/elles sont allé(e)s

se lever
je me suis levé(e)
tu t'es levé(e)
il/elle/on s'est levé(e)
nous nous sommes levé(e)s
vous vous êtes levé(e)(s)
ils/elles se sont levé(e)s

■ **Accord du participe passé**
1. Après l'auxiliaire « être », le participe passé s'accorde avec le sujet du verbe.
Pierre est parti à 8 heures. Marie est restée.
Les enfants sont partis à 9 heures. Marie et sa copine sont sorties dans l'après-midi.

2. Après l'auxiliaire « avoir », le participe passé s'accorde avec le complément d'objet direct du verbe quand ce complément est placé avant le verbe.
*Marie et sa copine ont rencontré **deux amies** de l'université.* (le complément d'objet direct est placé après le verbe)
*Elles **les** ont reconnues.* (le complément est placé avant le verbe)

▶ **L'imparfait**

Il se forme en général à partir de la 1ʳᵉ personne du pluriel du présent.
avoir : nous avons → j'avais   vendre : nous vendons → je vendais
Terminaisons : -ais, -ais, -ait, -ions, -iez, -aient.

regarder	**savoir**	**se lever**
je regardais	je savais	je me levais
tu regardais	tu savais	tu te levais
il/elle/on regardait	il/elle/on savait	il/elle/on se levait
nous regardions	nous savions	nous nous levions
vous regardiez	vous saviez	vous vous leviez
ils/elles regardaient	ils/elles savaient	ils/elles se levaient

▶ **Le futur**

■ **Verbes en -er**
Infinitif + terminaisons : -ai, -as, -a, -ons, -ez, -ont.

regarder
je regarderai
tu regarderas
il/elle/on regardera
nous regarderons
vous regarderez
ils/elles regarderont

se lever
je me lèverai
tu te lèveras
il/elle/on se lèvera
nous nous lèverons
vous vous lèverez
ils/elles se lèveront

■ **Autres verbes**
Pour beaucoup de verbes, à partir de l'infinitif ou d'une forme proche de l'infinitif.
finir → je finirai   voir → je verrai

prendre
je prendrai
tu prendras
il/elle/on prendra
nous prendrons
vous prendrez
ils/elles prendront

▶ **Le présent du subjonctif**

Pour beaucoup de verbes, il se forme à partir de la 3e personne du pluriel du présent de l'indicatif (mais il y a des exceptions : être, avoir, savoir, etc.).
ils regardent → que je regarde
ils viennent → que je vienne
ils finissent → que je finisse
Ensuite les terminaisons sont les mêmes pour tous les verbes.

regarder
que je regarde
que tu regardes
qu'il/elle/on regarde
que nous regardions
que vous regardiez
qu'ils/elles regardent

prendre
que je prenne
que tu prennes
qu'il/elle/on prenne
que nous prenions
que vous preniez
qu'ils/elles prennent

savoir
que je sache
que tu saches
qu'il/elle/on sache
que nous sachions
que vous sachiez
qu'ils/elles sachent

▶ **L'impératif**

La conjugaison est proche du présent de l'indicatif ou, pour quelques verbes, du subjonctif.

■ Verbes en -er : terminaisons sans « s » à la 2e personne du singulier sauf quand l'impératif est suivi d'un pronom « en » ou « y ».
Vas-y ! Cherches-en !

■ Quand on utilise la forme du subjonctif, la terminaison des deux personnes du pluriel est -ons et -ez.

regarder	aller	être
regarde !	va !	sois !
regardons !	allons !	soyons
regardez !	allez !	soyez !

La conjugaison des verbes irréguliers

Les principes généraux que nous venons de présenter et les tableaux suivants vous permettront de trouver la conjugaison de tous les verbes introduits dans cette méthode.

Exemples :

• **verbe « donner »** : c'est un verbe en -er régulier. Il suit les principes généraux et ne figure donc pas dans les listes suivantes.

• **verbe « lire »** : si on trouve ci-dessous « je lis ... nous lisons », c'est que les autres formes correspondent aux principes généraux : tu lis, il lit, etc.

infinitif	présent de l'indicatif	futur	passé composé	subjonctif présent
accueillir	j'accueille, tu accueilles, ... nous accueillons	j'accueillerai	j'ai accueilli	que j'accueille
aller	je vais, tu vas, il va nous allons, vous allez, ils vont	j'irai	je suis allé(e)	que j'aille
apprendre	j'apprends, ... il apprend, nous apprenons, ... ils apprennent	j'apprendrai	j'ai appris	que j'apprenne
asseoir (s')	je m'assieds, ... il s'assied, nous nous asseyons, ... ils s'asseyent	je m'assiérai	je me suis assis(e)	que je m'asseye
attendre	j'attends, ... il attend, nous attendons, ... ils attendent	j'attendrai	j'ai attendu	que j'attende
avoir	j'ai, tu as, il a, nous avons, vous avez, ils ont	j'aurai	j'ai eu	que j'aie, tu aies, nous ayons, ils aient
boire	je bois, ... nous buvons, ... ils boivent	je boirai	j'ai bu	que je boive
choisir	je choisis, ... nous choisissons	je choisirai	j'ai choisi	que je choisisse
croire	je crois, ... nous croyons, ... ils croient	je croirai	j'ai cru	que je croie
comprendre	je comprends, ... nous comprenons, ... ils comprennent	je comprendrai	j'ai compris	que je comprenne
conduire	je conduis, ... nous conduisons	je conduirai	j'ai conduit	que je conduise
connaître	je connais,...il connaît, ... nous connaissons	je connaîtrai	j'ai connu	que je connaisse
découvrir	je découvre, ... il découvre, nous découvrons	je découvrirai	j'ai découvert	que je découvre
défendre	je défends, ... il défend, ... nous défendons, ... ils défendent	je défendrai	j'ai défendu	que je défende
descendre	je descends, ... il descend, ... nous descendons, ... ils descendent	je descendrai	j'ai descendu	que je descende
devenir	je deviens, ... nous devenons, ... ils deviennent	je deviendrai	je suis devenu(e)	que je devienne
devoir	je dois, ... nous devons,... ils doivent	je devrai	j'ai dû	que je doive
dormir	je dors, ... nous dormons,...	je dormirai	j'ai dormi	que je dorme
écrire	j'écris, ... nous écrivons, ...	j'écrirai	j'ai écrit	que j'écrive
ennuyer (s')	je m'ennuie, ... nous nous ennuyons, ... ils s'ennuient	je m'ennuierai	je me suis ennuyé(e)	que je m'ennuie
entendre	j'entends, ... il entend, ... nous entendons	j'entendrai	j'ai entendu	que j'entende
envoyer	j'envoie, ... nous envoyons, ... ils envoient	j'enverrai	j'ai envoyé	que j'envoie
essayer	j'essaie, ... nous essayons, ... ils essaient	j'essaierai	j'ai essayé	que j'essaie
être	je suis, tu es, il est, nous sommes, vous êtes, ils sont	je serai	j'ai été	que je sois

infinitif	présent de l'indicatif	futur	passé composé	subjonctif présent
faire	je fais, ... nous faisons, vous faites, ils font	je ferai	j'ai fait	que je fasse
falloir	il faut	il faudra	il a fallu	qu'il faille
finir	je finis, ... nous finissons, ...	je finirai	j'ai fini	que je finisse
guérir	je guéris, ... nous guérissons, ...	je guérirai	j'ai guéri	que je guérisse
lire	je lis, ... nous lisons, ...	je lirai	j'ai lu	que je lise
mettre	je mets, ... nous mettons, ...	je mettrai	j'ai mis	que je mette
offrir	j'offre, ... nous offrons, ...	j'offrirai	j'ai offert	que j'offre
ouvrir	j'ouvre, ... nous ouvrons, ...	j'ouvrirai	j'ai ouvert	que j'ouvre
paraître	je parais, ... il paraît, ... nous paraissons, ... ils paraissent	je paraîtrai	j'ai paru	que je paraisse
partir	je pars, ... nous partons, ...	je partirai	je suis parti(e)	que je parte
payer	je paie, ... il paie, ... nous payons, ... ils paient	je paierai	j'ai payé	que je paie
perdre	je perds, ... il perd, nous perdons, ... ils perdent	je perdrai	j'ai perdu	que je perde
pouvoir	je peux, tu peux, il peut, nous pouvons, vous pouvez, ils peuvent	je pourrai	j'ai pu	que je puisse
prendre	je prends, ... il prend, nous prenons, ... ils prennent	je prendrai	j'ai pris	que je prenne
produire	je produis, ... nous produisons, ...	je produirai	j'ai produit	que je produise
réfléchir	je réfléchis, ... nous réfléchissons, ...	je réfléchirai	j'ai réfléchi	que je réfléchisse
remplir	je remplis, ... nous remplissons, ...	je remplirai	j'ai rempli	que je remplisse
rendre	je rends, ... il rend, ... nous rendons, ... ils rendent	je rendrai	j'ai rendu	que je rende
répondre	je réponds, ... il répond, nous répondons, ...	je répondrai	j'ai répondu	que je réponde
réunir	je réunis, ... nous réunissons, ...	je réunirai	j'ai réuni	que je réunisse
réussir	je réussis, ... nous réussissons, ...	je réussirai	j'ai réussi	que je réussisse
revenir	je reviens, ... nous revenons, ... ils reviennent	je reviendrai	je suis revenu(e)	que je revienne
savoir	je sais, ... nous savons, ... ils savent	je saurai	j'ai su	que je sache
sortir	je sors, ... nous sortons, ...	je sortirai	je suis sorti(e)	que je sorte
souvenir (se)	je me souviens, ... nous nous souvenons, ... ils se souviennent	je me souviendrai	je me suis souvenu	que je me souvienne
suivre	je suis, ... nous suivons, ...	je suivrai	j'ai suivi	que je suive
tenir	je tiens, ... nous tenons, ... ils tiennent	je tiendrai	j'ai tenu	que je tienne
traduire	je traduis, ... nous traduisons ... ,	je traduirai	j'ai traduit	que je traduise
vendre	je vends, ... il vend, nous vendons, ...	je vendrai	j'ai vendu	que je vende
venir	je viens, ... nous venons, ... ils viennent	je viendrai	je suis venu(e)	que je vienne
vivre	je vis, ... nous vivons, ...	je vivrai	j'ai vécu	que je vive
voir	je vois, ... nous voyons, ... ils voient	je verrai	j'ai vu	que je voie

On trouvera ici la transcription des activités d'écoute, de la partie non transcrite des scènes des pages « Simulations », ainsi que des parties non transcrites des exercices de prononciation.

▶ Leçon 1

p. 7 – Comment on prononce ?
1. Voici des pays où le français est très utilisé :
le Sénégal, la Suisse, l'Algérie, les Comores, le Canada, la Belgique, le Maroc, le Liban, la Martinique, la Nouvelle-Calédonie, la Guyane française, la Tunisie, l'île de La Réunion.
2. Écoutez. Vous comprenez ? Vous connaissez ?
1. la Tour de Londres – **2.** les pyramides d'Égypte – **3.** le parc du Serengeti – **4.** l'université de Mexico – **5.** le musée du Louvre – **6.** la forêt d'Amazonie – **7.** les tours de Shanghai – **8.** l'île de Marie-Galante.

p. 8 – Conjuguer les verbes
2. Notez l'utilisation du « tu » et du « vous ».
1. *L'homme :* Tu connais Gérard ? → *La femme :* Non. Bonjour, Gérard.
2. *Le journaliste :* Vous parlez français ? → *L'actrice :* Un peu.
3. *L'actrice :* Comment tu t'appelles ? → *L'enfant :* Louis.
4. *L'homme :* Excusez-moi, vous êtes Pierre Duroc ?

p. 9 – À l'écoute de la grammaire
3. Interrogation ou affirmation ?
Cochez la bonne case.
1. Je m'appelle Laura. – **2.** Je comprends le français. – **3.** Vous êtes français ? – **4.** Ah, vous êtes italien. – **5.** Vous habitez Rome ? – **6.** Vous êtes professeur ?

p. 10 – Fin de la scène 2
[…]
La jeune femme : Désolée. Je ne connais pas. Je ne suis pas de Paris.
Noémie : Pardon, monsieur. Vous connaissez la Cité universitaire ?
L'homme : Excusez-moi. Je ne comprends pas. Je suis étranger.
Noémie : Pardon. La Cité universitaire, s'il vous plaît ?
L'étudiante : C'est là.

p. 13 – Écrits et prononciation
1. Écoutez et retrouvez les mots sur les photos. Notez les sons difficiles. Observez les correspondances.
• crêperie – bibliothèque – perfection
• Crédit Lyonnais – Sénégal – cinéma – Mérignac
• culturel – coiffure – universitaire
• restaurant – bistrot – hôtel
• taxis – tourisme – bar
• centre – français
2. Notez ce qu'ils demandent. Cherchez les sons difficiles dans le tableau de la page 12.
Le parc, s'il vous plaît ?
Où est l'avenue Victor-Hugo ?
Un croissant, s'il vous plaît.
Vous connaissez la rue Henri-IV ?
S'il vous plaît, un café.
Où est le musée ?

▶ Leçon 2

p. 17 – À l'écoute de la grammaire
2. Féminin ou masculin ? Écoutez et cochez la bonne case.
1. un chanteur – **2.** une rue – **3.** un cinéma – **4.** un garage – **5.** une boutique – **6.** une île – **7.** une avenue – **8.** un avion – **9.** un artiste – **10.** une étudiante.

3. Singulier ou pluriel ? Écoutez et cochez la bonne case.
1. une ville – **2.** des rues – **3.** Voici la rue Victor-Hugo. – **4.** les boutiques – **5.** le restaurant italien – **6.** Regardez : les amis de Marie ! – **7.** il y a des étrangers – **8.** des étudiants – **9.** un chanteur – **10.** une actrice.

p. 18 – Fin de la scène 1
[…]
Le professeur : Les garçons ! Vous n'avez pas le rythme !
Lucas : C'est difficile.
Le professeur : Mais non, ce n'est pas difficile. Écoutez et regardez ! Musique... 1, 2, 3, 4, 5, 6, 7, 8. 1, 2, 3... Ça va ?
Lucas : Ça va.
Le professeur : Allez, au travail. On répète !

p. 19 – Sons, rythmes, intonations
2. Distinguez « je », « j'ai », « j'aime ». Cochez la bonne case.
1. J'aime le cinéma. – **2.** J'ai des DVD. – **3.** Je regarde les films à la télévision. – **4.** Je lis beaucoup. – **5.** J'ai beaucoup de livres. – **6.** J'aime lire. – **7.** J'ai des amis français. – **8.** Je suis canadienne. – **9.** J'aime la France.

p. 20 – Lecture de l'article
3. Écoutez. On parle d'Audrey Pulvar. Dites « oui » ou « non ». Corrigez.
a. Audrey Pulvar est née à Paris. – **b.** Elle travaille à la télévision. – **c.** Audrey Pulvar adore les livres. – **d.** Elle aime aussi la musique italienne. – **e.** Elle ne connaît pas les musées de Paris. – **f.** Elle écrit des chansons.

▶ Leçon 3

p. 23 – Les loisirs de deux étudiants
Écoutez. Ils parlent de leurs loisirs. Notez leurs activités.
Emma : Qu'est-ce que tu fais après les cours ?
Thomas : Du sport.
Emma : Du tennis, du basket ?
Thomas : Non, je vais dans une salle de gym. Et le week-end, je fais du football avec des copains. Et toi, tu fais du sport ?
Emma : Pas beaucoup. De la randonnée le week-end, un peu de ski. Je vais aussi à la piscine.
Thomas : Ben, c'est bien.
Emma : Mais ma passion, c'est la musique. Je fais du piano et du chant.
Thomas : Classique ?
Emma : Non. Chansons, comédie musicale. Tu aimes ?
Thomas : J'aime bien mais je préfère la musique classique. Je vais à tous les concerts du théâtre.

p. 26 – Fin de la scène 2
[…]
Mélissa : Demain, il n'y a pas de cours. Qu'est-ce qu'on fait ?
Florent : Je ne sais pas. On va au musée d'Orsay ?
Mélissa : Ah non, s'il te plaît. Pas un musée.
Florent : Tu veux aller à la piscine ?
Mélissa : Lucas propose « Jungle aventure » dans la forêt de Fontainebleau.
Florent : Encore Lucas !

p. 27 – Sons, rythmes, intonations
1. Le rythme. Comptez les groupes.
Elle s'appelle Amélie. ... Il s'appelle Jérémy. ... Elle travaille à Paris. ... Et lui à Chantilly. ... Ils sont inscrits ... au club « En forme ». ... Ils font des randonnées ... dans la forêt de Fontainebleau.
2. Le rythme de la phrase négative. Répondez. Répétez la réponse.

• Lucas va au cinéma ? → – Non, il ne va pas au cinéma.
• Lucas sait le rôle de Quasimodo ? → – Non, il ne sait pas le rôle de Quasimodo.
• Mélissa aime les musées ? → – Non, elle n'aime pas les musées.
• Florent aime danser ? → – Non, il n'aime pas danser.
• Lucas a le rôle de Quasimodo ? → – Non, il n'a pas le rôle de Quasimodo.

▶ Leçon 4

p. 33 – Préciser la date et l'heure
2. Écoutez et notez leurs dates de naissance et de mort.
a. Napoléon est né en 1769. Il est mort en 1821.
b. Victor Hugo est né en 1802. Il est mort en 1885.
c. Marilyn Monroe est née en 1926. Elle est morte en 1962.
d. Alexandre le Grand est né en 356 avant Jésus-Christ. Il est mort en 323.
e. Indira Gandhi est née en 1917. Elle est morte en 1984.
3. c. Écoutez et complétez les informations du livre.
(1) *Un homme :* Allô, le cinéma Forum ?
Une femme : Oui, monsieur.
L'homme : À quelle heure commence le film *Le Jour d'après* ?
La femme : Il y a une séance à 14 h 30 et une à 18 h 15.
(2) *Une femme :* Vous avez rendez-vous avec le Docteur Reeves le 10 février à 10 h 45, onze heures moins le quart.
(3) *Une femme :* La bibliothèque André-Malraux est ouverte du mardi au samedi de 10 h à 18 h.

p. 33 – À l'écoute de la grammaire
1. Distinguez le présent et le passé.
1. J'aime les films historiques. – **2.** Je suis allée au cinéma. – **3.** J'ai vu *Marie-Antoinette*. – **4.** C'est un bon film. – **5.** Pierre est venu avec moi. – **6.** Il n'a pas aimé le film. – **7.** Il préfère les films policiers.

p. 34 – Fin de la scène 2
Noémie : Ah, le voilà !
Florent : Excusez-moi. Je suis désolé. J'ai dormi jusqu'à sept heures et demie.

p. 34 – Fin de la scène 3
Sarah : Félicitations à tous !
Lucas : Florent, tu as été génial.
Florent : Toi aussi, Lucas.
Lucas : Et vous tous aussi. Bravo !
Sarah : Alors, à votre santé !
Florent : À la musique !
Mélissa : À la danse !
Lucas : À l'amour
Noémie : Et à Paris !
(Lucas suivi des autres chante) « Aux Champs-Élysées, aux Champs-Élysées... Au soleil, sous la pluie, à midi ou à minuit... »
Lucas : Excusez-moi. J'ai un SMS.

p. 37 – Complétez l'agenda de Paul
Élise : Tu as du temps samedi ? On fait un jogging ?
Paul : Ah non, samedi, je ne peux pas. À 10 heures, je fais du tennis avec Clara. À midi, on déjeune ensemble et l'après-midi, on travaille.
Élise : Vous travaillez tout l'après-midi ?
Paul : Non, mais en fin d'après-midi, Clara veut aller au cinéma. Et la journée n'est pas finie. Le soir, on est invité chez des amis.
Élise : Et dimanche ?
Paul : Dimanche, je fais une randonnée dans la forêt de Fontainebleau. Mais tu peux venir. Il y a Odile et Olivier.

Élise : Je ne sais pas…
Paul : On part à 9 heures et on rentre à 18 heures.
Élise : Ok, d'accord, je viens.

▶ Bilan – Évaluez-vous

p. 38 – Test 2 – Vous comprenez des informations au sujet d'une personne
a. Faites correspondre chaque question avec un mot de la fiche.
Exemple : Quelle est votre profession ? → 4
a. Où est-ce que vous habitez ? – **b.** Vous vous appelez comment ? – **c.** Vous parlez quelles langues ? – **d.** Vous êtes né(e) quand ? – **e.** Vous avez une adresse courriel ?
b. Faites correspondre l'information avec un mot de la fiche.
Exemple : Mon nom, c'est Martin. → 1
a. Voici mon numéro de téléphone : 01 52 26 33 33. – **b.** Je suis née en Belgique, à Bruxelles. **c.** Je suis belge. – **d.** Mon prénom, c'est François. – **e.** Je suis professeur de musique.

p. 40 – Test 9 – Vous comprenez une indication de date et d'heure
Marie a visité Cannes. Elle répond à des questions. Complétez les informations du livre.
a. Je suis arrivée à Cannes le jeudi 12 juillet à midi et quart.
b. Je suis partie le 17 juillet à 17 h 30.
c. J'ai visité les îles de Lérins le dimanche 15. Je suis partie à 9 h. Je suis rentrée à 8 h le soir.
d. Je suis allée à la fête du 14 juillet. Je suis restée jusqu'à 2 heures du matin.
e. En juillet et en août, le musée de la Castre est ouvert de 10 h à 19 h, du mardi au dimanche. Il est fermé le lundi.

p. 40 – Test 11 – Vous comprenez les informations sur la France et les pays francophones
Écoutez ces 10 phrases. Répondez « vrai » ou « faux ».
1. Au Québec, on parle français.
2. Le français n'est pas utilisé en Algérie, au Sénégal et en Côte d'Ivoire.
3. La Martinique et la Guadeloupe sont des îles françaises.
4. Il y a cinq millions d'étrangers ou d'immigrés en France.
5. Il n'y a pas beaucoup de petits villages en France.
6. En France, on ne peut pas faire de ski.
7. Marseille est un port de l'océan Atlantique.
8. On peut faire des randonnées dans les Pyrénées.
9. Jean-Paul Sartre est un scientifique.
10. Dans l'année, les enfants français ont cinq périodes de vacances.

▶ Leçon 5

p. 51 – Fin de la scène 4
[…]
Fanny : N'oublie pas de composter ton billet !
Caroline : Non, maman.
Bertrand : Tu as bien noté notre adresse chez Claudia et Jérôme ?
Caroline : Oui, papa, c'est noté.
Fanny : Tu n'as pas un changement de train ?
Caroline : Si, à Lyon.
Fanny : Alors n'oublie pas de changer de train !
Caroline : Mais non, maman.
Fanny : Et fais attention à ta valise !
Caroline : Maman, s'il te plaît, j'ai seize ans. Je ne suis pas un bébé.

Fanny : Si, tu es toujours mon bébé.
Bertrand : Allez, bonnes vacances, ma chérie.
Caroline : Bonnes vacances à vous aussi.

p. 51 – Sons, rythmes, intonations
1. Cochez le son que vous entendez.
Il va… à Faro… en bateau…
Ils font… du vélo… en Bourgogne… C'est beau…
Ton billet ? … Ta valise ? … Tu viens ? …
En forme ? … C'est bien …

p. 53 – Situations en voyage
Faites correspondre chaque scène à une photo et à une des situations du livre.
1. *L'employée d'Air France :* Bonjour, monsieur.
Un homme : Bonjour. Je voudrais réserver une place sur un vol Marseille-Paris le mercredi 8, vers 10 h le matin.
2. *Une femme :* Excusez-moi. C'est bien votre place ?
Un homme : Euh, je pense que oui. J'ai la place 47.
La femme : Moi aussi. J'ai la place 47, voiture 3. Votre place, c'est bien dans la voiture 3 ?
L'homme : Euh, ben non, voiture 4. Excusez-moi. C'est bien votre place.
La femme : Ce n'est pas grave.
3. *Un homme :* Bonjour, contrôle des billets… Ah, vous n'avez pas composté, madame.
La femme : Oh, j'ai oublié !
4. *Une femme :* Bonjour, monsieur. Pour aller à Versailles, il y a le métro ?
L'homme : Non, il y a le RER. Vous allez où ? Au château de Versailles ?
La femme : Oui.
L'homme : Alors, vous prenez le métro jusqu'à la station Gare d'Austerlitz. Là, vous changez et vous prenez le RER, ligne C, Château de Versailles.
5. *L'employée d'Air France :* Bonjour, monsieur.
L'homme : Bonjour. Je voudrais annuler une réservation. Mon nom, c'est Bertrand, Jérôme Bertrand. J'ai une réservation sur le vol Paris-Berlin.
L'employée : Le 20 mars à 8 heures ?
L'homme : Voilà. Je voudrais annuler cette réservation.

▶ Leçon 6

p. 57 - À l'écoute de la grammaire
2. Notez l'article que vous entendez.
Liste pour le supermarché
un poulet … du pain … des tomates … de la viande … un melon … une tarte … du riz … du café … des pommes … de la bière … des yaourts … une salade …

p. 59 – Scène 3. Transcrivez le dialogue.
La serveuse : Voici votre addition.
Bertrand : Excusez-moi. Vous avez fait une erreur.
La serveuse : Une erreur ?
Bertrand : On a pris quatre crêpes en tout. Pas cinq.
La serveuse : Une Parisienne, une Paysanne et deux crêpes au sucre. C'est exact. Excusez-moi !
Bertrand : On vous pardonne.
La serveuse : Vous avez pris deux cafés.
Fanny : Oui, mais c'est tout.
La serveuse : Donc ça fait 25 euros.

p. 59 – Fin de la scène 4
[…]
Fanny : Qu'est-ce qu'il aime Jérôme ? Tu sais, toi ?
Bertrand : Il aime lire mais il n'y a pas de livres, ici.
Fanny : Alors on prend cette lampe.
Bertrand : Elle n'est pas trop grande ?
Fanny : D'après Claudia, ils ont un grand salon.
Bertrand : Je veux dire trop grande pour notre voiture.

Fanny : Mais non. Il reste de la place.
Bertrand : Alors va pour la lampe. Et pour Claudia ?
Fanny : Je vais prendre cette confiture d'abricots. Elle est sucrée au miel. Claudia adore ça.

p. 59 – Sons, rythmes, intonations
Préférences
Moi, j'aime la glace, la glace à la vanille.
Pierre adore les tartes, les tartes aux pommes.
Moi, j'adore la salade, la salade de tomates.
Pierre aime la soupe, la soupe de légumes.
Moi, je mange du bœuf, du bœuf aux carottes.
Pierre mange des saucisses, des saucisses grillées.

p. 61 – Repas : les habitudes des Français
Le journaliste : Qu'est-ce que vous mangez aux trois repas ? Et d'abord, est-ce que vous faites trois repas ?
Le jeune homme : Non, le matin, je prends un café et j'aime bien prendre ce café dans un café. Alors c'est vrai, j'ai faim très vite le matin, mais je commence à travailler à 9 h. À midi, je vais déjeuner à la cantine. Là, je fais un repas complet : une entrée, un plat de viande ou de poisson et un dessert…
Le journaliste : Et le soir ?
Le jeune homme : Le soir, je n'aime pas dîner chez moi parce que je suis seul. Je préfère aller au restaurant ou alors j'achète une pizza.
La femme : Moi, c'est différent. Le matin, je prends un bon petit déjeuner : du thé, des céréales avec du lait et un jus d'orange. Et mes enfants aussi prennent un bon petit déjeuner.
Le journaliste : Vous prenez le petit déjeuner ensemble ?
La femme : Non, moi en premier, puis les enfants parce qu'ils partent pour l'école à sept heures et demie. Et le dernier, c'est mon mari…
Le journaliste : Et pour les autres repas ?
La femme : À midi, je déjeune au restaurant. Et c'est tous les jours salade, avec du poulet ou du fromage ou du jambon, mais je prends juste une salade et un café parce que le soir, en famille, on fait un vrai repas : avec une entrée ou une soupe, un plat, du fromage et un fruit.
L'homme : Moi aussi, le soir, on se retrouve avec ma compagne et mes enfants et on fait un repas complet. Le problème, c'est qu'à midi aussi, je fais un repas complet au restaurant.
Le journaliste : Et le matin ?
L'homme : Du café au lait avec une tartine, c'est tout.

▶ Leçon 7

p. 65 – À l'écoute de la grammaire
1. Distinguez la conjugaison pronominale.
a. Paul lave sa voiture. – **b.** Les enfants se lavent. – **c.** Fanny promène son chien. – **d.** Hélène et Florent se promènent sur les Champs-Élysées. – **e.** Vous réveillez les enfants à quelle heure ? – **f.** À quelle heure vous vous réveillez ? – **g.** Marie se prépare. – **h.** Pierre prépare le café.
2. Rythme des phrases impératives. Transformez comme dans l'exemple.
Tu dois te réveiller. → Réveille-toi !
Tu ne dois pas dormir. → Ne dors pas !
Vous devez vous lever. → Levez-vous !
Nous devons nous préparer. → Préparons-nous !
Nous ne devons pas être en retard. → Ne soyons pas en retard !
Nous devons arriver à l'heure. → Arrivons à l'heure !

p. 66 – Fin de la scène 1
[…]
Jérôme : Bonjour, Fanny. Salut, Bertrand !
Claudia : Alors, vous avez fait bon voyage ?

Transcriptions

Bertrand : Oui, mais avec beaucoup de monde sur les routes.

Fanny : Mais c'est magnifique ici !

Claudia : Ça change de Strasbourg, hein ? Venez, on va visiter.

p. 66 – Fin de la scène 3

Fanny : Tu fais de la confiture de quoi ?

Claudia : D'abricots.

Fanny : Ah bon.

Claudia : Et je vais prendre aussi quelques fromages de chèvre.

Le fermier : Vous allez voir, ils sont parfaits. Combien de fromages ?

Claudia : Six. Ça fait combien ?

Le fermier : Avec les 5 kilos de miel, 44 euros.

Claudia : Je peux faire un chèque ?

Le fermier : Chèques, espèces, carte bancaire, je prends tout !

p. 69 – Savoir acheter

2. Écoutez le début des quatre scènes. Associez chaque phrase à une photo.

a. Voici votre addition. – **b.** Une baguette, s'il vous plaît. – **c.** Bonjour, je voudrais ma note. Je suis Pierre Dumont. – **d.** Il fait combien, ce vase ?

4. Écoutez les scènes complètes.

Scène a

Le serveur : Voici votre addition.

Elle : C'est pour moi.

Lui : Ah non, pas question !

Elle : Alors on partage.

Lui : J'ai envie de t'inviter...

Elle : Une autre fois. Aujourd'hui, on partage.

Lui : Ça fait combien ? 48 euros. Donc 24 chacun.

Elle : Tiens, voilà 24 euros.

Scène b

Le client : Une baguette, s'il vous plaît.

La boulangère : 85 centimes... Oh là là, un billet de 50 euros ! Vous n'avez pas plus petit ?

Le client : Je regarde mais je ne pense pas : 20 centimes, 40...

La boulangère : Mais si, vous avez la monnaie.

Le client : Voilà 90 centimes.

La boulangère : Et je vous rends cinq centimes. Merci. Vous êtes gentil !

Scène c

Le client : Je voudrais ma note. Je suis Pierre Dumont.

La réceptionniste : Vous avez bien trois nuits, trois petits déjeuners et deux téléphones ?

Le client : C'est ça.

La réceptionniste : Voilà, ça fait 320 €. Vous payez comment ?

Le client : Par carte bancaire.

La réceptionniste : Alors faites votre code, s'il vous plaît... Merci.

Scène d

Elle : Il fait combien, ce vase ?

Le vendeur : 50 euros.

Elle : C'est cher, 50 euros !

Le vendeur : Mais il est beau !

Elle : Oui mais regardez ici, il n'est pas en bon état.

Le vendeur : C'est pas grand-chose.

Elle : Vous pouvez faire une petite réduction ?

Le vendeur : 45 euros. Pas moins.

Elle : 40. Allez !

Le vendeur : 40, mais c'est mon dernier prix !

Elle : D'accord.

5. Écoutez et trouvez la situation.

1. Je voudrais changer 500 dollars en euros. – **2.** Un aller-retour pour Strasbourg, s'il vous plaît. – **3.** On voudrait quatre entrées : deux adultes, deux enfants de 9 et 12 ans. – **4.** Une place pour le film *Taxi*, s'il vous plaît. – **5.** Vous pouvez me donner un reçu, s'il vous plaît ? – **6.** Il coûte combien, ce portable ?

p. 71 – Écoutez l'agent immobilier

Notez sur le plan de la page 70 le nom des pièces de la maison.

L'agent immobilier : « C'est ici... Voilà, c'est une maison en rez-de-chaussée, au milieu d'un jardin. Ici, vous avez l'entrée et à gauche un garage... On va entrer... Excusez-moi, je passe devant vous... Alors, on entre dans un couloir et à gauche, vous avez un très grand salon avec de grandes fenêtres. Il fait 40 m². En face, c'est la cuisine... On continue dans le couloir, on tourne à droite et là, à gauche, vous avez les toilettes puis la salle de bains, puis une chambre... et à droite, deux chambres et un petit bureau. »

p. 72 – Situer, s'orienter

4. Comment aller de la gare jusque chez Marie ? Dessinez l'itinéraire.

Pierre : Allô, c'est Pierre. Je suis à la gare.

Marie : Très bien... Je t'explique. Devant toi, tu as une avenue avec des arbres. C'est l'avenue de la Gare.

Pierre : D'accord, je vois.

Marie : Tu prends cette avenue et tu fais 200 m jusqu'à une place : la place Georges-Bizet. À droite, tu vas voir une église. Ça va ?

Pierre : Ça va. Je suis.

Marie : Tu prends à droite, tu passes devant l'église et tu continues jusqu'à la deuxième rue à gauche. Tu tournes dans cette rue, c'est la rue des Poètes et c'est ma rue. J'habite au n° 27. Tu as compris ?

Pierre : Place Georges-Bizet. À droite dans la rue de l'église. Deuxième rue à gauche, au n° 27.

Marie : C'est ça. À tout de suite.

p. 73 – À l'écoute de la grammaire

2. Notez l'adjectif masculin ou féminin.

petite ... original ... gratuit ... publique ... courte ... normale ... premier ... dernière ... différente ...

p. 75 – Fin de la scène 4

Claudia : Fanny, j'ai besoin d'aide.

Fanny : Pour quoi faire ?

Claudia : Regarde : 80 kilos d'abricots. Et des bons ! Du jardin ! On va faire de la confiture.

Fanny : Oui, mais moi, la confiture, je ne sais pas faire.

Claudia : Tu vas apprendre. C'est facile. Pour un kilo d'abricots, il faut un kilo de sucre...

p. 77 – L'interview de Denis

La journaliste : Denis, vous êtes dessinateur. Vous travaillez pour des éditeurs parisiens, mais vous avez décidé d'habiter dans l'Ardèche, très loin de Paris. Pourquoi ?

Denis : D'abord, ici, ce n'est pas très loin de Paris. Je mets une demi-heure pour aller à la gare de Valence et je fais Valence-Paris en 2 heures 15 minutes. Donc trois heures pour aller à Paris. Je peux faire l'aller-retour dans la journée...

Et puis ici, je suis bien. C'est la campagne. Il n'y a pas de bruit. Le temps est agréable. Il ne pleut pas beaucoup... Et aussi je suis libre. J'organise mon temps comme je veux. Quand je n'ai pas envie de travailler, je ne travaille pas. Quand j'ai envie de travailler douze heures dans la journée, je travaille douze heures.

La journaliste : Et il n'y a pas de mauvais côté ?

Denis : Ah si. Je suis un peu isolé. Ici, je n'ai pas la Bibliothèque nationale. C'est difficile pour la documentation. J'ai bien Internet, mais il n'y a pas tout sur Internet !

Et puis aussi, côté professionnel, je suis un peu seul. Il n'y a pas beaucoup de dessinateurs dans la région.

▶ **Bilan – Évaluez-vous**

p. 78 – Test 2 – Vous comprenez des informations au cours d'un voyage

Trouvez où on peut entendre ces informations.

1. Votre attention, s'il vous plaît. La station Rennes est fermée.

2. Bonjour, mesdames et messieurs, contrôle des billets.

3. Le TGV 748 à destination de Paris va partir, quai A.

4. Vol 340 à destination de Tokyo. Embarquement immédiat porte 24.

5. Veuillez attacher vos ceintures.

6. Voici la carte. Le plat du jour, c'est du bœuf bourguignon.

7. Votre attention, s'il vous plaît. Nous informons les visiteurs que le musée va fermer dans 15 minutes.

8. Aujourd'hui 2 avril. Beau temps sur l'ensemble de la France. Quelques pluies sur les régions montagneuses.

9. Et n'oubliez pas nos promotions sur les articles de sport !

10. Voici votre clé. La chambre 48 est au quatrième étage. Vous avez l'ascenseur à droite.

p. 79 – Test 5 – Vous comprenez un itinéraire

Observez le plan et suivez l'itinéraire de Pierre.

Une Parisienne : Ici, vous êtes à la station Porte d'Orléans. Vous allez prendre la direction Porte de Clignancourt. Vous voyez en haut du plan. Ligne 4 : Porte de Clignancourt.

Vous allez jusqu'à la troisième station. C'est Denfert-Rochereau. Vous descendez.

Vous prenez la direction Étoile. C'est la ligne 6 : Nation-Étoile. Vous voyez, ici, vers la gauche. Vous passez la station Montparnasse. Vous descendez à la première station après Montparnasse.

p. 79 – Test 7 – Vous comprenez un emploi du temps

Notez le programme de la journée sur l'agenda.

L'animateur : Voici le programme de la journée de demain. Nous partons en car à neuf heures précises.

Le petit déjeuner est servi à huit heures et demie. Donc il faut se lever à huit heures au plus tard. À neuf heures et demie, nous arrivons au château de Salses. C'est un très beau château du XVe siècle. Nous visitons Salses et nous repartons à onze heures. Nous allons traverser la région pittoresque des Corbières. À midi, nous nous arrêtons dans une auberge. Il y a une piscine. Vous pourrez vous baigner. À deux heures, nous repartons pour Carcassonne. Nous arrivons à trois heures et jusqu'à cinq heures, nous avons une visite organisée de la vieille ville. À cinq heures, vous êtes libres jusqu'au dîner. À huit heures, on se retrouve au restaurant.

À dix heures, nous allons voir le feu d'artifice. C'est le plus beau de la région. Après, vous êtes libres de faire la fête jusqu'à minuit.

Le car repart à minuit précis et nous arrivons à Perpignan à une heure et quart.

p. 89 – À l'écoute de la grammaire

1. Écoutez ces phrases. Notez le temps du verbe.

Tu habites à Marseille

Tu aimes la mer
Tu aimais la ville
Quand tu habitais rue Montmartre
Je suis venu chez toi
Marie venait souvent
Nous habitions tout près
Nous sommes partis, nous aussi
Mais nous pensons à toi.

p. 90 – Fin de la scène 2

[…]

Camille : Alors au milieu, c'est ma grand-mère et mon grand-père ?

François : Oui, ton grand-père était facteur.

Camille : Et ma grand-mère, elle travaillait ?

François : Tu sais, avec quatre enfants, il y avait beaucoup de travail à la maison.

Camille : À droite de ma grand-mère, je reconnais mon oncle Patrick, et là, derrière grand-père, c'est qui ?

François : Tu ne me reconnais pas ?

Camille : Dis donc, papa. Tu étais beau mec !

François : J'étais…

Camille : Mais non, papa, tu es toujours beau mec… Alors lui, à côté de grand-père, c'est Thierry… pas mal non plus, et à côté de lui, c'est ma tante Mathilde ?

François : Non, Mathilde est là, à droite de Patrick. Elle avait douze ans à l'époque.

Camille : Alors, c'est qui la fille à côté de Thierry ?

François : Sa copine.

Camille : Ils se sont mariés ?

François : Tu sais bien que depuis 25 ans, je n'ai plus de nouvelles.

p. 93 – Micro-trottoir

1. *Un homme* : Moi, c'est mon grand-père maternel. Mes grands-parents habitaient la campagne. J'allais passer les vacances chez eux et mon grand-père avait un grand jardin. On était tout le temps dans le jardin et pour moi, ce jardin, c'était une forêt mystérieuse.

2. *Une femme* : J'avais une voisine musicienne. Elle jouait du piano. J'écoutais derrière sa porte. J'avais, moi aussi, envie d'être musicienne. Depuis cette époque, j'ai toujours aimé la musique.

3. *Un homme* : J'adorais ma grand-mère. Avec elle, j'ai appris à faire la cuisine et surtout le plaisir d'aller au marché, de choisir de bons produits et de préparer de bons plats ! Et voyez, je suis devenu cuisinier.

4. *Une femme* : C'est un ami de mon père. Il travaillait à l'étranger dans les ambassades et tous les trois ans, il changeait de pays. Quand il venait à la maison, il avait toujours des histoires à raconter. Je trouvais sa vie passionnante.

5. *Un homme* : Mes parents aimaient sortir, mais c'était toujours pour aller au cinéma, au théâtre, chez des amis… Heureusement, j'avais un oncle sportif. Je me souviens. Le vendredi soir, j'attendais qu'il téléphone pour me proposer d'aller avec lui faire une randonnée ou une partie de tennis.

▶ Leçon 10

p. 98 - Fin de la scène 2

[…]

Le voisin : Vous cherchez quelqu'un ?

Camille : Monsieur Patrick Dantec. Il habite bien ici ?

Le voisin : La maison est à lui mais on ne le voit pas souvent.

Camille : Vous savez où je peux le trouver ?

Le voisin : Il voyage beaucoup. Vous le cherchez pour quoi ?

Camille : Je suis sa nièce.

Le voisin : La fille de Mathilde ?

Camille : Non de François.

Le voisin : François est revenu de Nouvelle-Calédonie ?

Camille : Non, c'est moi. Je fais des études à Rennes.

Le voisin : Ah, je vois… Comment il va, François ?

Camille : Très bien. Vous connaissez ma famille, alors ?

Le voisin : Je les connais tous. Je suis né ici. J'allais à l'école avec votre oncle. Mais venez prendre un café à la maison.

p. 101 – Savoir-vivre en France

3. Transcrivez les scènes.

Scène a

L'homme : Bon anniversaire, Aurélie. Tiens, un petit cadeau pour toi.

La jeune femme : Oh, c'est trop gentil. Qu'est-ce que c'est ?

L'homme : Ben, regarde !

Scène b

Un jeune homme : Je peux vous aider ?

La vieille dame : Oh, c'est gentil…

Le jeune homme : Ça va mieux comme ça ?

La vieille dame : Oh oui, je vous remercie.

Le jeune homme : De rien, madame.

Scène c

Homme 1 : S'il vous plaît… S'il vous plaît, monsieur !

Homme 2 : Oui, qu'est-ce qu'il y a ?

Homme 1 : Vous ne pouvez pas arrêter de chanter ? C'est très énervant !

Homme 2 : Oh, excusez-moi, je ne faisais pas attention.

Scène d

Estelle et Denis : Bonjour, Sylvie !

Sylvie : Bonjour ! Comment ça va ? Vous connaissez Stéphane, mon mari ?

Denis : Non, mais on a entendu parler de lui… Bonjour, Stéphane.

Sylvie : Stéphane, je te présente Estelle, une collègue de l'université, et Denis, son compagnon.

Stéphane et Estelle : Bonjour… Enchanté(e)…

Sylvie : Et voici Juliette, notre fille.

Estelle : Bonjour, Juliette. Quel âge as-tu ?

▶ Leçon 11

p. 106 – Début de la scène 3

Patrick : Allô, le CFDE ?

La standardiste : Oui, monsieur.

Patrick : Je voudrais parler à monsieur Dossin.

La standardiste : C'est de la part de qui ?

Patrick : Patrick Dantec.

La standardiste : Je n'ai pas bien entendu. Vous pouvez répéter.

Patrick : Dantec, D-A-N-T-E-C, Patrick. Je suis directeur de recherche au CNRS. J'appelle du Burkina Faso.

La standardiste : Un moment… La ligne est occupée. Vous patientez ? Vous laissez un message ?

Patrick : Non. Je rappelle plus tard.

La standardiste : Attendez, monsieur Dossin a terminé. Je vous le passe.

Patrick : Merci.

M. Dossin : Allô !

Patrick : Bonjour, monsieur. C'est Patrick Dantec. Je vous appelle pour mon crédit de recherche.

M. Dossin : Je regrette, monsieur Dantec.

[…]

p. 109 – Que faire en cas d'urgence ?

Des personnes appellent les services d'urgence. Complétez le tableau.

a. – Allô, les pompiers ?

– Oui, monsieur.

– Il y a une voiture en feu en face de chez moi.

– Vous pouvez me donner l'adresse ?

– 17 rue de la République.

– Nous arrivons.

b. – Le SAMU, j'écoute.

– Je vous appelle parce que je suis dans la rue… et une dame âgée est tombée. Elle n'est pas bien du tout.

– Elle parle ?

– Non, elle est sans connaissance.

c. – Cabinet dentaire.

– Bonjour. Est-ce que je pourrais avoir un rendez-vous en urgence ? J'ai très mal à une dent.

– Depuis quand ?

– Depuis hier soir. Je n'ai pas dormi de la nuit.

– Attendez… je vais voir…. Ça va, venez tout de suite. On va vous prendre.

d. – Allô, la police ?

– Je vous écoute.

– Je vous appelle parce que mon voisin fait beaucoup de bruit. Il met de la musique très fort, toute la nuit. C'est la troisième nuit que je ne dors pas !

– On entend le bruit de la rue ?

– Bien sûr. Dans l'immeuble d'en face non plus, ils ne peuvent pas dormir.

– Bon, on va venir.

▶ Leçon 12

p. 113 – À l'écoute de la grammaire

1. Écrivez le nom de la personne dans la bonne colonne.

directeur – chanteuse – artiste

sportive – secrétaire – vendeur

médecin – pharmacien – infirmière

écrivain – journaliste – danseur

étudiante – serveuse – professeur

p. 114 – Scène 1

Patrick : Allô !

Camille : Bonjour. Je suis Camille.

Patrick : Camille, ma nièce ! Comment vas-tu ?

Camille : Ça va. Je suis contente de vous avoir trouvé.

Patrick : Il faut me tutoyer, Camille.

Camille : D'accord.

Patrick : Dis-moi. Je dois venir à Saint-Malo, le 2 décembre. On peut se voir.

Camille : Le 2, c'est impossible. J'ai un examen à la fac.

Patrick : Écoute. Je dois rester à Saint-Malo toute la semaine du 2.

Camille : Alors, le 4, le mercredi 4, c'est bien pour moi.

Patrick : Super. On va avoir des choses à se dire. Et puis tu vas rencontrer ma compagne.

Camille : Avec plaisir !

Patrick : Donc, tu viens à la maison vers quelle heure ?

Camille : Vers 11 h. Ça va ?

Patrick : C'est parfait.

p. 116 – Les « looks » en France

4. À quelle photo correspond chaque phrase ?

1. Elle porte une robe de soirée noire.

2. Il a une veste et un tee-shirt noirs.

3. Elle est blonde. Elle a les cheveux longs. Elle a mis une robe blanche courte.

4. Il porte un costume et une cravate. Il a des lunettes.

5. Il a une casquette et un tee-shirt long.

6. Elle porte un jean bleu et un tee-shirt blanc avec des rayures.

Transcriptions

▶ Bilan – Évaluez-vous

p. 119 – Test 4 – Vous comprenez des informations pratiques au téléphone

Reliez les situations et les réponses ou les actions.

1. – Bonjour, je voudrais parler à monsieur Martineau.
– Ah, je suis désolé, monsieur Martineau est absent pour la semaine.
2. – Bonjour, je voudrais parler à monsieur Martineau.
– Vous faites erreur, madame. Il n'y a pas de Martineau ici.
3. *(répondeur)* « Vous êtes bien chez Jacques Martineau. Je suis absent pour le moment. Merci de me laisser un message. Je vous rappelle dès mon retour. »
4. – Bonjour, je voudrais parler à monsieur Martineau.
– Il est en ligne.
5. – Bonjour, je voudrais parler à monsieur Martineau.
– Ah, il est en réunion jusqu'à 11 heures !

p. 119 – Test 5 – Vous comprenez les consignes orales

Trouvez les dessins qui correspondent aux consignes.

a. Il est interdit de fumer.
b. Entrez !
c. Pouvez-vous fermer la porte, s'il vous plaît ?
d. Envoyez-moi un message de confirmation.
e. Complétez ce formulaire.
f. Ne m'appelez pas ce soir.
g. Restez couché !
h. Prenez deux cachets le soir.
i. Ne faites pas de sport.
j. Prenez votre température.

P 120 – Test 9 – Vous comprenez la description d'une personne

À quelle personne correspond chaque phrase ?

1. Émile, c'est le gros. Il porte un costume gris.
2. Amélie est grande. Elle est blonde. Elle a les cheveux courts.
3. Dylan est le seul à porter des lunettes.
4. François est mince et grand. Il porte un pantalon noir, une veste rouge et une cravate.
5. Barbara a des cheveux longs. Elle est brune.
6. Barbara porte une jupe verte et un chemisier blanc.
7. Amélie porte une robe jaune.
8. Claudia porte un chapeau.
9. Dylan est petit. Il porte un jean et une chemise noire.
10. François est le seul à porter la barbe.

P 120 – Test 11 – Dites si les phrases sont vraies ou fausses

a. En France, 70 % des couples sont mariés.
b. Tous les Français qui se marient font une cérémonie religieuse.
c. Beaucoup de couples ne restent pas mariés toute leur vie.
d. On peut dire tout de suite « tu » à un collègue de travail.
e. On peut vouvoyer quelqu'un et l'appeler par son prénom.
f. Quand on est invité, on arrive un peu en avance.
g. Quand on vous offre un cadeau, il ne faut pas l'ouvrir tout de suite.
h. Quand il y a un accident grave, on peut appeler les pompiers.
i. On ne peut pas acheter certains médicaments sans une ordonnance du médecin.
j. Quand les parents divorcent, ils se partagent la garde des enfants.

▶ Leçon 13

p. 127 – Écoutez le micro-trottoir

Le journaliste : C'est bientôt le 1er janvier. Pour la nouvelle année, prendrez-vous de grandes décisions ?
Personne 1 : Oui, j'arrêterai de jouer aux jeux vidéo. Avant, je jouais deux ou trois soirs par semaine. Maintenant, c'est tous les soirs. Le samedi, je peux passer la nuit devant mon ordinateur. Donc le 31 à minuit, j'arrête. L'année prochaine, je ferai du sport et je retrouverai les copains qui vont en boîte le samedi soir.
Personne 2 : Une grande décision pour l'année prochaine ? Oui. Je me marierai. Mon copain le veut bien. C'est moi qui hésitais. Mais on est ensemble depuis six ans, alors pourquoi pas se marier ? L'année prochaine, on fera la fête.
Personne 3 : Ben moi, je passerai mon diplôme d'informaticien. D'abord, j'espère que je réussirai. Puis je chercherai du travail et j'espère que ce ne sera pas trop difficile. Peut-être, il faudra partir d'ici, trouver un logement, de nouveaux amis. On verra. L'année prochaine c'est le mystère.
Personne 4 : Oui, j'ai pris une grande décision. L'année prochaine, je reste chez moi. Bien sûr, je sortirai pour travailler. Mais, je veux dire, je ne sortirai pas tous les soirs pour aller dîner au restaurant ou chez des copains, et tous les week-ends. Non, j'ai besoin de rester un peu tranquille, de profiter de mon appartement. Mais pas toujours toute seule évidemment !

p. 131 – Fin de la scène 3

Une collègue : Alors qu'est-ce que tu vas faire ?
Laura : Je pars.
La collègue : Réfléchis bien !
Laura : C'est tout réfléchi. Un poste de contrôleur, ça ne m'intéresse pas !
La collègue : Tu n'as pas peur d'être au chômage ?
Laura : Ne t'inquiète pas. J'ai un bon CV.
La collègue : Ça ne sera pas facile, tu sais.
Laura : Je suis sûre que je trouverai.
La collègue : Tu es optimiste. Tant mieux. Alors, bon courage !

▶ Leçon 14

p. 139 – Fin de la scène 3

[...]
Laura : Je n'ai pas envie de chercher. J'ai envie de créer mon entreprise.
Tarek : Ça ne m'étonne pas. Tu y penses depuis longtemps.
Laura : Écoute... J'ai un projet. J'ai un peu d'argent et j'ai quelques contacts.
Tarek : À Grasse ?
Laura : Oui.
Tarek : Tu as raison. C'est maintenant ou jamais.
Laura : Mais, Tarek, si je pars, c'est avec toi. Si tu ne viens pas, je reste ici.
Tarek : C'est gentil ça... Alors, je viens.... si je peux travailler avec toi. Par exemple, je m'occuperai de la gestion.
Laura : Ça me va.

P 141 – L'économie et le travail en France

2. Écoutez ces scènes. Faites-les correspondre avec un des points du document « Le travail en dix points ».

Scène a
Une femme : Ah, bonjour, Gérard. Dis-moi. Je fais un pot jeudi soir. Je compte sur toi.
Gérard : Tu fêtes une promotion ?
La femme : Non, je pars à la retraite.
Gérard : C'est pas possible !
La femme : Ben si, j'ai 57 ans. J'ai eu trois enfants. J'ai l'âge de partir.
Gérard : Vraiment, je ne te vois pas retraitée.

Scène b
Une femme : Qu'est-ce qu'il a, monsieur Rivière ? Il est tout le temps chez lui. Il est malade ?
Une autre femme : Non, il a perdu son travail. Il est au chômage.
Première femme : Ça fait longtemps ?
Deuxième femme : Deux mois. Il cherche mais il a 50 ans. Ça va être difficile.

Scène c
Un homme : Tu les prends quand, tes congés, cette année ?
Une femme : Je prends trois semaines en août, comme toujours. Et je vais prendre 15 jours en mars. On va aller faire un petit voyage.

Scène d
Un homme : Vous travaillez 35 heures par semaine. Pas plus ? Alors ça fait 7 heures par jour. Si vous commencez à 9 h, avec une heure pour déjeuner, vous êtes sortie à 17 h.
Une femme : Oh, mais ce n'est pas toujours comme ça. Quelquefois, je travaille 8 ou 9 heures dans la journée. Mais après, ça fait des journées de congé en plus.

Scène e
Une femme : Tu fais grève mardi ?
Un homme : Je ne sais pas. Il n'y en a pas beaucoup qui la font.
La femme : C'est important. C'est contre la fermeture de l'usine de Rennes. Tu es syndiqué ?
L'homme : Non.

Scène f
Un homme : Depuis que tu es chef de projet, tu gagnes combien ?
Une femme : 3 200.
L'homme : Net ou brut ?
La femme : Net.

Scène g
Un homme : Tu as de la chance, toi. Tu es professeur dans un lycée. Tu es fonctionnaire. Tu ne peux pas te retrouver au chômage.
Une femme : C'est vrai, mais dans le privé, il y a des gens qui ont fait moins d'études que moi et qui gagnent beaucoup plus.

▶ Leçon 15

p. 145 – À l'écoute de la grammaire

1. Écoutez ces phrases. Notez le deuxième verbe. Indiquez s'il est au subjonctif ou à l'indicatif
Espoir
Je voudrais que Claudia vienne demain.
J'espère qu'elle me téléphonera.
Il faut que je lui dise tout.
Claudia ne sait pas que Myriam m'a quitté.
Elle croit que nous sommes toujours ensemble.
J'aimerais que nous allions au restaurant.
Non, je préfère que ce soit dans un café.
Il faut qu'elle sache.
Je pense qu'elle m'écoutera.

2. Différenciez le présent de l'impératif et le présent du subjonctif.
Avant le départ en week-end
Préparez-vous ! Il faut que vous vous prépariez !

Rangez vos affaires ! Il faut que vous rangiez vos affaires. Va acheter du pain ! Il faut que tu ailles acheter du pain. Fais des sandwichs ! Il faut que tu fasses des sandwichs. Descendons les valises ! Il faut que nous descendions les valises.
Soyons à l'heure ! Il faut que nous soyons à l'heure.

p 146 – Scène 1

Laura : Laura Mirmont, bonjour.
Leïla : Bonjour, Laura. C'est Leïla.
Laura : Ah, bonjour, Leïla. Comment ça va ?
Leïla : Ça va. Je suis toujours à Paris. Je travaille toujours au journal. Et toi ? Ça fait longtemps que je n'ai pas de tes nouvelles.
Laura : Ben, moi, je n'arrête pas.
Leïla : Tu es installée ? Tu as trouvé à te loger ?
Laura : Oui, on loue une maison à deux kilomètres de Grasse.
Leïla : Et Tarek ?
Laura : Il va bien. Il travaille avec moi, maintenant.
Leïla : Et le projet de bébé ?
Laura : Oh, c'est pour plus tard.
Leïla : Mais ton travail, ça marche ?
Laura : Ben, tu sais, on commence. C'est pas facile.
Leïla : Où vous en êtes ? Vous avez créé l'entreprise ? Vous produisez ?
Laura : On a créé des produits. Maintenant, il faut les commercialiser.
Leïla : Tu sais… J'appelais aussi parce que je dois venir faire un reportage dans ta région. C'est juste à côté de Grasse.
Laura : Ah, il faut passer nous voir.
Leïla : Je fais le reportage le vendredi 10. On pourrait se voir pendant le week-end.
Laura : Le week-end du 11, pas de problème.
Leïla : Tu me trouveras un petit hôtel ?
Laura : Non, on a une chambre d'amis.
Leïla : Ah, c'est super ! Je te rappelle dans quelques jours.
Laura : Alors, à bientôt. Ciao !
Leïla : Ciao.

p. 147 – Sons, rythmes, intonations

1. Écoutez et notez les mots dans le tableau.

c'est tôt … le dos … des livres … tes affaires … Tu viens ? … du pain … vous êtes Paul … il vous aide … le code … la côte … c'est vide … il va vite.

p. 149 – Les vœux des jeunes

À l'occasion de l'élection présidentielle, on pose à quatre jeunes la question : « Que doit faire le nouveau Président ? »

a. *Une fille :* Il faudrait que les jeunes puissent trouver du travail plus facilement. Quand vous sortez de l'université ou d'une école, vous êtes qualifiée et les entreprises vous disent : « On ne vous prend pas parce que vous n'avez pas d'expérience. » Ce n'est pas normal… Comment je peux avoir de l'expérience si on ne me prend pas une première fois ? Il faut obliger les entreprises à prendre des jeunes.
b. *Un garçon :* On ne se sent pas en sécurité. Ça commence au collège. Le mois dernier, on m'a pris mon portable. Deux jeunes de mon âge. Si je ne le donnais pas, ça allait très mal pour moi. Le soir, quand on va en boîte, on est obligé d'être en groupe. Je ne veux pas voir de la police partout. Mais il faut faire quelque chose.
c. *Une fille :* Pour moi, le problème le plus important, c'est que notre monde est de plus en plus pollué. Il y a des plantes, des animaux qui disparaissent chaque jour. Le climat change. Un jour peut-être, le sud de la France deviendra un désert. Mais je ne sais pas ce qu'un président de la République peut faire contre tout ça.
d. *Un garçon :* Il y a quelque chose qui n'est pas normal, c'est la différence entre les bas salaires et les hauts salaires. Les bas salaires sont trop bas et les hauts salaires sont trop hauts. Il ne faut pas qu'il y ait autant de différence. Ça, c'est un problème qu'on peut résoudre. Sur cette question, les députés peuvent être d'accord à 100 %.

▶ Leçon 16

p 154 – Fin de la scène 2

[…]
Tarek : L'Express : « Les parfums de Laura » !
Laura : C'est Leïla qui a écrit l'article.
Tarek : Écoutez ce titre : « Une invention qui va changer le monde ».
L'employé : Il est de qui, du *Monde* ?
Tarek : Exactement.
Laura : Et on a aussi des messages… de Novadécor.
Tarek : Les peintures et papiers peints ?
Laura : Oui, ils veulent qu'on se rencontre.
Tarek : Leïla avait raison. Ça marche.

p. 155 – Sons, rythmes, intonations

Écoutez. Classez les mots dans le tableau selon l'intonation.

Quoi ? … Ah ! … Oh !… Bien … Tiens ! … Non … Super ! … Non ! … C'est nul … Ça alors … Parfait ! … Quelle surprise … C'est pas possible … Je rêve ou quoi !

p 156 – Écoutez une histoire

Regardez la photo de l'équipe de France de football, p. 14, et écoutez l'histoire.

Regardez cette photo de l'équipe de France de football. Elle a été prise avant le match entre l'Irlande et la France. C'était en 2006, un match de qualification pour la Coupe du monde de football. Vous voyez que les joueurs ont la main sur le cœur et qu'ils chantent *La Marseillaise*. Et là, il y a quelque chose de bizarre : c'est que d'habitude, quand ils chantent *La Marseillaise*, les joueurs de l'équipe de France ne mettent pas la main sur le cœur. Alors, pourquoi ils ont fait ça ?
En fait, c'était une plaisanterie. Voilà ce qui s'est passé. À la radio « Rires et chansons », il y a un présentateur qui imite très bien le Président Jacques Chirac. Et le matin du match, cet imitateur téléphone au sélectionneur de l'équipe de France et au joueur Zidane, et il leur dit, avec la voix de Jacques Chirac : « Ici, Jacques Chirac, j'aimerais bien que ce soir, quand vous chanterez *La Marseillaise*, vous mettiez tous la main sur votre cœur, etc. » Et Zidane et le sélectionneur croient qu'ils ont Chirac au téléphone. Et ils disent : « Oui, Monsieur le Président, on le fera. » Et voilà pourquoi, le soir, avant le match, ils ont tous la main sur le cœur. Et l'amusant, c'est que toute la presse a trouvé ça très bien…

▶ Bilan – Évaluez-vous

p. 158 – Test 4 – Vous comprenez des informations portant sur des projets et des changements

Le maire d'une ville de la région Languedoc-Roussillon parle de l'avenir de sa ville. Notez ce qui va changer.

« Chers amis… Il faut savoir que dans les dix prochaines années, la population de notre ville augmentera de 20 000 habitants. Je dis bien 20 000 nouveaux habitants. Les nouveaux résidents viendront de toute la France, mais aussi des pays de l'Europe du Nord.
Notre ville doit donc être une ville moderne. Pour diminuer le nombre de voitures dans le centre, nous allons construire 1 500 places de parking. Nous allons aussi développer notre tramway.
Pour les nouveaux arrivants, il faudra des logements. Nous allons restaurer les vieux logements du centre-ville. Nous avons aussi un projet de développement d'un nouveau quartier au nord de la ville.
Nous pensons bien entendu aux enfants et aux jeunes. Nous créerons des classes dans les écoles pour qu'elles accueillent les enfants à partir de 2 ans. Et nous développerons notre université.
Enfin, nous créerons un nouveau jardin public dans le centre-ville et un grand parc pour des activités sportives au nord de la ville, à côté du nouveau quartier. »

p. 160 – Test 6 – Vous comprenez une annonce

Trouvez l'annonce qui peut intéresser chaque personne.

1. *Jeune homme :* Je suis invité à une fête, samedi soir. J'ai bien envie d'y aller. Mais c'est à Paris. Je ne veux pas dépenser 120 euros de train.
2. *Jeune fille :* J'ai trouvé un boulot. Dans une agence d'assurance. Il y a un seul problème. C'est à 25 km d'ici. Il faut que j'achète une voiture.
3. *Femme :* J'ai un problème. J'avais une jeune fille qui gardait mes enfants. Elle était très bien. Mais elle quitte la région.
4. *Jeune fille :* Je cherche un petit boulot pour le mois de septembre, les deux dernières semaines. Si tu vois quelque chose… Tu sais que je parle anglais et italien.
5. *Homme :* Tu sais la nouvelle ? Ils m'envoient six mois en Australie. Il faut que je travaille mon anglais.

p. 160 – Test 8 – Vous pouvez réagir à une information

Réagissez à ce que disent ces personnes.

1. J'ai un travail bien payé mais je m'ennuie. Je crois que je vais partir.
2. Demain, j'ai mon examen. Bon, j'ai bien travaillé mais j'ai un peu peur.
3. C'est la catastrophe ! Ce week-end, je dois garder mes trois neveux. Il y en a un qui a 10 ans. Lui, ça va. Mais les autres sont petits, 3 et 5 ans…
4. C'est bête. Hier soir, on passait *Terminator* à la télé. J'adore ce film. Mais je n'ai pas regardé le programme et j'ai fait autre chose.
5. Je ne comprends pas. Pierre est malade, il tousse. Mais il continue à fumer.

p. 160 – Test 11 – Vous connaissez la société française

Répondez à ces questions sur la société française.

a. À quel âge est-ce qu'on entre au collège, en France ?
b. Pour entrer à l'université, quel examen doit-on passer ?
c. Dans les écoles publiques françaises, on n'enseigne pas de religion. C'est vrai ?
d. Est-ce qu'on peut faire des études supérieures sans passer par l'université ?
e. Quand on travaille, on a combien de semaines de vacances dans l'année ?
f. Combien y a-t-il de régions en France ?
g. Un département, c'est plus grand ou plus petit qu'une région ?
h. Est-ce que le président de la République dirige le gouvernement ?
i. Qui élit le président de la République ?
j. Pouvez-vous citer deux grands journaux nationaux ?

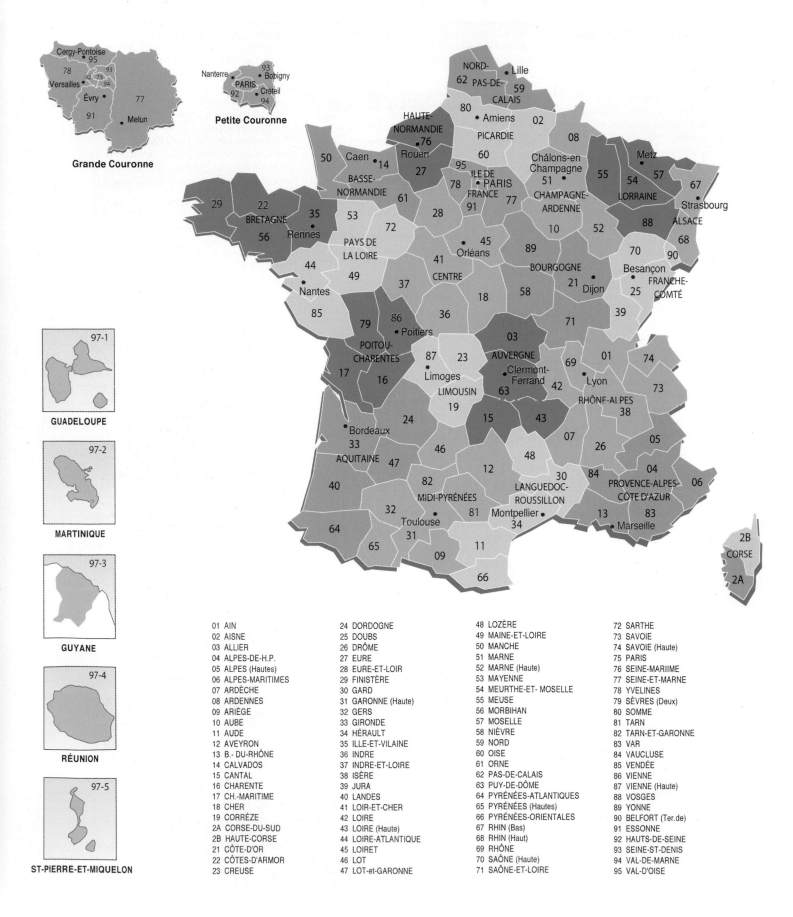

La France administrative

Cergy-Pontoise 95
78 92 75 94
Versailles 93 Bobigny
Évry 94 Créteil
91 Melun 77

Grande Couronne

Nanterre
PARIS 92

Petite Couronne

GUADELOUPE 97-1

MARTINIQUE 97-2

GUYANE 97-3

RÉUNION 97-4

ST-PIERRE-ET-MIQUELON 97-5

NORD-
62 PAS-DE- Lille
59
CALAIS
80 Amiens 02 08
HAUTE-
NORMANDIE PICARDIE
76 60 Châlons-en 51
50 Caen 14 Rouen 95 Champagne 55 Metz 57
27 ILE DE CHAMPAGNE- 54
BASSE- 78 FRANCE ARDENNE LORRAINE 67
NORMANDIE 61 PARIS 88 Strasbourg
29 22 28 91 77 10 52 ALSACE 68
BRETAGNE 35 53 72 70 90
56 Rennes 45 89 FRANCHE- Besançon
PAYS DE Orléans BOURGOGNE 25 COMTÉ
44 LA LOIRE 41 CENTRE 21 Dijon
49 37 18 58 39
Nantes
85 36 71
79 86 Poitiers 03
POITOU- 87 23 AUVERGNE 69 01 74
CHARENTES Limoges Clermont- 42 Lyon 73
17 16 LIMOUSIN Ferrand 63 RHÔNE-ALPES
19 15 43 38
Bordeaux 24 07 05
33 46 48 26
AQUITAINE 47 12 30 84 04
40 82 LANGUEDOC- 06
MIDI-PYRÉNÉES ROUSSILLON PROVENCE-ALPES-
32 81 Montpellier 13 CÔTE D'AZUR 83
Toulouse 34 Marseille
64 31 2B
65 11 CORSE
09 66 2A

01 AIN	24 DORDOGNE	48 LOZÈRE	72 SARTHE
02 AISNE	25 DOUBS	49 MAINE-ET-LOIRE	73 SAVOIE
03 ALLIER	26 DRÔME	50 MANCHE	74 SAVOIE (Haute)
04 ALPES-DE-H.P.	27 EURE	51 MARNE	75 PARIS
05 ALPES (Hautes)	28 EURE-ET-LOIR	52 MARNE (Haute)	76 SEINE-MARIIME
06 ALPES-MARITIMES	29 FINISTÈRE	53 MAYENNE	77 SEINE-ET-MARNE
07 ARDÈCHE	30 GARD	54 MEURTHE-ET- MOSELLE	78 YVELINES
08 ARDENNES	31 GARONNE (Haute)	55 MEUSE	79 SÈVRES (Deux)
09 ARIÈGE	32 GERS	56 MORBIHAN	80 SOMME
10 AUBE	33 GIRONDE	57 MOSELLE	81 TARN
11 AUDE	34 HÉRAULT	58 NIÈVRE	82 TARN-ET-GARONNE
12 AVEYRON	35 ILLE-ET-VILAINE	59 NORD	83 VAR
13 B.- DU-RHÔNE	36 INDRE	60 OISE	84 VAUCLUSE
14 CALVADOS	37 INDRE-ET-LOIRE	61 ORNE	85 VENDÉE
15 CANTAL	38 ISÈRE	62 PAS-DE-CALAIS	86 VIENNE
16 CHARENTE	39 JURA	63 PUY-DE-DÔME	87 VIENNE (Haute)
17 CH.-MARITIME	40 LANDES	64 PYRÉNÉES-ATLANTIQUES	88 VOSGES
18 CHER	41 LOIR-ET-CHER	65 PYRÉNÉES (Hautes)	89 YONNE
19 CORRÈZE	42 LOIRE	66 PYRÉNÉES-ORIENTALES	90 BELFORT (Ter.de)
2A CORSE-DU-SUD	43 LOIRE (Haute)	67 RHIN (Bas)	91 ESSONNE
2B HAUTE-CORSE	44 LOIRE-ATLANTIQUE	68 RHIN (Haut)	92 HAUTS-DE-SEINE
21 CÔTE-D'OR	45 LOIRET	69 RHÔNE	93 SEINE-ST-DENIS
22 CÔTES-D'ARMOR	46 LOT	70 SAÔNE (Haute)	94 VAL-DE-MARNE
23 CREUSE	47 LOT-et-GARONNE	71 SAÔNE-ET-LOIRE	95 VAL-D'OISE

La France physique et touristique

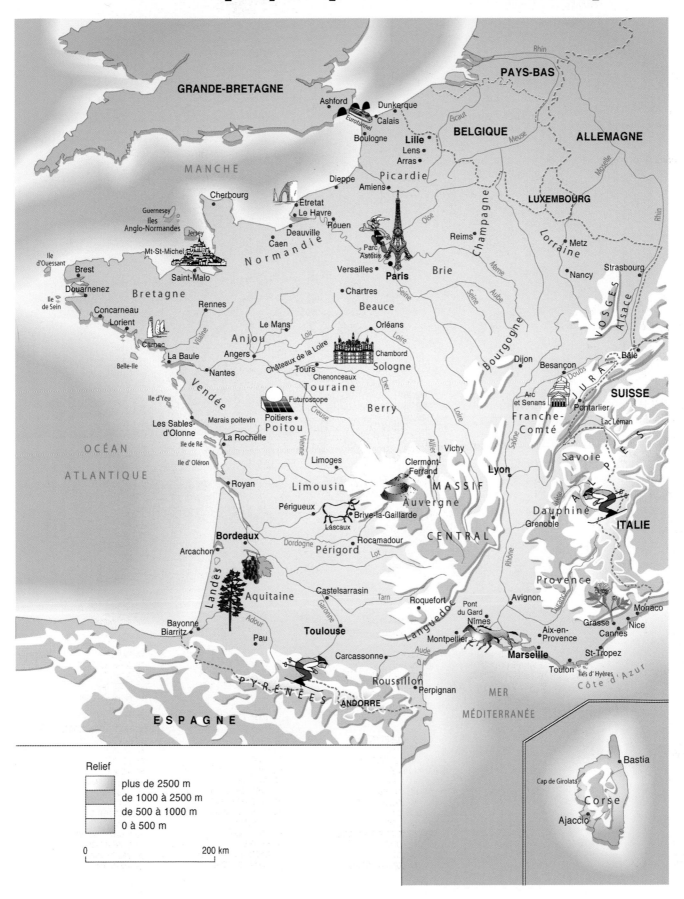

Visite de Paris

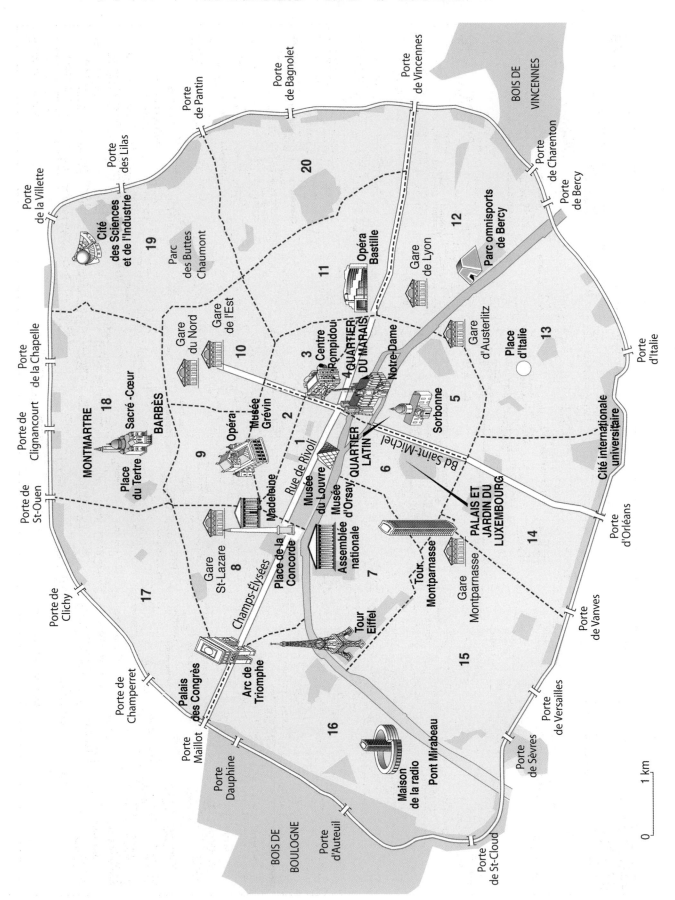

Le métro et le RER à Paris

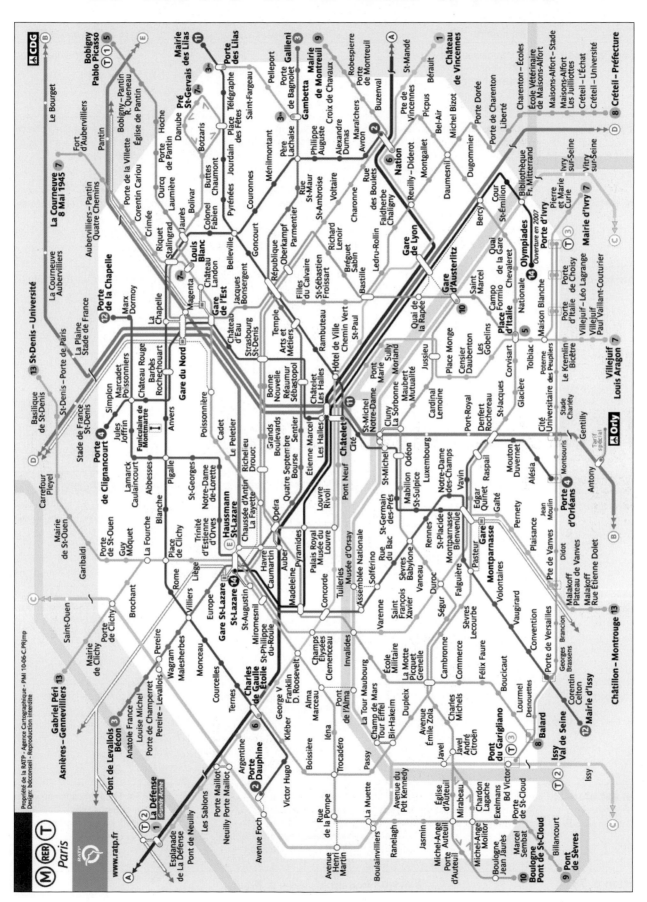

Unité 1 Apprendre ensemble

Unité 2 Survivre en français

Situations orales	Phonétique	Compréhension des textes	Écriture	Civilisation
• Aborder quelqu'un • Dire son nom • Saluer – prendre congé • Remercier • Dire si on comprend	• Repérage des sons difficiles • [ʒ] – [y] • Rythmes et enchaînement	• Écrits de la rue	• Correspondance sons / graphies	• L'espace francophone
• Identifier une personne ou un objet • Exprimer ses goûts • Demander quelque chose	• Marques orales du féminin et du pluriel • Différenciation « je » - « j'ai » - « j'aime » • Rythmes et enchaînement	• Articles de presse Portrait d'une personne	• Se présenter sur un site Internet	• Première approche de la société française (noms, âges, origines, lieux d'habitation)
• Proposer – accepter ou refuser une proposition • Demander une explication • Exprimer la possibilité / l'impossibilité, l'obligation	• [v] – [f] • Rythme du groupe « verbe + verbe » et de la phrase négative	• Cartes et messages d'invitation, d'acceptation ou de refus	• Cartes et messages d'invitation, d'acceptation ou de refus	• Première approche de l'espace de la France. Repérage de quelques lieux de loisirs
• Demander / donner des précisions sur le temps • Demander / dire ce qu'on a fait • Féliciter	• Différenciation présent / passé • Enchaînement avec [t] et [n]	• Journal personnel • Compréhension d'une chronologie	• Rédaction d'un fragment de journal personnel	• Rythmes de l'année et rythmes de vie en France • Personnalités du monde francophone.

Projet : Sortie virtuelle

Situations orales	Phonétique	Compréhension des textes	Écriture	Civilisation
• Choisir, négocier une activité commune • Faire des recommandations • Demander / donner une explication • Situations pratiques relatives au voyage	• Sons [ɔ] – [ɔ̃] • Différenciation [y] – [u] • Différenciation [b] - [v] - [f]	• Article de presse Relation d'un événement	• Récit des circonstances d'un voyage	• Les transports en France
• Situations pratiques à l'hôtel et au restaurant	• Rythme et intonation de la question • Rythme de la phrase négative (pas de...) • Rythme et enchaînement avec [ə]	• Extrait de guide touristique : restaurants originaux de Paris	• Présentation d'un lieu	• Les habitudes alimentaires des Français
• Demander des nouvelles de quelqu'un • Choisir, acheter, payer un objet • S'informer sur la présence ou l'existence d'une personne ou d'un objet	• Rythme de la conjugaison pronominale • Intonation de l'impératif • Prononciation des pronoms toniques	• Extrait d'un guide touristique : les activités gratuites en France	• Rédaction d'un bref document d'information	• Comportement en matière d'achat et d'argent
• S'informer sur l'état physique de quelqu'un • S'informer sur un itinéraire, une orientation • Demander de l'aide • Exprimer une interdiction	• Différenciation [s] – [z] [a] – [ã] • Prononciation de [ʒ] • Différenciation du masculin et du féminin des adjectifs	• Lettre ou carte postale (nouveau logement et nouveau cadre de vie)	• Rédaction d'une carte ou d'un message de vacances	• Le climat en France • Les cadres de vie (ville et campagne)

Projet : Poésie en liberté

Unité 3 Établir des contacts

Leçons	Grammaire	Vocabulaire	Discours continu
9. Souvenez-vous p. 86	• L'imparfait • Emplois du passé composé et de l'imparfait • Expression de la durée • L'enchaînement des idées (alors, donc, mais) • Le sens réciproque	• Les moments de la vie • La famille • Les relations amicales, amoureuses, familiales	• Raconter brièvement un souvenir • Présenter sa famille • Faire brièvement la biographie d'une personne
10. On s'appelle ? p. 94	• Les pronoms compléments directs • Les pronoms compléments indirects de personne • L'expression de la fréquence et de la répétition	• Les moyens de communication (courrier, téléphone, Internet)	• Parler des moyens de communication

11. Un bon conseil !
 	
p. 102
	• Expression du déroulement de l'action
	  – passé récent
	  – présent progressif
	  – futur proche
	  – action achevée / inachevée
	• Les phrases rapportées
		• Le corps
		• La santé et la maladie
			• Exposer un problème personnel (santé, relations, etc.)
			• Donner des conseils à quelqu'un qui a un problème personnel

12. Parlez-moi de vous p. 110	• La place de l'adjectif • La proposition relative finale avec «qui» • C'est / il est • Impératif des verbes avec pronoms • La formation des mots	• La description physique et psychologique des personnes • Les vêtements • Les couleurs	• Se présenter / présenter quelqu'un en parlant de sa personnalité, de ses goûts et de ses activités

Évaluation p. 118   **Évasion :** ... au théâtre **p. 122**

Unité 4 S'adapter à de nouvelles réalités

Leçons	Grammaire	Vocabulaire	Discours continu
13. Vivement demain p. 126	• Le futur • La comparaison des qualités, des quantités et des actions	• Le travail • L'éducation et la formation • Le changement	• Parler du futur à propos de domaines déjà étudiés
14. Tu as du boulot ? p. 134	• Le pronom « en » • Le pronom « y » • Expression de la condition	• L'entreprise • Le travail	• Relater le contenu d'un bref article de presse Faire un bref commentaire de cet article
15. Qu'en pensez-vous ? p. 142	• Le subjonctif (emploi lié à quelques verbes) • Expression de la quantité (poids et mesure – évaluation – restriction)	• L'administration • La politique	• Exposer brièvement un fait et porter un jugement sur ce fait
16. C'est tout un programme ! p. 150	• Les propositions relatives introduites par « qui , que, où » • Les adverbes (place, formation des adverbes en -ment) • La forme « en + participe présent »	• La télévision et la radio • La presse écrite	• Donner son avis sur un programme de télévision ou de radio

Évaluation p. 158   **Évasion :** ...dans les livres **p. 162**

Situations orales	Phonétique	Compréhension des textes	Écriture	Civilisation
• Demander / donner des informations sur la biographie d'une personne, sur ses relations amicales ou familiales • Interroger quelqu'un sur ses projets	• Le [j] • Différenciation [ɔ] et [ɔ̃] [ɔ̃] et [ɑ̃]	• Pages spectacles d'un magazine : présentation de films sur le thème du couple	• Rédactions de commentaires de photos (album souvenirs)	• Le couple et la famille
• Aborder quelqu'un • Se présenter • Faire valoir son droit • Exprimer une opinion sur la vérité d'un fait	• Rythme des contractions avec pronoms • Différenciation [ʃ] – [ʒ] – [s] – [z]	• Messages de vœux , souhaits, remerciements, félicitations, excuses	• Rédaction de petits messages en relation avec ceux qui ont été étudiés en lecture	• Conseils de savoir-vivre en France
• Téléphoner • Prendre rendez-vous • Exposer un problème / réagir	• Son [y] • Rythme des constructions négatives • Rythme des constructions du discours rapporté • Son [p] et [b]	• Extraits de magazines : instructions	• Bref exposé écrit d'un problème personnel • Rédaction de conseils	• Conseils pour faire face aux situations d'urgence
• Prendre rendez-vous • Demander / donner une explication	• Différenciation masculin / féminin • Différenciation [ø] et [œ]	• Extraits de magazine : description de comportements	• Se présenter par écrit	• Quelques styles comportementaux et vestimentaires en France

Projet : Improvisation

Situations orales	Phonétique	Compréhension des textes	Écriture	Civilisation
• Faire des projets • Exprimer l'inquiétude – Rassurer • Faire une proposition	• Le [ə] dans la conjugaison du futur • Le [r] • Différenciation des voyelles nasales	• Compte rendu de table ronde : l'avenir de l'éducation	• Rédaction de la partie « Études et formation » d'un CV • Développer brièvement une opinion sur un sujet d'éducation	• L'enseignement en France
• Choix et achat d'un vêtement • Exprimer des goûts et des préférences • Faire des suppositions	• Rythme et enchaînement des constructions avec le pronom « en » • Différenciation [k] et [g]	• Extraits de magazines : exemples de création de petites entreprises • Lettre de demande d'emploi (stage)	• Rédaction de la partie « Expérience professionnelle d'un CV » • Lettre de motivation	• Le travail en France
• Accuser / défendre quelqu'un • Interdire / demander une autorisation • Proposer de faire quelque chose / refuser / insister	• Différenciation des formes du présent de l'indicatif et du subjonctif • Différenciation [t] et [d]	• Extraits de presse : articles relatant des interdictions • Articles de presse sur la vie politique	• Contester ou approuver une décision ou un fait	• L'organisation administrative et politique de la France
• Donner des instructions • Porter un toast • Accueillir quelqu'un • Raconter une histoire • Choisir un programme	• Différenciation [u] – [o] – [w] • Formes familières contractées (« t'es où ? ») • Intonation de la surprise, de la satisfaction et de la déception	• Programmes de télévision • Articles de presse : événements insolites	• Faire un programme • Présenter un fait d'après des indications orales	• La télévision et la presse en France

Projet : Prix du livre pour débutants en français

Crédits photographiques

5 ht : PHOTONONSTOP/M. Rossi ; 5 m ht : PHOTONONSTOP/Mermet ; 5 m bas : B. Domenjoud ; 5 bas : HEMISPHERES/ ; 6 ht g : CORBIS/Mike Watson Images ; 6 ht m : CORBIS/A. Hornak ; 6 ht d : EYEDEA/Hoa-Qui/A. Wolf ; 6 m g : HEMISPHERES/F. Derwal ; 6 bas g : PHOTONONSTOP/B. Merle ; 6 bas m : BIS / Ph. Sonneville / Archives Nathan ; 6 bas d : CORBIS/C. Lovell ; 7 g : PHOTONONSTOP/Simeone ; 7 d : PHOTONONSTOP/T. Bognar ; 10 : SIPA PRESS/Krod ; 13 crédit : REA/Ch. Dumont ; 13 m g : REA/A. Marescaux ; 13 coiffure : EYEDEA/Rapho/J. Chatelin ; 13 taxis : PHOTONONSTOP/V. Leblic ; 13 crêperie : SUNSET/Interstock ; 13 centre culturel : REA/R. Degoul ; 13 hotel : REA/P. Gleizes ; 13 michelin : REA/P. Gleizes ; 13 bistrot : SUNSET/Th. Martinot ; 13 bibliothèque : KR IMAGES/B. Gauthier ; 13 cinémanivel : URBA IMAGES SERVER/J.C. Pattacini ; 14 g : SIPA PRESS/AP/Y. Logghe ; 14 d : PRESSE-SPORTS/de Martignac ; 15 ht : ANDIA PRESSE/Ruault/Artur ; 15 bas : ICON SPORT ; 18 : URBA IMAGES SERVER/M. Castro ; 19 : PHOTONONSTOP/J. Loic ; 20 ht : OPALE/V. Menard ; 20 bas : SIPA PRESS/Lydie ; 21 ht : PICTURETANK/A. Le Bacquer ; 21 bas : EYEDEA/Hoa-Qui/P. Escudero ; 22 ht : 2004 © RotaryClub-Creteil.org ; 22 bas g : PHOTONONSTOP/AGE ; 22 bas d : URBA IMAGES SERVER/G. Danger ; 23 ht : ANDIA PRESSE/Granier ; 23 m : URBA IMAGES SERVER/G. Engel ; 23 bas : B. Domenjoud ; 26 : URBA IMAGES SERVER ; 27 : BIS / Ph. Coll. Archives Larbor ; 28 : SIPA PRESS/Maisonneuve ; 29 ht g : HEMISPHERES/Ph. Houze ; 29 bas : HEMISPHERES/Wysocki/Frances ; 29 ht d : PHOTONONSTOP/A. Hubrich ; 29 bas d : CIT'IMAGES/CIT'EN SCENE/E. Chauvet ; 30 : REA/Expansion/H. de Oliveira ; 31 Marie-Antoinette : BIS / Ph. H.Josse/Archives Larbor ; 31 Zidane : CORBIS/Ch. Liewig ; 31 Dion : CORBIS/DPA/J. Carstensen ; 31 Bellucci : TCD/ BOUTEILLER/DR ; 31 Manaudou : SIPA PRESS/EPA/Kraemer/Patrick B. ; 31 Sartre : CORBIS/Sygma/Apis/J. Andanson ; 31 Tintin : Hergé/ Moulinsart 2007 ; 31 de Gaulle : BRIDGEMAN - GIRAUDON/Institut Charles de Gaulle ; 35 : EYEDEA/Hoa-Qui/Explorer/J. P. Lescouret ; 37 bas : PHOTONONSTOP/J. Loic ; 37 ht d : REA/P. Allard ; 42 ht : SIPA PRESS/Superstock ; 42 bas : CITE DES SCIENCES ET DE L'INDUSTRIE/DR ; 43 m : TV5Monde/DR ; 43 bas : FRANCE24/DR ; 44 g : Le Point/DR ; 44 mg : Femme actuelle/DR ; 44 m : Figaro Magazine/DR ; 44 hd : Le Figaro/DR ; 44 md : Elle/DR ; 44 bas g : AFP/G. Bouys ; 45 ht : URBA IMAGES SERVER/G. Codina ; 45 m ht : REA/P. Gleizes ; 45 m bas : EYEDEA/Imagestate/B. Lawrence ; 45 bas : EYEDEA/Gamma/ E. de Malglaive ; 46 g : HEMISPERES/Ph. Renault ; 46 m : ANDIA PRESSE/Perrogon ; 46 ht d : SCOPE/Ch. Goupi ; 46 bas : HEMISPHERES/P. Frilet ; 47 ht : EYEDEA/Gamma/Voulgaropoulos ; 47 bas : COSMOS/Focus/S. Erfurt ; 51 : REA/S. Ortola ; 52 g : URBA IMAGES SERVER/H. Langlois ; 52 d : EYEDEA/Hoa-Qui/Age Fotostock/J. F. Raga ; 53 ht g : OREDIA/ Boutet ; 53 bas g : EDITING/J. P. Guilloteau/L'Express ; 53 ht d : REA/Laif/R. Frommann ; 53 bas d : PHOTONONSTOP/F. Dunouau ; 54 bas g : URBA IMAGES SERVER/F. Achdou ; 54 ht d : EYEDEA/Top/J.F. Rivière ; 55 : Pixoclock/Ph. Roy : 59 : HEMISPHERES/P. Wysocki ; 60 : Restaurant « Le Wagon bleu », Paris ; 61 ht g : CORBIS/O. Franken ; 61 bas : REA/Lanier ; 62 : PHOTONONSTOP/Harten ; 63 ht : CORBIS/G. Mendel ; 63 bas : URBA IMAGES SERVER/J. C. Pattacini ; 66 : HEMISPHERES/B. Rieger ; 68 g : EYEDEA/Rapho/E. Luider ; 68 d : PICTURETANK/O. Pascaud ; 69 ht g : EDITING/Th. Jouanneau ; 69 bas g : ANDIA PRESSE/Aucouturier ; 69 ht d : EYEDEA/Imagestate/M. Hesse ; 69 m : CORBIS/Brand X/L. Robertson ; 70 ht : EYEDEA/Grandeur Nature/Sautereau ; 70 bas : Christine Boutron ; 71 ht : REA/XPN/H. de Oliveira ; 71 m : URBA IMAGES SERVER/M. Castro ; 71 bas : URBA IMAGES SERVER/D. Schneider ; 74 : FEDEPHOTO.COM/G. Bartoli ; 76 ht g : URBA IMAGES SERVER/J. C. Pattacini ; 76 bas : RAULT Nicole/Le Havre ; 77 : REA/LAIF/D. Kruell ; 80 : SCOPE/C. Bowman ; 82 bas g : PHOTO12 / ALAMY/Blickwinkel ; 82 ht d : PRINTEMPS DES POETES/DR ; 83 m : RMN/ H. Lewandowski ; 83 ht d : OREDIA/Retna/John Powell ; 84 : SCOPE/J. Guillard ; 85 ht : EYEDEA/Top/M. Rougemont ; 85 ht m : REA/I. Hanning ; 85 m bas : EYEDEA/Hoa-Qui/G. Lansard ; 85 bas : PHOTONONSTOP/Iconos ; 86 ht g : CORBIS/ Sygma/B. Bisson ; 86 d : MAGNUM/E. Erwitt ; 87 ht : CORBIS/Zefa/H. G. Rossi ; 87 bas : CORBIS/R. Faris ; 91 : EYEDEA/ Gamma/P. Mesner ; 92 ht : TCD/ BOUTEILLER/Prod DB/DR ; 92 bas : TCD/ BOUTEILLER/Prod DB/DR ; 92 bas : TCD/ BOUTEILLER/Prod DB/DR ; 93 : MAGNUM/L. Freed ; 94 : SIPA PRESS/AP/Joerg Sarbach ; 99 : ANDIA PRESSE/Bigot ; 101 m g : B. Domenjoud ; 101 bas : GETTY IMAGES France/Alberto Incrocci ; 101 ht d : GETTY IMAGES France/StockFood Creative ; 101 bas d : EYEDEA/Hoa-Qui/Age Fotostock/Al Ley ; 102 ht : BIOS/J. L. Klein ; 102 bas : REA/P. Sittler ; 103 : TCD/ BOUTEILLER/Prod DB/DR ; 107 : EYEDEA/Hoa-Qui/C. Thiriet ; 108 : CORBIS/D. Woods ; 109 ht : REA/ R. Damoret ; 109 m : REA/R. Damoret ; 110 ht : ANDIA PRESSE/Andreas Buck ; 110 m ht : CORBIS/Zefa/Mika ; 110 m bas : DR ; 110 bas : B. Domenjoud ; 111 : SCOPE/A. Blondel ; 111 ht : CORBIS/Sygma/S. Klein ; 111 m : AFP/ A. Jocard ; 111 bas : CORBIS/J. L. Pelaez, Inc. ; 117 ht g : SIPA PRESS/P. Le Floch ; 117 ht m : CORBIS/A. Nogues ; 117 ht d : SIPA PRESS/AP/A. Keplicz ; 117 bas g : CORBIS/Sygma/A. Nogues ; 117 m m : TCD/ BOUTEILLER/Prod DB/DR ; 117 bas d : AFP/J. Guez ; 118 : EYEDEA/Gamma/Inna Agency ; 122 : TCD/ BOUTEILLER/Prod DB/DR ; 123 : AFP/P. F. Colombier ; 124 : BIS / Ph. Jean-Loup Charmet/Archives Larbor - DR ; 125 ht : PHOTONONSTOP/J. Loic ; 125 ht m : REA/Planet Reporters/L. Brandajs ; 125 m bas : REA/P. Gleizes ; 125 bas : EDITING/M. Bertrand ; 127 ht : AFP/A. Ch. Poujoulat ; 127 m : Droits Réservés ; 127 bas : AFP/P. Verdy ; 131 : CORBIS/A. Clopet ; 133 bas g : AFP/J. F. Monnier ; 133 ht d : ANDIA PRESSE/Mege ; 133 m d : CORBIS/O. Franken ; 134 : REA/B. Decout ; 135 : REA/B. Hanna ; 139 : EYEDEA/Hoa-Qui/B. Wojtek ; 141 : REA/G. Rolle ; 142-143 : Marc Tallec ; 142 g : PHOTONONSTOP/Mauritius ; 142 d : AFP/P. Verdy ; 147 : EYEDEA/Hoa-Qui/Explorer/A. Philippon ; 148 : CORBIS/Sygma/M. Rougemont ; 149 Sarkozy : AFP/J. Demarthon ; 149 Chirac : GLOBEPIX/X. Mouthon ; 149 : COSMOS/Popperfoto ; 149 : CORBIS/Sygma/Th. Orban ; 149 bas : CORBIS/O. Franken ; 150 : France 5/DR ; 151 : SIPA PRESS/TF1/Chognard ; 155 : BIOS/D. Halleux ; 156 : BIPM ; 157 g : Paris Match/DR ; 157 m : L'Express/DR ; 157 g : Midi Libre/DR ; 157 bas g : Marianne/DR ; 157 bas d : Le Monde ; 162 : REA/J. Cl. Moschetti ; 183 : RATP / Département Juridique/bdconseil/DR.

N° d'editeur 10137359 - Janvier 2008
Imprimé en Italie par Rotolito Lombarda